# АННА МАЛЫШЕВА

# ЗАЧЕМ ТЕБЕ АЛИБИ...

РОМАН

Москва
ЦЕНТРПОЛИГРАФ
1998

УДК 882
ББК 84(2Рос-Рус)6-4
М20

*Разработка серийного оформления
художника И.А. Озерова*

*На переплете использована фотография
Е.А. Кузнецова*



ISBN 5-218-00687-4

# ЗАЧЕМ ТЕБЕ АЛИБИ...

## Глава 1

Эта девушка шла по улице очень медленно. С трудом передвигая ноги. Устала после бессонной ночи? «Да ничего подобного!» — ответила бы она, если бы кто-то спросил ее. Девушка не любила признаваться в своих слабостях, а слабостей было предостаточно. Но кто станет приставать с расспросами на пустынной улице в шесть часов утра? Девушка поднесла к глазам запястье, посмотрела на часы. Красивые часы, дорогие, и рука тоже красивая, тонкая, с длинными пальцами. «Такими на пианино играть, — подумала она. — Но я не умею. Ни на пианино, ни даже на губной гармошке. Ни слуха, ни голоса. Танцую плохо. Хожу как корова. Давай шевели ногами! Давно пора быть на месте».

Майское утро, холодное ясное утро. И пустая улица. В мягких туфлях на плоской подошве она шагала почти бесшумно. Каблуки носить не умела, шаталась на них — с детства была плохая координация движений, и с годами не улучшилась. Вот он — дом, который ей нужен. Девушка остановилась, еще раз взглянула на часы. Внутренний голос не без ехидства отметил, что она просто хочет оттянуть тот момент, когда придется войти в подъезд, подняться по лестнице, открыть дверь. Наплевать! Она сейчас все это сделает.

И она вошла в подъезд. Решительно сунув руки в карманы голубого плаща, чтобы не хвататься за перила, стала подниматься вверх. Скверная привычка. «Ты как старуха, — часто ругал ее муж. — Гляди, костыль куплю. Двадцать пять лет, а по лестнице поднимаешься полчаса». Наплевать! Пятый этаж. Лифта нет. Пятый этаж — последний. Хрущевский дом. Узкая лестничная площадка. Две двери, одна обита бордовой поддельной кожей. Железная дверь. «Под кожей — железо, — почему-то подумала она. — Вот бы и мне так. Немножко железа под мою кожу, чтобы не было этого противного страха. А бояться ведь нечего. Я — никчемная дура. Трусиха. Так он всегда говорил. Идиотка. Доставай ключи! Открывай дверь! Заходи! Ты же сто раз обдумала, как сделаешь все это сегодня утром!» Она всегда говорила с собой в таком тоне, если не могла на что-то решиться. Очень часто говорила. Получалось, что существуют две Анжелики. Первая — трусиха, дурочка, паникерша. Вторая — умная, сильная, уверенная в себе, отдающая приказы слабой подруге. Но секрет был в том, что второй, сильной Анжелики, никогда не существовало. Она ее выдумала, чтобы легче жить. Настоящей Анжелике было двадцать пять лет. Одета в голубой плащ, джинсы, помятую белую рубаху и, стало быть, туфли на плоской подошве. У нее были черные волосы до плеч, серые глаза, неуверенная улыбка. Когда она улыбалась, то казалось, что хочет о чем-то спросить собеседника. Некоторых эта улыбка удивляла, некоторых, например ее мужа, раздражала. Наконец Анжелика достала ключи, отперла дверь, потянула ее на себя и вошла. Ноги подкашивались. Все силы ушли на то, чтобы снова прикрыть за собою дверь и запереть ее изнутри. А как не хотелось этого делать!

Родная квартира. Она постояла на пороге, прислушалась. Абсолютная тишина. Значит, все удалось. Иначе он бы сейчас вышел, хмуро посмотрел ей в глаза, скривил губы, спросил: «Где была?» Но его нет. Как тихо!

Тихо в обеих комнатах и на кухне. Все малюсенькое, но не убогое. Он сделал хороший ремонт. Конечно, не своими силами — руки у него к тяжелой работе не приспособлены. В квартире сняли ужасный вонючий пол из потертого крагиса, настелили ковровое покрытие, положили мраморную плитку на кухне. Обои тоже содрали, выкрасили стены в пастельные нежные цвета, довели до ума потолок, поменяли все окна и двери. «Жить бы и жить». При этой мысли ей стало нехорошо. Какой-то дурацкий смех защекотал горло. «Ну прекрати, — приказала она себе. — Иди в комнату. Вот в эту. Дура!» — «Почему именно в эту? — слабо возразила она себе. — Откуда ты знаешь? Насчет комнаты никто не договаривался». — «Знаю, и все. Это его комната, понимаешь? — ответила сильная Анжелика. — Значит, он там. А тебя никто не спросил. Вот открой дверь и увидишь, что я была права».

Она открыла дверь его комнаты. Бросила беглый взгляд, сжалась, но не закричала, не заплакала. В конце концов, она знала, что именно увидит. Только смотреть больше не хотелось. Она вошла, прислонилась спиной к холодной гладкой стене. Руки все так же держала в карманах. Когда сунула их туда — не помнила. Ничего больше не помнила. Ничего не соображала. И больше никто ей не давал советов. Сильная Анжелика умолкла. Она осталась абсолютно одна, наедине со своим страхом. В комнате было темно. Окно задернуто плотными шторами, которые совсем не пропускают свет, и, если бы не щелка между шторами, она бы ничего не увидела.

«Посмотри на пол, — сказала она себе. — Для начала еще раз посмотри на пол и скажи, что ты там видишь». Глаза уже привыкли к слабому освещению, но смотреть она больше не хотела. Закрыла глаза. «Я сейчас упаду в обморок, — поняла она. — Это слишком. Незачем туда смотреть. Не надо туда смотреть. Я и так все знаю. Надо уходить. Нет! Ничего не хочу! Это для меня слишком!» Но уйти нельзя, и она прекрасно это понимала. Она все понимала, кроме одного — как ей теперь жить, что ей теперь делать. И как всегда в такие минуты, она применила испытанный способ. Простой и, наверное, дурацкий способ, о котором она никогда никому не рассказывала. В очередной раз назвали бы дурочкой, фантазеркой, и все. Но ей это помогало. Когда Анжелика оказывалась в затруднительном положении и ничего не могла решить, она начинала раскладывать все случившееся по пяти полочкам. Пять полочек — пять чувств, отпущенных человеку природой. Зрение, слух, обоняние, осязание, вкус. И постепенно все вставало на свои места. Даже самое ужасное становилось почти простым и понятным. Во всяком случае, для нее. Она никому не давала этого рецепта, хранила его в тайне. И сейчас решила применить его. Но для этого ей все же пришлось открыть глаза.

Первое, что она увидела, — это его рука. Знакомая смуглая рука, безвольно откинутая на ковровое покрытие. Короткие пальцы, испачканные чем-то черным. Она отлепилась от стены и подошла поближе. Наклонилась. Пальцы были испачканы пеплом. Она хотела было отдернуть штору, чтобы получше все рассмотреть, но не сделала этого. В комнате стало как будто светлее, начинался день. Его рука. Она смотрела только на руку, и в конце концов стала различать даже петлистые узоры на кончиках пальцев. Рядом с этой рукой на полу валялась сигарета. Незажженная. Не успел закурить. Потом она рассматривала белую манжету его рубашки. Всегда любил белые рубашки, плевал на моду. Она выпрямилась, шагнула к окну, отдернула штору. Окна выходили на восток, и в комнату ударили лучи солнца. Она зажмурилась, потом медленно открыла глаза. Повернулась, снова посмотрела на него. Его темные волосы блестели на свету, одна прядь косо упала на лоб. Лоб очень спокойный, высокий, смуглый. Глаза закрыты, короткие ресницы неподвижны. На щеках проступила синеватая щетина. Губы... На губы она не хотела смотреть. В них не было ничего страшного, но смотреть она не хотела. Слишком знакомые губы.

Слишком. «Хватит смотреть, — сказала она себе. — Больше не хочу!»

Теперь она прислушивалась. Тикали часы — очень громко. Чьи часы? Только не ее собственные и не его... Часы на стеллаже с книгами. Большие часы, его приобретение. Под старину. Ей они никогда не нравились. Теперь она сможет их выбросить или кому-нибудь подарить. Кроме тиканья часов, не было слышно ничего. А, нет — вот внизу, на улице, проехала машина. Еще одна. Да там уже полно народу! Откуда все они взялись? Когда она пришла сюда, никого еще не было. Время она выбрала удачно. Ее никто не видел. А если бы и увидели — так что? Женщина возвращается домой, к своему законному мужу. Почему на рассвете? Почему не ночевала дома? Но это не повод для обвинений. Это — ее алиби. Даже лучше будет, если кто-то видел ее из окна дома, когда она вошла в подъезд в шесть утра. Возможно, кто-то и видел. Тикают часы, едут машины. А больше она ничего не слышит.

Обоняние. В комнате пахнет какой-то кислятиной. Странно — откуда? Это не он, нет, не может быть он. Еще — застоявшийся табачный дым, наверное, он выкурил пару сигарет, прежде чем... Анжелика наклонилась, подняла с пола незажженную сигарету, достала из кармана зажигалку, высекла огонь, закурила. Зачем? Сама не знала. Просто хотелось хоть что-то сделать. Теперь табаком пахло еще сильнее. Она знала, что если наклонится к мужчине совсем близко, то услышит запах его духов. Любил «Гавану». Высечь на его могиле — человек, который любил «Гавану». Дико. А больше ничем не пахнет. Анжелика открыла форточку, когда кончила анализировать запахи.

Осязание было самым неприятным из всех чувств. Но она все же опустилась на колени рядом с ним, взяла его руку. Жесткая, холодная рука — она отдернула пальцы. Погладила его по голове, волосы шелковистые, а лоб показался ей влажным. Еще раз провела рукой по его лбу. Нет, показалось. Сухой лоб, просто холодный. Она забыла о сигарете, которую держала в другой руке, и коротко вскрикнула — неловко сжала ее, обожглась. Слегка — ничего страшного. Погасила сигарету в пепельнице, посмотрела на свою руку, потом — на его. Встала, подошла к столу, подняла невесомую телефонную трубку. Трубка такая легкая, а слова будут тяжелые. «Она сломается в моих пальцах, эта трубка, мой голос ее сломает», — подумала она. Но пальцы у нее не дрожат, они крепко обхватывают трубку.

Вкус? Во рту прохладно и пахнет мятой. Неизвестно почему. Язык какой-то чужой. Анжелика помолчала, стоя с прижатой к уху трубкой, мятный вкус щекотал ей рот. «Спокойно, — сказала она себе. — Это только начало. Будет еще день, и еще ночь, и все это ты должна пережить. Будет еще много всего». Провела кончиком языка по губам. Его губы. Ее губы. Их губы так часто соприкасались. Зачем об этом сейчас думать? Анжелика почувствовала на языке что-то теплое, соленое. «Неужели я плачу? — спросила она себя. — Да. Вот уже минута, как я стою так и плачу. Пускай». Она набрала номер и, дождавшись ответа, сиплым голосом сказала: «Моего мужа убили». Сказала свое имя, адрес, просила приехать скорее. Положила трубку, повернулась к мужу и смотрела на него долго, долго. «Я выдержала, — сказала она себе со странной гордостью. — Я все выдержала, все сделала, значит, не так уж я слаба, значит, все удалось. А на остальное наплевать».

* * *

— О чем они тебя спрашивали?

Анжелика сидела сгорбившись, свесив руки между коленей, смотрела в пол покрасневшими глазами. Услышав вопрос, она даже не подняла головы. Тогда он наклонился к ней и потряс за плечо:

— Да что такое? Что случилось?

— Оставь ты меня в покое... — выдавила она, поднимая на него взгляд.

Саша внимательно поглядел ей в лицо, скривил губы... Точно как ее муж! Она даже вздрогнула, хотя в этом не было ничего удивительного. Ведь они с Сашей родные братья. Сходство было несомненным — те же темные глаза, короткие ресницы, грубоватые руки, блестящие каштановые волосы, смуглая кожа... Только муж ее был ростом пониже и заметно начинал полнеть. А Саша в свои тридцать лет выглядел как мальчишка — худенький, узкобедрый.

— Я тебя оставлю в покое, когда ты мне все расскажешь! — заявил он, садясь перед ней на корточки. Она отвела глаза в сторону, посмотрела на Лену. Та курила, глядя в окно, сигарета заметно дрожала в ее руке.

— Да что тебе рассказывать? — вздохнула Анжелика. — Все было так, как надо.

— Ну и выражения у тебя, — негромко заметила Лена. — По-твоему, все это нормально?

— Слушай!.. — Анжелике от негодования не хватало воздуха. — Не прикидывайся теперь чистенькой! Можно подумать, ты осталась в стороне!

— Все, девчонки, замолчали! — Саша хлопнул Анжелику по колену, резко повернулся к жене: — Особенно ты молчи! Чуть не просрали все дело из-за тебя!

— Заткнись!

Анжелика наконец глотнула столько воздуха, сколько надо, и немного пришла в себя. Саша миролюбиво обратился к ней:

— Давай, расскажи быстренько. Потом Ленка сварит кофе.

— Это мы еще посмотрим, — раздалось из угла. Но больше Лена ничего не сказала.

Анжелика пожала плечами:

— Быстренько так быстренько... Уехала из дому вечером, в одиннадцать часов уже играла на пароходе «Александр Блок». Как договорились.

— Кто там был из наших?

— Лизка, Ксения, Армен...

— Они все тебя видели?

— Конечно. Мы с Ксенькой сидели рядом за столом. Лизка с Арменом играли в рулетку. Мы — в блэкджек. Они все трое меня видели всю ночь. Мы выпивали в баре...

— Ты нормально себя вела?

— А что может быть нормального в казино? Я все фишки слила, около пятисот долларов, потом немного отыгралась... Конечно, понервничала, я всегда переживаю... А Ксенька все время выигрывала. Лизка, кажется, тоже осталась в минусе. Армен дал ей денег, чтобы она отыгралась, но она и это слила... Да! — воскликнула Анжелика. — Я там потрепалась с одним мужиком, сидел рядом за столом. Он видел, как я проигрываю, и подарил мне фишку за двадцать долларов.

— Ты что, его знаешь?

— Нет, первый раз видела. Он слил две тысячи баксов и все смеялся: «Девушка, мне нравится, как ты играешь». Подарил мне фишку и потом слил еще тысячу на моих глазах. Потом сошел на берег и уехал. Где-то в пятом часу утра.

— Ладно, еще один свидетель не помешает, — кивнул Саша.

— Меня уже тошнит от вашего «Александра Блока»! — фыркнула Лена. — Слил, отлил, поганый жаргончик!

— Ты не играешь, и тебе этого не понять, — обернулся к ней Саша. — Не мешай ей рассказывать. Что ты делала дальше?

Анжелика закурила и прикрыла глаза. Она сегодня успела наплакаться, да еще бессонная ночь, да еще... Глаза невыносимо резало, они слезились.

— Потом Армен с Лизкой куда-то пропали. Домой, наверное, поехали...

— А Ксения?

— Она осталась до пяти утра.

— Она подтвердит, что ты оставалась там до утра?

— Да. Мы вместе ловили машину.

— Постой... Так ты ехала домой с Ксенией?

— Ну, почти. Мы вместе доехали до ее дома — было половина шестого... Там метро рядом. Я увидела, что метро уже открылось, и сказала Ксеньке, чтобы меня высадили. У меня не было денег, чтобы расплатиться с водителем, а у Ксеньки не займешь.

— Она же выиграла!

— Ну и что? Ты эту жмотину не знаешь?

— Какие вы все идиоты... — протянула из своего угла Лена.

— Так, ты заткнись! — вспыхнул Саша.

— Нет, идиоты, идиоты... — повторила Лена. — Мальчишки, девчонки, и ты, и Лика, и Армен, и Ксенька... Господи, зачем я с вами связалась...

— Теперь поздно каяться. — Саша сел на пол, растер затекшие ноги, повернулся к Анжелике: — Дальше, говори!

— А что дальше... Доехала в метро до дома, потом пешком, потом вошла в квартиру, открыла дверь, вызвала милицию. Все!

— Не все. Что там было?

— В квартире? — удивилась Анжелика. — Он там был. Кто же еще?

— Черт! Я тебя спрашиваю, как он выглядел?

— Не спрашивал ты меня об этом, — возразила Анжелика. — Как он выглядел? Господи... Ясно же... Он был мертв.

— Идиоты... — повторила Лена.

— Заткнись! — Саша даже не повернулся к ней. — Лика, послушай, это глупость, то, что я тебе сейчас скажу... Ленка подтвердит, что я говорю правду...

— Что такое? — Анжелика непонимающе глядела на него. — Что еще? Он был мертв, говорю вам... Будто вы сами не знаете... Господи, неужели нельзя не говорить больше об этом?! Меня всю трясет! Я не могу об этом говорить, я там была полдня, я говорила с милицией, я едва с ума не сошла... Наконец, он был моим мужем! Черт! Как бы там ни было, а я до сих пор не верю, что пошла на это, не верю...

— Никто на это не пошел, — тихо и внушительно возразил Саша.

— Что?!

— Не поняла? Мы этого не делали. Запомни!

Анжелика застыла, переводя взгляд с Саши на Лену и обратно. Те смотрели на нее как-то странно: Лена — напряженно и выжидающе, Саша так и впился глазами, ожидая реакции. Она глубоко и тяжело вздохнула. Улыбнулась — криво, слабо.

— Вы что, ребята? Так не пойдет... Зачем вы врете? Зачем...

— Да не врем мы, — резко оборвала ее Лена. — Он же правду тебе сказал. Мы его не трогали, клянусь тебе!

— Да что же это такое!

— Не веришь? — Саша схватил ее за руку. — Слушай, когда мы туда пришли и позвонили в дверь, нам никто не открыл. Мы решили, его дома нет. Открыли дверь сами, теми ключами, которые сделала ты, вошли...

— А он был в комнате... — Лена вскочила со стула и подошла к ним. — Мертвый.

— Вы... — У Анжелики дрожали губы. — Вы только что все это придумали!

— Да нет же!

— Врете!

Лена попыталась взять ее за руку, но Анжелика отдернула ее:

— Врете, врете! А зачем вы врете, не могу понять! Ну зачем?! Хотите выглядеть чистенькими? Испугались? Чего испугались? А?! Вы же говорили — никто никогда не узнает, никто никогда вас не найдет... Зачем же врать в таком случае? Только чтобы я не знала, что вы убийцы? А я это знаю, знаю! Решили меня сделать сообщницей, только не вашей, да?

— С ума ты сошла...

— Ленка, это ты с ума сошла! — выпалила Анжелика. — Я тебя просто не узнаю! Какая ты была умная, какая смелая, когда мы все обсуждали! Черт! А теперь что?! Да что там было на самом-то деле — можете сказать? Вы позвонили, он вам открыл, вы вошли, выпили кофе... А дальше?

— Он нам не открывал, и кофе мы не пили... — прошептала Лена.

— Ну конечно! — издевательски протянула Анжелика. Она была близка к истерике. — Господи, какая наглость!

— Слушай, можешь нам не верить, но когда мы пришли, уже ничего не надо было делать, — отрезал Саша. — Он был мертв, слышишь, и не мы это сделали. Даже если тебе это не нравится — не мы! Мы оказались в дурацком положении.

— Чуть не рехнулись, — добавила Лена.

— Я рехнусь сейчас, я! — завыла Анжелика. — Зачем все это, зачем?!

— Да ни за чем! — Саша закурил, сунул незажженную сигарету Анжелике. — Успокойся. И не кричи. Мы втроем должны все обдумать. Я ни черта не понимаю. Кто это сделал? Почему именно этой ночью? Не понимаю ни хрена...

Анжелика держала в руках сигарету. Вертела ее между пальцами, поворачивала так и сяк, но не зажигала. Сунула ее в рот, но тут же вытащила, посмотрела на марку.

— Это ты куришь? — спросила она Сашу.

— Что? — удивился он.

— «Мальборо». Я спрашиваю: ты куришь «Мальборо»? А ты, Ленка?

Та обеспокоенно смотрела на Анжелику, потом переглянулась с мужем. Их взгляды говорили: «Сходит с ума». Анжелика все поняла и взбесилась:

— Отвечай, если спрашивают! Ты что куришь?

— Мы курим одну марку... — пробормотала Лена. — Я вообще редко курю... Да какая тебе разница? Нашла о чем думать...

— Какая разница... — прошептала Анжелика. — Вы курите «Мальборо». Он курил «Житан», крепкие. Я — что попадется, но без ментола.

— Ты рехнулась?

— Не больше вас. — Анжелика помедлила, рассматривая их изумленные лица. Было мгновенное сомнение — говорить или нет? Наконец она осторожно произнесла: — Можете дать гарантию, что никто из вас не принес туда с собой другие сигареты? Не «Мальборо»?

Саша покачал головой, Лена от удивления приоткрыла рот.

— Черт... Тогда я просто не знаю...

— Да что такое?

Анжелика медлила с ответом — настолько все это ее озадачило.

— Рядом с ним на полу валялась сигарета. Незажженная, целая, понимаете? Сигарета с ментолом. Черт, я не помню, какой марки! Она сгорела до фильтра, я ее закурила, когда осматривала его... Во рту у меня потом было прохладно, но я не обратила внимания... Но сейчас вспоминаю. Это была не его сигарета, не стал бы он курить такие легкие. И не моя, я никогда не покупала сигарет с ментолом. И не ваша.

Они молча слушали ее, ожидая продолжения, но она только развела руками:

— Мне пора в дурдом... Я и вам не верю, и с этой сигаретой ничего не понимаю... Чья она в таком случае? Может... — Она запнулась, неуверенно заглянула Саше в лицо: — Слушай, а вы ее там не подкинули, случайно?

— Господи, да зачем?

— Чтобы убедить меня, что его убил кто-то другой, — твердо ответила она.

— Поверь же наконец, что его и убил кто-то другой! — взорвалась Лена. Она отскочила к окну, треснула ладонью по узкому подоконнику, поморщилась от боли, прижала ладонь к щеке. — Это были не мы! Что — не понимаешь, мы не стали бы тебе врать! Какой нам смысл врать, ты же знала, что мы хотели это сделать! Зачем нам что-то скрывать!

Анжелика молчала, и Саша этим воспользовался:

— Ты видела, как он был убит?

— Нет... — Анжелика вздрогнула, ссутулилась.

— Ты что — не осмотрела его?

— Осмотрела...

— Она, наверное, стояла там и плакала в кулачок... — бросила Лена, отворачиваясь к окну.

Анжелика с ненавистью посмотрела ей в спину:

— Да, я плакала. Верно. Что — запрещено поплакать над телом мужа? А?

— Не заводись, — пытался успокоить ее Саша. — Никого не касается, плакала ты или нет... Твое личное дело. Ленка просто так сказала, от балды. Она тоже нервничает, разве не ясно? Все пошло наперекосяк, все... Мы ничего не можем понять, и ты нам не веришь... Если так будет и дальше, нас всех засадят в тюрьму.

— Почему это?

— Да потому что мы будем ссориться и что-то обязательно выплывет наружу. Знаешь, когда кто-то один не захочет молчать... Например, ты...

— Я?! Будьте спокойны, я буду молчать, — выпалила Анжелика, чувствуя, как глаза у нее наполняются слезами. Она прижала к глазам скомканный платок, потом откинула назад голову, пытаясь успокоиться. — Я ничего не скажу. Но я все же хотела бы понять...

— Мы тебе все сказали.

— Все? Но ты ведь знаешь, как он был убит?

— Ударом в затылок, — смущенно ответил Саша. Видно было, что эти слова дались ему нелегко.

После этого в комнате повисла тишина. Лена молчала, стоя у окна, и растирала ладонью щеку. Глаза у нее были прикрыты, вид усталый, на лице обозначились все ее тридцать с лишним лет, все болезни — круги под глазами, морщинки у губ, отекшие веки... Саша снова курил, стряхивая пепел в баночку с такой тщательностью, словно от этого зависела чья-то судьба. Анжелика молча переваривала услышанное. Наконец разлепила губы, неуверенно произнесла:

— А крови я не видела.

— Он лежал на спине. — Саша теперь говорил очень тихо. — Мы вошли в комнату, Лена вскрикнула, когда его увидела. Он лежал на спине, одна рука вот так...

Он точно показал, как была откинута рука его брата, и тут Анжелика зарыдала. Ее сотрясали рыдания — страшные, неостановимые, ее узкие плечи сотрясались, она спрятала лицо в ладони и даже не пыталась остановить слез. Лена прошла через комнату и вернулась со стаканом воды, сильной рукой прижала Анжелику к спинке стула, отняла ее мокрые пальцы от лица, заставила пить. Вода не помогла — только насквозь промокла белая рубашка Анжелики.

— Пойми наконец, нельзя так об этом говорить, — тихо сказала Лена, обращаясь к мужу. — Оставь ее в покое. Она была ему не чужая. И она совсем еще девчонка, чего ты ожидал...

Эти слова немного отрезвили Анжелику. Больше всего на свете она не терпела, когда ее называли девчонкой, считали маленькой глупышкой, задвигали в угол. Она стала кусать губы, и рыдания в конце концов утихли.

— Пойди приляг, — мягко предложила Лена.

— Нет, я хочу все узнать. — Анжелика повернулась к Саше. — Говори, я уже в порядке. Только говори правду, иначе — сойду с ума.

— Мы сами сбрендили... — глухо продолжал он. — Ты не видела крови, мы тоже сперва не поняли, что случилось. Там коричневое ковровое покрытие, оно впитало кровь. Кроме того, он затылком упирался в пол, прямо раной, и потому, наверное, крови вытекло немного... Я попытался поднять его голову, и тогда только мы увидели рану. Кровь уже не шла, она запеклась. Тут Ленке стало плохо, она стала трястись, пришлось отпаивать ее водой... Я бегал на кухню, боюсь, оставил там отпечатки пальцев... Я вытер кран на раковине и стакан тоже помыл и вытер, но, может, я касался еще чего-то, уже не помню... Мы были как в тумане.

— Даже если оставил отпечатки, ничего страшного, — подала голос Лена. — Мы же там бывали в гостях, вполне могли остаться твои отпечатки. Даже подозрительно было бы, если бы их там не было.

— Постойте... — прошептала Анжелика. — Как же так? Вы говорите — голова пробита... Зачем... Я не понимаю...

— А, наконец-то ты нам поверила?! — Саша схватил ее за руку, пальцы у него были влажные и холодные. — Мы бы никогда не сделали такого! Мы же все придумали по-другому! Зачем нам пробивать ему череп?! Разве кто-то из нас мог это сделать?!

— Убери руку, — приказала Анжелика.

Он послушался.

— Противно тебя слушать... — продолжала она. — Вы и не на такое способны.

Лена закурила, повертела в пальцах сигарету:

— Говоришь, та была с ментолом? Тебя это не насторожило?

— В том состоянии я не обращала внимания на такие вещи. Решила, что это его сигарета, хотя от «Житан» я всегда задыхалась, не могла курить. А эта... Легкая, слабая... и в ней был ментол. Никто из нас такие не курит.

— Пойми, там кто-то был до нас, тот, кто его убил. И сигарету уронил, может быть, когда наклонился к трупу. А потом быстро ушел, не заметил сигарету. Черт, зачем ты ее выкурила!

— А что мне с ней было делать? Я в тот момент ничего не соображала. Она мне просто попалась на глаза, ну, я ее подняла и закурила...

— Принесла бы сюда... Хотя бы знали, что за марка. Какая она была с виду?

— С виду? — Анжелика задумалась. Как ни странно, воспоминания о сигарете чем-то ее успокаивали. Это была единственная возможность поверить, что ей говорят правду... — Белая, как все сигареты.

— А фильтр?

— Я не помню... Нет, тоже белый. Она вся была белая.

— А длинная она была или нормальная? Может, длинная и тонкая, с полосками?

— Да нет, тогда бы я сразу обратила внимание. Обычная она была, только вся белая и с ментолом.

— Вы чепухой занимаетесь, девочки, — вмешался Саша. — По сигарете убийцу не найдешь.

— Ой, какой ты стал благородный, — сощурилась на него Анжелика. — Как только понял, что убил не ты, сразу стал говорить «убийца», «убийца»! А сам что хотел сделать?

— Но не сделал ведь!

— Не собачьтесь... — Лена нахмурилась, потом решительно сказала: — Лика, слушай, ты должна притащить нам окурок.

— Что?! Я туда не вернусь!

— Тебе все равно придется идти туда ночевать. Квартиру не опечатали, надеюсь?

— Нет.

— А что милиция говорила?

— А... Ничего.

— Но это самое важное!

— А ничего важного и не было. Приехали, я вся в соплях, увидели его, давай шарить по квартире, задавать вопросы... То да се, были ли враги, долги, прочее... Просили вспомнить, не угрожал ли ему кто. Еще просили сказать, не ограбили ли нашу хату. Я сказала — вроде что-то пропало, а что — не пойму.

— А что, правда что-то пропало? — оживился Саша. — Если да, то брали не мы! Мы ни к чему не прикасались, на фига нам это...

— Знаешь... — протянула Анжелика, — как это ни глупо, но мне кажется, действительно что-то пропало. А что — не пойму.

— Тем более, ты должна поехать туда и понять, что пропало, — настойчиво повторила Лена. — И забери фильтр. А, кстати о птичках, фильтр они не забрали?

— А... Нет, наверное... Впрочем, не знаю. Я не следила, что они взяли.

— И они что же, даже не сказали тебе, как он погиб? — изумился Саша.

— Нет, представь себе... Наверное, решили, что я сама видела, если вызвала их.

— О, твое счастье! Представляешь, ты звонишь в милицию, говоришь — «мужа убили», они приезжают, спрашивают, как он умер, а ты не знаешь... С чего же ты взяла, что его именно убили? Может, умер от разрыва сердца? А ты даже не прикоснулась к нему, значит, знала заранее, что с ним что-то случится. Как бы ты попалась! Так вот — запомни: рана на затылке, кровь запеклась... Ты же обещала его осмотреть, чтобы не попасть впросак!

— Я его осмотрела, — пробормотала Анжелика. — Но я думала, вы его...

— У задушенных вид не такой красивый, как был у него! — резко вмешалась Лена. — Тебе это в голову не стукнуло?!

Анжелика снова вздрогнула:

— Нет, мне ничего в голову не стукнуло. И на его шею я не смотрела. Боялась. Только лицо рассмотрела и его руку. И все. А какие из себя удавленники, откуда мне знать...

— В общем, тебе повезло, — заключил Саша. — Никаких тяжелых впечатлений. Ну не надо, не делай волчьих глаз! Мы пережили куда худшие минуты, когда подняли его голову с ковра! А ты умудрилась быть там и ни черта не заметить.

— Я рассчитывала на вас. Потому и не осматривала его как следует. Кто мог знать, что это не вы...

— Привези фильтр, — монотонно напомнила Лена.

— Задолбала ты меня! Если не пропал, привезу. Мне что — уходить отсюда?

— Конечно. Ты должна ночевать там.

— Но вы мои родственники... В конце концов, вдову одну не оставляют в горе... Это может показаться странным.

— Ты просто боишься туда ехать, — догадалась Лена.

— Ну а что ты милиции сказала? Они же тебя спросили, наверное, где ты будешь ночевать?

— Нет.

— Их что, это дело вообще не заинтересовало? — с сомнением спросил Саша.

— Откуда мне знать? Может, и заинтересовало...

— Может, ты перестанешь вилять? — Лена раздавила сигарету в пепельнице. Лицо у нее было хмурое и усталое, а может, Анжелике показалось — в комнате стемнело, а света никто не зажег. Они превращались в силуэты, смутные, расплывчатые. Не видно было лиц, глаз, остались только голоса, тихие, но отчетливые. «Кто из нас четверых умер?.. — подумала Анжелика. — Он? Или мы, трое его убийц? Он был такой спокойный, мирный, когда я дотронулась до него рукой. И глаза закрыты, будто он спит. Лицо, которое я знала наизусть. Зачем я так хорошо его изучила? Теперь он будет мне являться постоянно... И нет надежды, что когда-нибудь его черты расплывутся, как вот сейчас у нас... Я его буду помнить всегда, слишком отчетливо, слишком хорошо. Я все врала насчет своей зрительной памяти, то, что надо, я помню прекрасно. А что не надо — еще лучше. Вот в чем беда».

Она встала, засунула полы рубашки в джинсы. Хрипловато сказала:

— Ладно, если так, я пойду.

Ей хотелось поскорее покинуть этих людей, чтобы не слышать вопросов и самой не задавать их. Саша попытался ее остановить:

— Погоди! Ленка просто нервничает. Ты можешь остаться ночевать у нас, беды не будет.

Но Лена упрямо мотнула головой:

— Ей надо поскорее осмотреть квартиру. Ты что — не понял, как все серьезно? Она же ничего не сделала утром, до нее просто не дошло, как он погиб! И она, по-моему, еще не верит, что это сделали не мы! Все надо осмотреть заново. Только вот что осталось после милиции...

— Прошу тебя, не говори обо мне в третьем лице! — возмутилась Анжелика. — Я пока еще здесь. Хотя это мне и не доставляет удовольствия. И вообще, не думайте, что я сгораю от желания переночевать у вас. Ничего мне от вас не надо! Обойдусь! У меня пока есть свой дом!

— Вот именно, пока. — Лена выделила голосом последнее слово. Вплотную подошла к ней и так же отчетливо, почти угрожающе повторила: — И кончай базар! Чем меньше ты будешь психовать, тем лучше для тебя. Что бы там ни случилось, а мы своего добились! Он умер. Заруби себе это на носу — умер!

— Но я этим обязана не вам! — выпалила Анжелика. — И не пытайтесь теперь командовать мной!

— Слушай... — забеспокоился Саша, тоже подвигаясь к ней поближе. Теперь супруги стояли так близко к Анжелике, словно собирались ее схватить. Она даже немного отступила назад, не сводя с них глаз. Страшно ей не было. Скорее противно. И еще она чувствовала страшную усталость, бесконечную растерянность и недоумение. — Слушай, — повторил он, — нам же никто не мешал соврать тебе, что его ухлопали именно мы. И тогда бы ты сейчас не говорила таких слов. Но мы тебе сказали правду. Ты нам ничем не обязана? Подумай, что говоришь. Если бы не мы...

— Что — если бы не вы? — Она сделала еще шаг назад и вздрогнула — он двинулся за ней следом. Лена осталась на месте, но она чувствовала, что от нее исходит еще большая угроза, чем от Саши.

— Если бы не мы, если бы не наш план — тебе не помог бы даже его труп, — жестко сказал Саша. — Ну, пришла бы ты утром домой, нашла бы его на ковре. Что дальше? Тебя хватило бы только на то, чтобы вызвать милицию. Его бы увезли. И ни черта бы тебе это не помогло. А так... Как ты можешь говорить, что ничем нам не обязана? Да только благодаря нашему плану ты остаешься жить!

— Не стоит преувеличивать... — У Анжелики дрожали губы, и она изо всех сил пыталась это скрыть. — Обошлась бы и без вас...

— Дура! — взвизгнула Лена.

И в тот же миг ее ладонь обожгла Анжелике щеку. Анжелика ахнула и едва устояла на ногах. Мгновение стояла, окаменев, даже не поднесла руку к лицу, чтобы защититься от очередного удара — Лена замахнулась снова. Но удара не последовало. Саша успел перехватить руку жены, вывернул ее и оттолкнул Лену к окну. Та ударилась бедром о подоконник, молча согнулась в три погибели, опустилась на колени. Они услышали, что она плачет — задыхаясь, как-то сипло, без голоса. Все молчали.

— Иди домой. — Саша искоса взглянул на Анжелику. — Ты сама виновата, что она сорвалась. Она с утра не в себе.

Анжелика не двинулась с места. Она смотрела на плачущую Лену, сдвинув брови, оценивающе, внимательно. Жалкий комок на полу, трясущийся от рыданий. Только и всего. И это она все придумала? И это из-за нее Анжелика сегодня утром шла к себе домой как на казнь? Это все из-за нее? И как она плачет! По-бабьи, горестно, безутешно... В таком состоянии она Лену никогда не видела.

— А что ты имел в виду, когда сказал, что вы едва не просрали все дело из-за Ленки? — спросила она Сашу. — Скажи.

— Отпечатки пальцев.

— Это глупости, ты сам понимаешь. Что еще?

— Ничего больше. С ней просто была истерика, а это случилось так некстати. Мне нужна была ее помощь, я сам не знал, на каком я свете, когда увидел его... — вздохнул Саша. — А она едва не свалилась на пол. Пришлось возиться с ней, вместо того чтобы думать о деле. Из-за этого мы не заметили этой сигареты на полу, о которой ты говорила. Иначе бы забрали с собой. Черт! Если бы я мог все сделать один!

— Тебе же ничего делать не пришлось. — Анжелика сама не заметила, как они вдвоем вышли в коридор. Здесь было совсем темно, Саша протянул руку к выключателю, чтобы зажечь светильник, но она удержала его за рукав свитера: — Не надо.

— Ну, как хочешь... — обреченно прошептал он. — Мне жаль, конечно. Ты же знаешь, Лика, как я к тебе отношусь. А Ленку прости, она в истерике. Вообще это было не для женских нервов, такое зрелище. Я сам едва не грохнулся.

— А я не грохнулась, — сказала она почти с вызовом. — Я выдержала до конца.

— Но ты же знала, что там увидишь, на полу, а мы — откуда? Если бы я туда пошел один, я бы все хорошенько осмотрел и прибрал. А так — с Ленкой возился... Но если бы я пришел один, он бы меня в квартиру не впустил.

— Это точно. — Она кивнула, хотя в темноте он этого видеть не мог. — Шансов у тебя не было никаких. Но ты мог открыть дверь теми ключами, которые я для вас сделала.

— А ты думаешь, что это его не насторожило бы? С какой стати у меня оказались ключи от его квартиры? А если бы он стал ругаться со мной на площадке? Услышали бы соседи. А вдруг бы вообще у меня ничего не вышло? Тогда бы он сразу понял, откуда у меня ключи. Нет, Лика, мы все вылезли из этой истории на пределе... Ты и сама вряд ли понимаешь, на каком пределе мы все были... И ты, и я... Потом поймешь. Успели только-только! А ты еще просила подождать. Нельзя было ждать.

— Ты прав, ты прав... — Она на ощупь двинулась к вешалке, нашарила свой плащ.

Он неожиданно включил свет, она зажмурилась, простонала:

— Предупредил бы!

— Прости. — Он помог ей одеться. Задержал руки на ее плечах, когда она натянула плащ, задержал на короткое мгновение, но и это мгновение было длиннее, чем нужно. Она не подала виду, что ей что-то не понравилось, посмотрелась в зеркало, безразличным голосом спросила:

— Завтра приедете?

— Да.

— Я буду ждать. Начнется комедия с похоронами. Боже, а щека правда... того...

Она полезла в сумочку, достала пудреницу, осторожно провела губкой по левой щеке. Из комнаты раздался негромкий голос Лены:

— О чем вы там говорите?

— Ты бы хоть извинилась, — вместо ответа, крикнул ей Саша. — Лика уже уходит.

Зашаркали тапочки. Лена выглянула в коридор, поморгала заплаканными красными глазами, прищурившись, посмотрела на Анжелику. Та уже защелкивала замок на сумке.

— Прости, — выдавила Лена. — Нервы забарахлили. Но и ты была хороша.

— Я дура, ты же сама сказала. — Анжелика даже нашла в себе силы улыбнуться. В таком опухшем, жалком виде Лена была ей совсем не страшна. Теперь ее даже удивляло, как она могла робеть перед этой женщиной. Что вызывало такую робость? Между ними была разница всего в семь лет — почти что ничего. Анжелика была красивей, хотя одевалась не с такой тщательностью и элегантностью, как Лена, и красилась меньше. Да и зачем нужна была краска ее черным ресницам и бровям, помада — свежему рту, румяна — розоватым скулам? А Лена красилась, чтобы скрыть те недостатки, которые у нее были, и подчеркнуть достоинства, которых у нее не было, мстительно подумала Анжелика. Она даже ресницы наклеивала, что всегда ее смешило — столько возни, чтобы нравиться! Кому нравиться-то? Саше?! Нет, если разбирать по пунктам, у нее, у Анжелики, было немало преимуществ. И все же преимуществ перед Леной у нее не было! В ее присутствии она смущалась, робела, теряла свободу мыслей и слов, не решалась высказать свое мнение. Так было всегда, пожалуй, только этот разговор кое-что изменил. «Неужели из-за того, что произошло с ней утром? — спросила себя Анжелика. — Я их больше не боюсь. Не боюсь».

— Слушайте-ка. — Она уже стояла у самой двери, поправляя на плече ремешок сумки. — Я, конечно, поеду домой, и все там осмотрю, и буду молчать, в этом вы не сомневайтесь. А на те глупости, которые я болтала, внимания не обращайте. Вы правы, мы тесно повязаны, и я ни от чего не откажусь. Я вот только хотела вас спросить. И к тебе, Лена, это тоже относится.

— Конечно спроси. — Саша зачем-то поправлял на подзеркальнике неровно лежащие расчески. Руки у него слегка подрагивали. Лена стояла неподвижно, опершись плечом о дверной косяк.

— Убивать вам не пришлось, ну и хорошо. Но вы же шли туда, чтобы его убить. И я хочу узнать, просто так, ради любопытства: никому из вас хоть на минутку не стало его жалко?

— Что за ханжество? — Лена говорила почти беззвучно. — Это ты нас спрашиваешь, ты — его жена? Ты же сама когда-то прибежала к нам с криками: «Ребята, спасите, я запуталась, что мне делать?!» И мы решили тебе помочь. Зачем теперь задавать такие вопросы?

— Я же говорю — из любопытства. — Анжелика выдержала ее уничтожающий взгляд, растянула губы в улыбке. — Ну и еще потому, что мы с вами уж очень похожи на трех гадин.

— На кого? — не расслышал Саша.

— На гадин, на гадюк, на зверье, на скотов, как тебе еще объяснить? Только не на людей. И разговоры у нас гадские, и ссоры скотские. И я вдруг подумала: неужто никому из нас хоть на миг не пришлось стать человеком? А? Пожалеть его ну хотя бы на секунду?

Лена пыталась что-то сказать, было видно, что на нее накатывает новая истерика. Саша удивленно поднял брови, покачал головой:

— Знаешь, матушка, уж если мы решились на такое, подобные разговорчики... Зачем притворяться? Я, если желаешь чистую правду, и тогда его не жалел, и теперь не собираюсь.

— Ясно с тобой, — кивнула Анжелика. — А ты, Лен, что скажешь?

Та молча отлепилась от косяка и исчезла в комнате. Анжелика вздохнула и негромко заключила:

— Тогда я тоже скажу тебе правду, Саша. Мне его тоже ни капельки не было жалко. Ни-ког-да, — отчеканила она, чувствуя, как губы у нее расползаются в странной, неуправляемой улыбке.

— Зачем же ты спрашивала? — тревожно спросил он, подходя, чтобы открыть ей дверь.

— Да так. Хотела убедиться, что мы все друг друга стоим.

Она скользнула в открывшуюся дверь, остановилась перед дверями лифта и нажала кнопку вызова.

## Глава 2

Анжелика лежала в своей постели, свернувшись калачиком, закрыв глаза. Ночник она не погасила — было жутко в тихой пустой квартире, слишком тихой.

Что-то подобное ей пришлось пережить как-то в детстве, когда родители уехали в гости с ночевкой, а ее оставили дома одну. Пока они не ушли, она даже радовалась — побудет в доме полной хозяйкой! Будет есть конфеты, а ужинать не станет, и телевизор можно смотреть сколько угодно, и спать она ляжет поздно! Но как только за родителями захлопнулась дверь, она остановилась и замолчала. Через минуту ей показалось, что на кухне скрипнула половица. Она замерла, прислушалась, осторожно сходила туда, проверила. Никого, кроме нее, в квартире не было и быть не могло, все страхи — чепуха... Она знала это, а все же к утру измучилась совершенно, даже на минуту не смогла уснуть. И конфеты были не в радость, и телевизор не помогал... Все время ей слышались шорохи, скрипы, стуки, а то даже голоса — будто совсем рядом, в коридоре, разговаривают люди... Говорят о ней, о Лике, и что-то страшное говорят, конечно, вот они сейчас войдут!

После той ночи она боялась оставаться одна даже ненадолго. Сколько ей тогда было лет? Восемь? Девять? Ведь уже была большой девочкой, хорошо училась в школе, любила читать больше, чем гулять. А гулять не любила потому, что совершенно не могла играть в обычные девчоночьи игры — классики, скакалку, резинку... Прыгать на одной ножке, порой даже с закрытыми глазами, скакать, крутясь вокруг своей оси, словно белка, бешено вращая в руках скакалку... Да попробуй она такое сделать, мигом очутилась бы на асфальте, с разбитыми коленями и локтями, грязная, опозоренная, никому не нужная. Больше всего на свете Лика боялась упасть у всех на глазах. Оттого избегала шумных игр, сидела на скамеечке на уроках физкультуры, даже ходила как-то осторожно, выпрямив спину, чутко размахивая руками и постоянно глядя под ноги. У нее часто кружилась голова. И так всю жизнь.

Ее считали девочкой очень хорошей, благоразумной. Она не водилась с дворовой компанией, не отпрашивалась на дискотеки... Танцевать?! Рок-н-ролл?! Ламбаду?! А сидеть у стенки и смотреть, как танцуют другие, — это испытание не для ее гордости. Вот медленный танец она смогла бы станцевать, тут ничего трудного нет — переступай на одном месте и держись за плечи партнера... Но кто ее пригласит, если она почти все время проторчит у стенки? И она сидела дома. Росла как-то незаметно, вытягивалась понемногу, худела, приобрела привычку лежать на спине и часами смотреть в потолок. Маму эта ее привычка ужасно злила. Увидев Лику в таком положении, она сразу начинала ей выговаривать: «И что ты за человек такой — никогда мне по дому не поможешь, в магазин сходить тебя не допросишься, неужто нравится так лежать, о чем ты думаешь?!» Маме, наверное, казалось, что Лика думает о чем-то нехорошем, о мальчиках, например. Когда она приходила из школы, мать тщательно обнюхивала ее с ног до головы. «Ты курила!» — взвизгнула она как-то, и Лика не могла соврать, что нет. Это был вечер истерик, громовых рыданий, Лику едва не прокляли. Спас ее отец, который, как всегда, поздно пришел домой. Мать мигом бросилась к нему и закричала:

— Вот, погляди! Растет твоя смена! И врет не хуже тебя!

— В чем дело? — спросил отец, мельком взглянув на зареванную дочь. Лика даже не успела снять школьную форму, когда пришла из школы, сразу же начался скандал. И теперь она сидела, забившись в кресло, скручивая в руках черный фартук. — Она что, только сейчас пришла? — удивился отец.

— Она курила! — выкрикнула мать.

Отец посмотрел на нее так, словно та свалилась с луны, и очень спокойно ответил:

— Ну и что? Сейчас все курят.

И Лику оставили в покое — скандал продолжили отец с матерью, а она наконец смогла умыться, переодеться и поесть. И вообще, ей показалось, что после того вечера мать стала меньше придираться к ней, вообще почти не замечала. Она долго раздумывала, почему это так, пока в один прекрасный день родители не развелись. Лике сообщили об этом в последний момент, когда нужно было ее участие. Она и в суде была, когда слушалось дело о разводе. Смотрела на отца — такого молодого, подтянутого, спокойного, рассматривала его знакомый коричневый костюм, золотистый галстук, как бы стремясь запомнить все как можно лучше, потому что ей казалось — больше они не встретятся. А на мать не смотрела. Только самой себе Лика могла признаться: она не любила свою мать. И не могла сказать за что. «Эта женщина» — так называла ее про себя Лика, — «эта женщина» никогда не была достойна ее отца. Она — простоватая, грубоватая, даже невежественная, у нее неухоженное круглое лицо, некрасивые руки с нечистыми ногтями, сутулая жирная спина... Одевается как чучело, мгновенно стаптывает каблуки, при ходьбе косолапит... Да что говорить, если самая дрянная черта, которую она ненавидела — плохая координация, — досталась ей по наследству от матери. О-о-о! А ее скандальный мелочный характер?! Скупость, патологическая скупость! Они ведь не бедствовали, отец получал хорошо, и она тоже, и при этом Лике подсовывалось вместо обновки жуткое материно платьице, в котором та ходила двадцать лет назад! Мать не понимала, что за эти двадцать лет изменилась мода: дико смотрелся рисунок, покрой, длина — все! Да просто Лике противно было носить что-то с ее плеча! *Противно!* А мать обвиняла ее в расточительстве.

— Теперь твой отец не может тебе ничего покупать, — ядовито и в то же время обиженно говорила мать, сворачивая отвергнутое платье. — У него другая «доченька» завелась. Ненамного тебя старше!

«Уйди, уйди же!» — молилась про себя Лика, отворачиваясь, чтобы не показать слез. А когда мать исчезала за дверью, плакала, кусая губы, давя громкие всхлипы, заливала слезами подушку, яростно вытирала лицо платком. И клялась себе, что уйдет от матери, как только сможет, как только найдет куда, сразу уйдет!

Она закончила школу, и к этому времени еще больше замкнулась в себе. Скучала по отцу, ругалась с матерью почти каждый день. Ее грызла хандра. На оценки ей теперь стало наплевать, аттестат получила с тройками. Мать ругалась, Лика тупо смотрела в окно, потом срывала с вешалки куртку, хлопала дверью и убегала на улицу. Один раз даже упала на лестнице, так торопилась удрать. Расшибла бедро, порвала колготки. В тот миг ничего не стала рассматривать — только бы подальше отсюда! Не знала, сколько шла, очнулась на набережной Москвы-реки и только тут оглянулась по сторонам, поняла, что торопиться некуда, никто за ней не гонится, никому она не нужна.

День стоял чудесный, мягкий и теплый. Серая река, спокойное чистое небо, золотые деревья в саду за оградой... Сентябрь. Она достала из кармана сигареты, жадно закурила — уже года два как серьезно пристрастилась, выкуривала тайком до десяти сигарет в день, а если бы не мать — то и больше бы не курила. Этим она в отца, он тоже курильщик, и его тоже мать травила из-за этого... Лика оперлась на гранитный парапет набережной, спокойно докурила сигарету, бросила окурок в воду, занялась своей ногой. Задрала сбоку свою широкую серую юбку, убедилась, что колготки разорваны безнадежно — огромная дыра, вокруг все расползается на глазах, а на белой коже — багровое пятно. Больно! Вот приложилась!

— Синяк будет, — услышала она рядом мужской голос. Отпустила подол юбки, резко обернулась. Увидела его. Невысокий, лет около тридцати, коренастый, темноволосый. Ветер трепал его волосы, они блестели на солнце. Он не улыбался, вроде бы не заигрывал, серьезно смотрел на нее. Она не испугалась, но пошла прочь. Прошла шагов пять, обернулась. Он шел следом.

— Вам что? — От волнения она охрипла. «Подумает еще, что у меня всегда такой бас!» — испугалась она в душе. Ей даже в тот самый первый миг уже было важно, что он о ней подумает.

— Да ничего, я помочь хотел. — Он был хорошо одет, говорил спокойно и совсем не нагло.

Лика приметила у бровки тротуара красную машину, в марках она слабо разбиралась. Тут она совсем растерялась. В жизни ни одна собака не обращала на нее внимания, хотя она была ничем не хуже своих подруг... В чем было дело? Может, она просто ни одному из парней не давала времени обратить на себя внимание? Сразу убегала, уходила от разговора? Уходила своей неуверенной походкой? Да не нужны ей были парни, никто ей был не нужен. Самовлюбленные ничтожества! Тупицы! Вот так! Но этот... И выглядит неплохо, и машина, кажется, его... Кавалер с машиной! Вот так — сразу! Ей многие позавидуют... Да, но он ей тоже не нужен. Так она сказала себе, а вслух заметила:

— Я же вас не просила помогать. Ничего страшного не случилось.

— Но вы упали.

— Не здесь. — Она снова закурила, чтобы не так волноваться и говорить поменьше глупостей.

Он не стал спрашивать, где она упала, и снова предложил:

— Хотите, дам йод и пластырь?

— А вы что — врач?

— Нет, у меня аптечка в машине.

Лика помялась. Не так уж ей был нужен пластырь, скорее она предпочла бы новую пару колготок. Юбка едва доходила ей до коленей и не скрывала дыры, которая все расползалась. Напротив, на другой стороне улицы, она углядела маленький галантерейный магазин. Он был открыт. Лика сунула руку в карман, нащупала деньги.

— Не нужно йода, — сказала она. — А вот, если можно, вы мне вашу машину на пять минут одолжите?

Он остолбенел, потом, наконец, улыбнулся — всем своим видом показывая: «Ну и запросики у тебя!»

— А вам зачем?

— Колготки хочу купить и переодеть в машине, — пояснила она. — Не в подъезде же это делать! — И улыбнулась.

Никто никогда не говорил ей, что она красивая, — когда ушел отец, она, подросток, красивой еще не была, а потом — кто скажет... Зато отец часто ей говорил, что улыбается она чудесно. Лика не понимала в этот миг, что она действительно хороша — слегка смущенная, бледная, небрежно одетая. Серые, цвета осенней реки глаза казались прозрачными, а черные волосы летали на ветру, мешали ей смотреть. Она отвела их рукой и, продолжая улыбаться, сказала:

— Впрочем, я в подъезде переоденусь.

Он встрепенулся:

— Нет-нет, конечно, я вас пущу в машину, а сам тут постою. Хотите, провожу в магазин?

— Сама дойду, — ответила она грубовато, хотя на самом деле ей хотелось сказать ему что-то приятное, поблагодарить его, что ли... Она совсем не умела разговаривать с мужчинами, никто ее этому не учил. Перебежала через дорогу, подошла к магазину. Очень хотелось оглянуться, проверить, не уехал ли он, не сел ли в свою машину? Но она вытерпела — не стала оглядываться. Купила черные колготки, вышла на набережную.

Он стоял на том же месте, где Лика его оставила. Она махнула рукой в сторону машины:

— Можно?

Он кивнул. В салоне она торопливо и неловко скинула туфли, содрала рваные колготки, натянула новые. Она спешила, ей казалось, что он вот-вот подойдет, заглянет в окошко, увидит высоко задранную юбку, голые ноги. Наконец она сунула ненавистные колготки в карман куртки, открыла дверцу, высунулась:

— Все!

Он подошел, остановился и нерешительно спросил:

— А подвезти вас можно?

Она уже не боялась его. Пожала плечами, заулыбалась:

— А куда?

— То есть как? Вам куда надо?

— Да я гуляла...

— Может, вы мне не доверяете? Не бойтесь, я не маньяк, никуда вас не завезу. Честно, куда вам надо?

— Да никуда! — Она захихикала, чтобы скрыть смущение, и замолчала, увидев, что он смотрит на нее как-то странно. «Принял за дуру, — поняла она и залилась краской стыда. — Дура я и есть! Двух слов сказать не могу!» Решительно полезла из машины со словами: — Ладно, я пошла.

Он стоял прямо у дверцы, мешая ей выйти. Смотрел на нее сверху вниз, как смотрел потом всегда. Он — покровитель, старший, опытный, серьезный. Она — девчонка в рваных колготках, хихикающая дурочка с неуверенной походкой, брошенная дочь удравшего папаши, неудачница, школьница...

— Слушайте, — сказал он, по-прежнему стоя у нее на дороге. — Не обижайтесь только! Я сейчас как раз ехал обедать. Хочу, чтобы вы пообедали со мной. Ничего такого не думайте, просто хочется с вами пообедать. Идет? Меня зовут Игорь. А вас как?

— Анжелика. — Она снова уселась в машину, резко одернула на коленях юбку.

С этого момента Лика исчезла. Лика — ребенок. Лика — имя, которым ее называл отец. Коротенькое удобное имя. Игорь всегда называл ее только Анжеликой. Ему это имя нравилось. Ей — не очень. Но теперь и она сама себя так называла.

Они пообедали, довольно скромно, в каком-то кафе в центре. Но ей все было в диковинку и очень понравилось. Она стеснялась что-то для себя заказывать, а в конце обеда даже сделала серьезную попытку расплатиться за себя. Достала из кармана куртки скомканные деньги, он не рассердился, только попросил ее положить их обратно, ведь он ее пригласил.

Анжелика хотела это сделать не потому, что стеснялась, а чтобы показать, мол, и она не так проста, денег и у нее достаточно. А в кармане у нее действительно была порядочная сумма. Отец как раз прислал ей почтовый перевод. На ее имя, она получила его по своему паспорту. Пока ей не исполнилось шестнадцать, он исправно платил алименты, но все деньги оставались у матери. Та говорила, что ей нужно кормить взрослую дочь, а тряпки и туфельки подождут. Но с тех пор как Анжелика обзавелась паспортом, все деньги доставались только ей. Отец, конечно, был уже не обязан платить алименты, но деньги все равно иногда приходили. Тратить их было не на что — разве что на сигареты. Наряжаться не было настроения, да и зачем? Для кого? Она ведь нигде не бывала... Оставлять деньги дома боялась — мать найдет, конфискует... Она и так возмущалась, что не видит этих денег, злилась каждый раз, как находила в ящике квитанцию, но спрятать, порвать ее не решалась — все же деньги. Приходилось отдавать дочери, а та всегда носила все свои сбережения с собой. Как сейчас.

— Ты с кем живешь? — неожиданно спросил ее Игорь, закуривая сигарету.

— А вам-то что? — огрызнулась она.

— Ничего, просто спросил.

— Просто не бывает.

— Ну извини... — Он как-то незаметно перешел на «ты», видно было, что эта форма обращения нравится ему куда больше. Да и кого тут называть на «вы»? Девчонку эту?!

— Да ничего. — Она откинула назад свои длинные черные волосы. Трюк с деньгами успеха не имел, ну и пусть, она еще найдет, чем его удивить. А удивить хотелось ужасно! Пусть видит, что она не тупая малявка... Но как, как это сделать?! Для начала она тоже перешла на «ты». — Просто странные вопросы ты задаешь. Какая разница, с кем я живу?

— Большая.

— Брось! — Она старалась говорить свободно, чтобы показать, что ей не впервой обедать с мужчинами в кафе. Но глаза смотрели наивно и почти испуганно. Она совсем растерялась: почему для него так важно, с кем она живет?! А не влюбился ли он в таком случае? Но этого не спросишь, уж на это у нее мозгов хватит... Анжелика не нашла ничего лучшего, как честно выложить всю правду: — Я с матерью живу. И все.

Это «и все» она произнесла достаточно выразительно, чтобы он почувствовал — это как раз далеко не «все». Осторожно спросил:

— А отец что — в разводе с ней?

— Да.

— Ясно.

— А что тебе ясно?

— Да просто у меня то же самое.

Ей стало легче. Он как будто принимал ее под свое крыло, их объединяло общее несчастье — отец ушел, у них нет отцов... И она может не стесняться, рассказывать все. Но он вдруг добавил:

— И слава Богу, что ушел!

— Почему? — промямлила она.

— Пил.

Они помолчали, она растерянно смотрела в свою пустую чашку. Он пошарил в кармане, вытащил бумажник, спросил ее:

— Еще хочешь чего-нибудь?

— Нет-нет!

— Тогда поехали.

На улице они еще с минуту постояли молча. Он докурил сигарету, выбросил ее в урну и сказал:

— Ну а теперь одно из двух: или я тебя отвожу домой, или ты едешь домой ко мне.

Она лишилась дара речи. И это после всех подходов, после любезного предложения залепить синяк пластырем, после обеда?! Вот так — сразу к нему домой, в койку?!

— Я не поеду никуда, — ответила она, кутаясь в куртку, хотя было не холодно.

— Боишься? Опять?

— Нет.

— Тогда почему?

— Так...

— Я что — сказал что-то обидное? — поинтересовался он. — Я вообще-то могу. Но ты не обращай внимания. У меня сегодня просто паршивый день выдался.

— А что такое?

— Да так. Братец мой учудил.

— У тебя брат есть? — Она немного оживилась, на семейные темы могла разговаривать часами. Но он только кивнул и снова спросил:

— Так ты поедешь со мной?

— А что мы там делать будем? — спросила она и тут же поняла — глупо.

— Не бойся ты меня, Анжелика. — И вдруг засмеялся — впервые за то время, которое они провели вместе. Потом сказал: — Я тебя не трону. Я что — не вижу...

Тут она насторожилась. Что-то пренебрежительное мелькнуло в его тоне. Почему, ну почему все так к ней относятся? Он что — тоже ее презирает?! За что?! Почему с первой же минуты знакомства?! Она ответила гордо и с вызовом:

— Я приключений не ищу. Что ты там видишь, мне неинтересно. И к тебе ехать не хочу. Все, спасибо за обед. Пока.

Сказала так, но не ушла — осталась стоять перед ним, как школьница перед учителем, как дурочка, ну просто желторотая девчонка! А он удивленно ответил:

— Да ты точно обиделась? Перестань. Я же сказал: вижу, что ты не такая, как те девочки, которые шляются по набережным. А ты что подумала?

Чтобы как-то замаскировать свое поражение, она залезла в машину. Теперь она села рядом с ним, впереди. Он включил музыку, ехали молча, Анжелика смотрела в окно, перед глазами мелькали старинные особняки, желтые и красные деревья, рекламные щиты. Она теребила в одном кармане деньги, в другом — колготки и думала о какой-то чепухе. Думала, что Игорь — хороший парень и что ей все показалось, он ее вовсе не презирает, зря она ему грубит, и вообще, не хочется сейчас возвращаться домой, ни сейчас, ни потом — никогда... Еще она подумала об отце, но на этот раз на глаза не выступили слезы, как бывало всегда. Глаза были сухие. Она не выносила одиночества. Ей с детства нужно было, чтобы кто-то дышал рядом, друг или враг, все равно — но человек. За исключением матери, конечно. Отца, правда, больше не было, но теперь рядом был Игорь. И она больше не плакала.

У Игоря засиделись допоздна. Он сварил ей кофе, подал на стол печенье. Квартирка у него была маленькая, двухкомнатная и по-холостяцки неухоженная. Обшарпанная мебель, давно не мытые окна, кругом пыль, продавленный диван. Но Анжелике, как ни странно, от всего этого стало спокойнее — значит, он не такой уж богатый, несмотря на хороший костюм и новенькую машину. Значит, они равны. И нечего ему задирать нос.

Ему, наоборот, надо оправдываться, что привез ее в такую берлогу. И он действительно оправдывался:

— Живу один. Недавно отселил мать с братом. Раньше втроем тут жили. Ничего не успел сделать — ни ремонт, ни мебель поменять... Но скоро все изменится. Уж прости, что тут так похабно...

— Да ничего. — Она усмехнулась. — Мне-то какое дело? Значит, ты совсем один живешь? А кто тебе готовит, убирает?

Он рассмеялся:

— Хороший вопрос. Никто. Я сам, когда время есть. А так обедаю и ужинаю в кафе.

— Ясно. А куда это ты мать и брата отселил?

— Купил им квартиру, вот куда.

Ого! Купил квартиру — значит, они все же не на равных. Анжелика понимала, что квартира — дорогое удовольствие.

— А кем ты работаешь? — поинтересовалась она.

— В строительной фирме.

— А... — Ей стало скучно. Ну какой же он неинтересный! Строит какие-то дома. Надо встать и уйти. Говорить им не о чем. Он старше, в конце концов, и слишком задирает нос.

— А сколько тебе лет? — вдруг огорошил он ее.

— Мне? Семнадцать... — И с вызовом продолжила: — Нигде не учусь и не работаю. Но это мое дело, верно?

— Ладно, я не хотел тебя обидеть. А все же почему не работаешь? Работу не можешь найти?

— А я не ищу. — Она поджала губы. — Мне хватает денег.

— Отец, наверное, подкидывает?

— Ну. А что тут такого? — Эти вопросы ее не на шутку злили. Чего он лезет?

— А вообще чем занимаешься?

— Валяюсь на диване, гуляю, книжки читаю. — Она встала. — Ладно, спасибо за кофе и вообще за все.

— Постой. Ты что — торопишься?

— Ну да. Мать будет волноваться.

— Да я тебя отвезу!

— Не надо, сама доеду.

— Значит, все-таки обиделась. — Он тоже встал, взял ее за локоть. — Ладно тебе, я, наверное, правда не в свое дело лезу. Живи, как тебе нравится.

— Спасибо, что разрешил.

— Ну вот, опять...

Но они не поссорились в тот вечер, хотя ей почему-то все время хотелось огрызаться и подкалывать его. Игорь оказался старше ее на десять лет с хвостиком, а она тем не менее его не стеснялась. Посмеивалась, вспоминая их глупое знакомство, переодевание в машине. И не было тут никакой романтики, ничего похожего на любовное приключение.

Уже стемнело, когда Игорь спросил:

— У тебя мать строгая?

— Скандальная, — ответила она, закуривая, наверное, десятую за вечер сигарету. В комнате уже было не продохнуть от дыма. Разговор постепенно совсем заглох. Ей стало скучно и захотелось домой. Хотелось принять ванну и завалиться в постель с книжкой. Помечтать, подумать.

— А если не приедешь, что тебе скажут? — задал он осторожный вопрос.

— Как это? — Сердце у нее стукнуло сильно, но не от страха. Она и представить себе не могла, что Игорь способен на что-то дурное — изнасиловать ее, удержать до утра, обидеть. Если бы хотел сделать что-то такое, давно бы сделал.

— Может, останешься у меня?

— Нет, с какой стати?! — Анжелика возмутилась очень искренне, нахмурила брови, и он тут же отступил:

— Ладно, не пугайся. Я тебя сейчас отвезу. А скажи... У тебя парень есть?

— А что? — Она совсем растерялась. Как отвечать? Врать или говорить как есть? Он принимает ее за желторотую, сразу видно. И не знает, что с ней делать.

Она вспомнила своих подруг. У многих были не то что парни — мужья, дети, а то и просто дети без мужей, или шестимесячные животы, или аборты... У нее — ничего. Она даже не целовалась ни с кем в свои семнадцать лет. Анжелика часто спрашивала себя: «Может, я какая-то недоделанная? Почему парни меня не волнуют? Может, стоит начать с кем-нибудь, просто для приличия? А там — само образуется, нельзя же так просидеть всю жизнь!» Но ни на что не могла решиться. И вот он — момент расплаты. Он примет ее за дурочку. И все же она честно сказала: — Никого нет. А почему тебя это волнует?

— А почему никого нет? — улыбнулся он.

Она разозлилась и ответила грубо, с вызовом:

— Не твое дело. Что ты мне весь вечер допрос устраиваешь?!

— Ты просто мне нравишься, — спокойно ответил он. — Вот и хочу знать о тебе побольше.

Она помолчала, сунула в пепельницу сигарету, вытерла о юбку пальцы, испачканные пеплом. Мотнула головой, спросила:

— Ну и что? Узнал все, что хотел?

— Нет.

— Сочувствую.

— Анжелика, что ты так злишься, я задаю обычные вопросы? Я же тебя пальцем не тронул!

— Еще бы ты тронул!

— А ведь мог бы. — Он больше не улыбался, взгляд его стал недобрым. — Ты хорошенькая. Поехала ко мне домой. Знаешь, как я всегда поступал с такими сговорчивыми девушками?

В лицо ей бросилась кровь, она резко встала:

— Твое благородство я уже оценила! Спасибо, что не трахнул меня прямо на пороге! А теперь вези домой. Я бы сама доехала, но метро уже не ходит.

Он не стал ее задерживать, быстро накинул пиджак, вышел за ней на лестницу, запер квартиру. Уже в машине, после десяти минут молчания, сказал:

— Оставь свой телефон.

Она без возражений достала из кармана блокнотик, записала свой номер. Он глянул на листок, сунул его в карман, спросил:

— Номер настоящий?

— Конечно.

— Кто знает? Может, я тебе уже надоел?

— Нет. — Она смотрела в окно, потом опустила стекло, выставила наружу локоть, подставив ветру свои волосы.

— Простудишься.

— Никогда. — Она все еще смотрела в окно.

Он вдруг резко затормозил, она удивленно повернулась к нему:

— Нам еще далеко!

— Знаю, — ответил он и вдруг схватил ее голову в ладони, притянул к себе, присосался к ее сжатому рту своими горячими губами. Она чуть не потеряла равновесие и одной рукой уперлась ему в колени, рука поехала по брюкам, она резко дернулась назад, прижалась к спинке сиденья, вся красная. Краем сознания она поняла, *чего* только что нечаянно коснулась рукой. Сердце билось так сильно, что в ушах стоял шум, она оглохла. Он привел в порядок рубашку, поправил пояс на брюках, закурил, посидел с минуту, глядя прямо перед собой. Потом снова тронул машину с места, не говоря ни слова. Только довезя ее до дому и высаживая, сказал:

— Я тебе завтра позвоню, ладно?

Она ничего не ответила, выскочила из машины, пошла к подъезду не оборачиваясь, стараясь держаться прямо, как будто все случившееся ничуть ее не взволновало. Дома мать устроила ей сцену, но Анжелике было все равно. Она даже с удовольствием выслушала замечание матери о том, что глаза у нее горят как-то нехорошо. Войдя в свою комнату, Анжелика посмотрела в зеркало. Глаза действительно горели, как у кошки в темноте. Она погасила свет, легла, свернулась калачиком и скоро уснула.

Он позвонил ей, как и обещал. И с того дня звонил часто, почти каждый день. Не всегда они могли встретиться, Игорь много работал, но по воскресеньям обязательно приглашал ее в хороший ресторан, а потом вез к себе домой. Они ни разу не были ни в кино, ни в театре. У него был видик — чего же еще? Ехать куда-то, чтобы поглазеть на экран или на сцену, он считал глупостью. Анжелика с ним не спорила, она тоже не привыкла ходить по театрам. Мать, познакомившись с Игорем, неожиданно осталась довольна им. Правда, он уже взрослый человек, но, кажется, Анжелику не трогает, все идет к свадьбе. Подруги завидовали — у него была своя квартира, машина. Со своими родственниками Игорь ее не знакомил. Анжелика этого и не требовала. Она сама не могла бы сказать — что с ней происходит? Влюблена она? Может быть. Ей нравилось, когда он ее целовал, гладил ее шею, грудь, тяжело дышал, потом долго приходил в себя, сидя на диване и куря сигарету. До чего-то серьезного у них не доходило. У Игоря оказались собственные, какие-то старомодные принципы на этот счет. Он любил все делать постепенно, основательно, и она ему не мешала — вот они поженятся, вот он сделает хороший ремонт, поменяет машину... С ним было скучновато, но как-то уютно и просто.

Они поженились день в день, как выходило по его расчетам. Он приурочил свадьбу к маленькому отпуску на работе. Хотели поехать в свадебное путешествие — хотя бы в Турцию или в Венгрию, но он в последний момент отменил поездку — жаль денег. Анжелика впервые заметила тогда, что он довольно скуп. Нет, на нее он денег не жалел. Давал приличные суммы на дорогие наряды, сам спросил как-то, почему бы ей не проколоть уши, тогда он подарит ей сережки с бриллиантами, в пару к кольцу, которое у нее уже было. Анжелика всю жизнь смертельно боялась крови и всего, что с нею связано, — операций, ножей. И родов... Но пошла в косметологию и уши проколола. Одно ухо — неудачно, оно долго не заживало, кровоточило, опухало, но зато потом в нем блестел бриллиантик.

Игорь сразу сказал ей, что детей пока не надо. Она слишком молода, ей стоит сперва получить какую-нибудь профессию, хотя бы устроиться секретарем в хорошем офисе или банке. Он, конечно, зарабатывает прилично, но хочет, чтобы она тоже работала. Анжелика только плечами пожала — ради Бога! Детей она и сама не хотела. Не представляла себе, какими они будут и что ей с ними делать. Кроме того, ее пугали предстоящие роды. Так что все устроилось к общему удовольствию. Она пошла на годичные курсы секретарей-референтов. Училась вяло, часто пропускала занятия, слушала невнимательно, никогда ничего не записывала. Вообще она стала замечать, что ее все меньше волнует будущее. О чем думать? Чего ждать? Если надо будет что-то предпринять, Игорь позаботится и сам все сделает. Иногда на нее вдруг нападала дикая хандра, она едва волочила ноги, не могла даже приготовить обед, вытереть пыль, повесить в шкаф разбросанную одежду. Вечером он приходил домой, выговаривал за то, что нечего есть, но особенно не сердился — всегда можно порезать ветчины, открыть сок, сделать наскоро салат.

Игорь наконец познакомил ее со своей матерью и с братом. Мать была сухонькая, болезненная, на вид — старуха. Анжелика поразилась, узнав, что ей всего пятьдесят лет. Врачи отмерили ей еще года полтора жизни. У нее был рак груди, никакие операции не могли остановить процесс. Мать держалась с ней безразлично, казалось, ей уже все равно, как складывается жизнь старшего сына, на ком он женился и какие у молодых планы на будущее. Анжелика перед ней робела и казалась дурочкой. Это знакомство оставило тяжелое впечатление. Зато Саша ей понравился. Худой, подвижный, веселый, рассказывал анекдоты, не обращая внимания на молчание матери, сам смеялся своим шуткам... Да и по возрасту он был ближе Анжелике — между братьями была разница в пять лет. Они подружились почти сразу. Игорь был не очень доволен этой дружбой.

— Но почему ты против, чтобы он к нам зашел? — удивлялась Анжелика как-то вечером.

— Потому.

— Но объясни!

— Мой брат — болван и бездельник.

— Я не заметила...

— А ты много замечаешь? — раздраженно бросил он. — То, что Сашка к тебе клеится, ты и этого не видишь?

Анжелика в ответ засмеялась. Саша действительно относился к ней с большой симпатией, но слово «клеится» сюда не годилось. Однако она уже успела понять, что Игорь очень ревнив, и ничего ему не ответила.

— Балбесу двадцать три года, — говорил Игорь както в другой раз, — а он сидит у меня на шее! Ему бы в жизни не купить себе квартиру! Так бы мы все и ютились с матерью в этой двухкомнатной, если бы не я! А теперь мать при смерти... Получается, что я горбатился на него?

— Но ведь это же справедливо! — удивилась она. — Ведь эту квартиру он потерял... И ты должен был дать ему что-то взамен, не так ли?

— Дать? А за что дать? — возмутился Игорь. — За какие такие заслуги?! Да я бы просто вышвырнул его отсюда безо всякой квартиры и никогда больше не видел! Но мать... Все из-за нее.

— Но Саша ухаживает за ней... — робко напомнила Анжелика. — Ты же туда никогда не приходишь...

— Ах, Боже мой! — Он окончательно разозлился. — Было бы дешевле нанять медсестру! Ты знаешь, сколько он мне стоит?!

Она не знала и прикусила язык. Саша действительно нигде не работал. Раз в месяц, а то и реже, он пытался провернуть какую-нибудь финансовую операцию, обычно брал где-нибудь товар и сдавал его в магазин. Но этот бизнес становился все менее прибыльным, а считать деньги он не умел. Так что Игорь вынужден был постоянно подкидывать ему на жизнь. Спорить с мужем на эту тему она больше не решалась. Да и Саша, честно говоря, не слишком ее заботил. Ее вообще мало что заботило с тех пор, как она вышла замуж. Исчезли проблемы, исчезли планы на будущее, исчезли также и все интересы. Она лишь ходила на курсы секретарей-референтов, кое-как убирала квартиру, готовила ужин, стирала — все это не затрагивало ни ума, ни сердца. Но она не бунтовала. Зачем? Ради чего? Ее мать была счастлива, что Анжелика так хорошо устроилась. Она хотела бы почаще видеть дочь, но это было трудно. Игорь не любил, когда в дом приходили посторонние, а сама Анжелика по доброй воле к матери не ходила. Было только одно событие в ее жизни, которое как-то ее задело, и случилось это вскоре после свадьбы.

Игорь дал ей денег, чтобы она купила себе осеннее пальто. За покупкой Анжелика отправилась в ГУМ — по рекомендации мужа. Именно там одевались жены его сослуживцев, и он хотел, чтобы Анжелика ничем не выделялась на их фоне. А ей было все равно, где и что покупать. Будь ее воля, она по-прежнему не вылезала бы из джинсов и широких бесформенных юбок, как до свадьбы, но муж хотел, чтобы она выглядела дамой. В ГУМе она долго бродила по этажам, никак не могла ничего выбрать, комкала в кармане доллары, примеряла одно пальто за другим, но все больше приходила к выводу, что придется купить первое, что под руку подвернется. Хотя бы чтобы успокоить Игоря. Она уже в сотый раз сняла с вешалки очередное пальто, надела его, застегнула, встала перед большим зеркалом. Пальто было широкое, синее, с золотыми пуговицами, с капюшоном, как было модно. В этом отделе — единственный экземпляр. Глядя в зеркало, она поворачивалась то так, то этак, нерешительно хмурилась, вздыхала.

— Вы будете брать? — услышала она рядом высокий женский голос.

Обернулась, решив, что это продавщица. Но перед ней стояла молодая женщина ее роста и комплекции, нарядная, ухоженная. Женщина нетерпеливо рассматривала пальто, было видно, что оно ей приглянулось.

— Не знаю, — ответила Анжелика.

— Это какой размер?

— Сорок восьмой.

— Как раз мой. Так вам не нравится?

— Не знаю... — Женщина не понравилась Анжелике своей бесцеремонностью, и она решила купить пальто ей назло. — Почему же, нравится. Я его беру.

Лицо женщины погасло, она едва сдерживала раздражение.

— Вам длинновато, — процедила она, еще не веря, что пальто ей не достанется.

— Если мне длинновато, то вам тем более, — заметила Анжелика. — Вы ниже меня.

— Ничего подобного. Какой у вас рост?

— Метр шестьдесят восемь.

— И у меня, — вырвалось у женщины.

— Вот видите, — Анжелика недобро усмехнулась, — значит, и вам оно будет не впору.

— Андрей! — Женщина обернулась, выглядывая кого-то возле кассы. — Пройди сюда! Посмотри!

Анжелика окаменела. Она увидела своего отца. Он продрался сквозь небольшую очередь из трех человек, стоявших к кассиру, сделал пару шагов и тоже замер. Они не виделись несколько лет, но сразу узнали друг друга. Анжелика едва устояла на ногах. Голова у нее шла кругом, в глазах все плыло. Она поняла, что ничего не посмеет ему сказать в присутствии этой женщины, не найдет слов, не найдет слез. «Я соскучилась по тебе! Почему ты никогда мне не звонишь? Почему мы не видимся? Как ты живешь?» Все это вертелось у нее в голове, но она понимала, что не произнесет ни слова.

Она не стала дожидаться, пока он опомнится и подойдет. Быстро скинула пальто, сунула его изумленной женщине:

— Берите!

И бочком протиснулась мимо отца, вылетела из магазинчика на галерею и побежала прочь. «Как будто что-то украла!» — стучало у нее в голове. Опомнилась она только на улице. Вытащила сигарету, закурила, закашлялась. На глазах выступили слезы. «Я вела себя как дура... — сказала она себе. — Что он теперь обо мне подумает? Что я видеть его не хочу? Боже мой...» От волнения она стала машинально теребить неудачно проколотое ухо — появилась такая привычка. Пришла в себя только тогда, когда увидела на пальцах кровь и испугалась.

Эта встреча забылась не скоро, хотя у Анжелики было о чем подумать. Умерла мать Игоря. Врачи просчитались — процесс пошел быстрее, чем они думали. Анжелика на похороны не пошла — умоляла мужа пощадить ее, говорила, что от такого зрелища будет неделю валяться больная. Он как будто не рассердился. Зато мать Анжелики присутствовала и много помогала. После похорон все изменилось — Игорь наотрез отказался помогать брату. А еще через два года Анжелика стала свидетельницей ссоры братьев — все случилось в их квартире.

— С какой стати? — злобно шипел Игорь. — Ты на халяву получил квартиру! Она была куплена не для тебя!

— Однокомнатная халупа... — вздыхал Саша. — Ты никогда не думал, как я там жил с мамой?

— Мне было о чем подумать, кроме твоих проблем!

— Ну да, ты женился. А теперь женюсь и я.

— А куда жену приведешь? В ту квартиру? Она что — халявщица вроде тебя?!

— Не беспокойся, никто к тебе больше за деньгами не придет. — Саша едва сдерживался, чтобы не материться при Анжелике. — Я только хотел занять на свадьбу.

— Ну нет, дружок... — Игорь нехорошо заулыбался. — Ты уже большой мальчик, и хорошо бы тебе за все платить самому.

— Ладно, — поднялся Саша, — в таком случае все. Считай, что я у тебя ничего не просил.

— Хорошо, — с удовольствием ответил Игорь. — И запомни как следует — больше я тебе ни копейки не дам.

Он говорил твердо, уверенно. Анжелика сидела вся сжавшись. Ей было стыдно за скупость мужа, обидно за Сашу, и вообще — неуютно и одиноко. В этой семье постоянно говорили о деньгах. Значение имели только деньги. Саша был получше брата хотя бы потому, что веселый. Игорь всерьез начинал ее злить.

Саша все же пригласил их на свадьбу. Игорь пошел, чтобы соблюсти приличие. Подарил набор хрустальных бокалов. Хрусталь был недорогой, некрасивый, грубой работы. Анжелика нашла в себе смелость возмутиться:

— Это плохой подарок! Он все же твой единственный брат!

— И слава Богу, что единственный, — бросил Игорь. — Двух таких же я бы не вынес. Иногда я его убить хочу.

Она не поняла, всерьез он говорил или нет, но больше спорить не стала. Пошли на свадьбу.

Конечно, их подарок был хуже всех. Гостей собралось много — друзья Саши, подруги Лены. Лена ей не понравилась. Бледная, полноватая, тщательно причесанная блондинка в тесном белом платье и с цветком в волосах. Говорила мало, не смеялась, когда все шутили. Анжелика по-другому представляла себе невесту Саши. А Саша хохотал, напился, полез целоваться к брату. Игорь брезгливо отворачивался, не выносил запаха водки, сам пил одно вино. Анжелика скучала и сидела как каменная в своем новом дорогом костюме. В ушах и на пальцах у нее блестели бриллианты. Недавно Игорь подарил ей еще одно дорогое кольцо. Она подозревала, что это было сделано напоказ, назло Саше: «Вот, мол, куда я предпочитаю тратить деньги!»

По дороге домой, в машине, Анжелика осторожно сказала:

— Кажется, Саша на тебя не обижается.

Машина вильнула — Игорь от возмущения едва не выпустил руль. Обернулся к ней, прошипел:

— Что?! За что ж это ему на меня обижаться?! Ты думай, что болтаешь! Я сделал ему неплохой подарочек на свадьбу!

— Боже, да о чем ты?

— О квартире!

Анжелика поняла, что сказала глупость, покусала крашеные губы, примирительно заметила:

— А Лена мне не понравилась. Кажется, она скучная. Что он в ней нашел?

— Она что в нем нашла? — Игорь пожал плечами, немного успокоившись. — Вроде умная баба, хорошо зарабатывает.

— А как ты разглядел ее ум?

— Ревнуешь?

— Я никогда не ревную, в отличие от тебя. Просто странно — вы же два слова друг другу сказали. А ты уже говоришь о ней так, как обо мне не говорил никогда.

— Ну и что? Ее два слова мне понравились. Она сказала, что их магазину нужен капитальный ремонт и перепланировка. Спросила, может ли наша фирма заняться этим. Короче, мы встретимся, и они сделают заказ. На приличную сумму, я думаю. У них торговый зал сто двадцать квадратных метров. Торгуют мехами и дубленками.

— О... — Анжелика зевнула. — Надо же, какая она романтичная... Думать о ремонте торгового зала на своей свадьбе...

— Это лучше, чем думать, у кого бы занять на свадьбу, — отрезал он. — Кроме того, какая может быть романтика? Они не дети.

— Им по двадцать пять, разве это старость? — улыбнулась Анжелика.

— Ей — двадцать семь.

— Она некрасивая.

— Да?.. Ну, это не главное. Нет, я рад, что жена ему попалась с головой. Во всяком случае, будет держать его в руках.

— Он вляпался, — сонно пробормотала Анжелика, и сама не знала, как была права.

Лена трудилась как муравей — упорно и ежедневно. По словам Саши, дома бывала редко, хотя хозяйство вела безупречно. В основном молодая семья жила на заработки жены. Но денег у Игоря больше не просили.

Вскоре между братьями все как будто наладилось. Иногда ходили друг к другу в гости — Игорь стал заметно снисходительней к брату и мог часами разговаривать о делах с его женой. Анжелика при этом сидела в углу, разряженная по последнему писку, блистала украшениями и молчала, глядя в телевизор. Ей было все равно, что смотреть — новости, политические ток-шоу, сериалы, «Спокойной ночи, малыши!». Она не видела экрана. Как-то к ней подсел Саша:

— Скучаешь?

— Заметно? — откликнулась она.

— Да, есть маленько. Наши супруги уже полчаса базарят насчет ремонтов.

— Боже мой... Он хочет снять квартиру на два месяца. Ведь тут будет мусор, пыль... Он же все решил поменять — окна, двери, полы... Еще спасибо, перегородки ломать не станет.

— Он сейчас здорово зарабатывает, — заметил Саша. — Мог бы купить квартиру получше.

— Мог бы, но ему денег жалко. Да и зачем нам большая квартира? Нас двое.

— А нам бы пригодилась... — вздохнул Саша. — Лена жалуется — одна комната, я прихожу ночью, ее бужу.

— Ночью? — Анжелика немного оживилась. — А откуда, если не секрет?

— Не скажешь своему?

— Зачем мне это?

— Ладно. Ленка ему тоже не скажет, не любит жаловаться. Знаешь, я ведь бросил свой бизнес... Я играю, — сообщил он, понизив голос до шепота. — Не веришь? Каждую ночь. И постоянно остаюсь в плюсе. То есть иногда я продуваюсь, но вообще ты не можешь себе представить, сколько людей живут только на игру.

— Я что-то не поняла...

— Я играю в казино, чего тут не понять?

— Но это же... — Анжелика совсем очнулась от своей спячки. — Опасно?

— С чего ты взяла?

— Но там жулики...

— Деточка, ты с луны свалилась? При чем тут жулики? Я же не в наперсток играю и не в «три листика».

— А во что?

— В блэкджек. Рулетку я не люблю, там от меня ни черта не зависит. А в блэкджеке можно делать свою игру.

— И ты действительно живешь на это?

— Да. Получается недурно.

— А как Лена к этому относится?

Он замялся, глянул назад. Лена и Игорь рассматривали иллюстрированный каталог строительной фирмы. Саша нагнулся к Анжелике и прошептал:

— Она дуется, но, видишь ли, дулась бы еще больше, если бы знала, что я проигрываю. А так я ей в деньгах не отчитываюсь, говорю, что выигрываю понемногу. Потом приношу сразу кучу денег, и она довольна. В общем, она хорошая баба, только сперва пыталась меня контролировать. А теперь привыкла, знает, куда я хожу. Поначалу подозревала, что у меня любовница. Я ее свозил в казино, она посмотрела, сказала, что это занятие для тупых, но больше не возражала.

— Куда ты ее свозил?

— На «Александр Блок». Это такой пароход, стоит на приколе у гостиницы «Международная». Хочешь, тебя свожу, поиграешь?

— Я?!

— А что? Лучше сидеть тут и киснуть?

— Да ты представляешь, что скажет Игорь?

— А тебе не все равно?

Анжелика вдруг задумалась. Действительно, мнение мужа ее не интересовало. Но скандала ей не хотелось. А скандал обязательно будет, если до него дойдет, где она была.

— Слушай, — предложил Саша, — давай-ка сделаем так. Ты ему скажешь, что ночуешь у мамы, а мы за это время смотаемся. Твоя мать не будет сюда звонить, верно? И он ей не будет. Они же вроде не очень дружат?

— Она не позвонит, а вдруг он захочет проверить, где я?

Но Анжелика уже решила: «Сбежать куда угодно, только бы немного встряхнуться, вырваться из дому». Она мечтала только о глотке свободы — больше ни о чем.

Все устроилось просто. Игорь немного удивился, когда она сказала, что мать зовет ее переночевать. Но Анжелика объяснила: соскучилась, живет одна, ее можно понять. «Конечно, — сказал Игорь. — Я как-то о ней забыл. Съезди». Она сама добралась до нужного места, постояла на набережной, глядя на пароход, на реку, на огни гостиницы. Ей вспомнилось, что неподалеку отсюда, на набережной, она когда-то встретила мужа. Но никаких чувств это воспоминание не вызвало. На душе было весело и тревожно. Саша немного опоздал, но извиняться не стал — подхватил ее под локоть, они пошли на пароход. Там он познакомил ее со своими друзьями — завсегдатаями казино. Ей запомнились две высокие худые девушки, небрежно одетые, как когда-то она сама одевалась — джинсы, свитера, грубые ботинки. Блондинку, стриженную почти налысо, звали Лиза, шатенку с кудрями до плеч — Ксения. Они смеялись, шутили, Анжелика робко смотрела на них. Запомнился ей и приятель Лизы — Армен, холеный армянин, очень красивый, но маленького роста. Он едва доставал своей подружке до подбородка, но это никого не смущало. Анжелика не села за стол, где шла игра, она встала за стулом Саши и внимательно следила за происходящим, мало-помалу начиная вникать в правила. Казино было дешевое, публика пестрая, на нее никто не обращал внимания, и вскоре она почувствовала себя как дома. К утру она тоже осмелилась пару раз сыграть и выиграла пятьдесят долларов.

— Видишь? — сиял Саша. Ему в ту ночь повезло куда больше — он выиграл долларов шестьсот. — Все просто. А тебе, как новичку, должно везти.

Через два дня она снова отпросилась «к маме». То же случилось еще дня через три. Именно в ту, третью, ночь ее постигла катастрофа. Она проиграла все деньги, которые у нее были. Это были деньги на хозяйство, которые ей дал Игорь. Своих денег у нее не было. Она по-прежнему не работала, курсы секретарей-референтов как-то сами по себе отпали, она их не закончила. Игорь давал ей деньги очень скупо. Он был поглощен ремонтом, который делала его же строительная фирма. Как сотруднику, ему все обошлось по дешевке, но он все равно говорил, что надо экономить. Он хотел купить себе «вольво», с иголочки обставить квартиру и устроить званый вечер для своих сослуживцев. Анжелика впала в уныние.

— Слушай, не расстраивайся! — утешал ее Саша. — Подумаешь, мелочь. Я бы тебе занял, но сейчас не могу.

— Но он меня спросит, куда я дела деньги. Что я скажу?!

— Отыграйся.

— На что?!

— Глупости какие! Хватит пятисот долларов, чтобы все вернуть.

— Но у меня их нет.

— Возьми у мамы.

— Смеешься?!

— Тогда у Игоря.

— Он заметит.

— Вот жлоб! — Саша ругнулся матом. Он совсем перестал стесняться Анжелики, она стала своей девчонкой. — Ну продай что-нибудь.

— Боже ты мой... Что?!

— Брюлики свои. Не поняла? Бриллианты. Два кольца, серьги... Дадут хорошие деньги.

— А ему я что скажу? С ума сошел?

— Скажи — тебя ограбили. Все сняли.

— Нет, я не могу.

Но она смогла. Одна мысль о том, как отнесется Игорь к новости, что все хозяйственные деньги куда-то испарились, — сделала ее способной на все. Однажды она собрала все свои драгоценности и отдала их Саше. В тот же день он привез ей деньги — полторы тысячи долларов. Правда, она знала, что Игорь в свое время не поскупился, купил ей очень дорогие украшения, с хорошими камнями, а не с осколками, но все равно удивилась — вроде бы денег получилось очень много. Но она удивилась бы еще больше, если бы узнала, сколько денег осело при этой операции в кармане Саши. Но тогда она была слишком неопытна и ничего не поняла. Благодарила его, но все равно паниковала:

— Что я ему скажу?!

— Уйди из дому, — советовал ей Саша. — Вечером вернешься зареванная, порви себе что-нибудь, ну хоть колготки, и скажи, что какой-то парень встретил тебя в переулке и заставил все снять. Будто бы показал нож.

— Он в милицию заявит!

— Ну и ладно.

Она убежала из дому, до вечера бродила по городу, вернулась в темноте. Нервничая, она по привычке теребила мочку плохо зажившего уха, когда Игорь открыл ей дверь, объяснять ничего не пришлось. Он бросил взгляд на ее лицо и побелел:

— Серьги сорвали?!

Ей осталось только кивнуть. Он в ужасе потащил ее в ванную, промыл окровавленное ухо перекисью водорода, приговаривая:

— Нет, мочку не порвали... Боже мой... Как это случилось?

— Кольца тоже... — проревела она. Ревела не от боли, а от стыда.

— Все сняли?!

Тут она задала такого реву, что он больше ни о чем не спрашивал — возился и суетился весь вечер, уложил ее в постель, поил валерьянкой. Ее сбивчивый, путаный рассказ заставил его поверить во все. В милицию он сам решил не заявлять:

— Все равно не найдут. Ты же его даже описать не можешь. Не рассмотрела даже, во что он был одет!

— Было темно... — ревела она. — Прости меня!

— Ладно, спи.

Из этой истории она выпуталась. Но ненадолго. Ее мать внезапно позвонила и действительно попросила Анжелику приехать. Трубку снял Игорь... Объяснение с мужем было страшным, долгим и тяжелым. Сперва Анжелика врала, врала отчаянно и упорно. Потом стала сдаваться, сникать, потом заплакала и выложила все. Он ничего ей не сказал в ту минуту, только потемнел лицом и вышел в другую комнату. К тому времени они уже вернулись в свою отремонтированную квартиру. Спали в разных комнатах, не разговаривали. Саша не звонил, не появлялся. Ночи были муторные, наполненные кошмарными снами или бессонницей. Анжелика исхудала, часами сидела сгорбившись, не включая даже телевизор. Наконец Игорь сказал, что готов все забыть, но при условии — она никогда больше не будет ездить в казино. И Саша к ним больше не придет. Никогда. Она снова получит драгоценности — он купит ей два кольца и серьги, его жена должна выглядеть прилично. Но эти драгоценности он будет выдавать ей лично и только для совместных выходов. И никаких личных денег. Только каждое утро — определенная сумма на продукты, не на месяц, как было раньше, а только на текущий день. Отчет — за каждую копейку. Только на этих условиях он постарается все забыть и они сохранят семью. Она сказала «да». И сама в тот миг не знала, куда это их заведет.

## Глава 3

В комнате стало холодно, из-под прикрытой двери дуло. Она пыталась понять — почему? И вдруг догадалась — в большой комнате, где утром она нашла труп, была открыта форточка. Она сама открыла ее еще утром.

Анжелика встала с постели, оделась — к халату не притронулась, натянула джинсы, свитер. Странно, но она чувствовала себя как в гостях — полежала, и хватит. Пора что-то предпринять. Когда она вернулась сюда от Лены и Саши, ничего осматривать и искать не стала — не было сил. Сразу упала в постель и пролежала так несколько часов, вспоминая всю свою жизнь с Игорем — день за днем. Искала объяснений?.. Но ей и так все было ясно. Пыталась оттянуть тот момент, когда надо будет чем-то заняться? Это скорее похоже на правду. А теперь на нее вдруг напала необъяснимая тревога, как будто что-то должно было случиться, с минуты на минуту. Все мысли сосредоточились на окурке. «Как будто это может что-то прояснить! — сказала она себе и в нерешительности присела на постель. — Да, похоже, до меня только теперь доходит весь ужас... Кто здесь был? Кто уронил эту сигарету? Кто, кто его убил?! Милиция спрашивала меня о его врагах... Я никого не знаю! Его жизнь для меня — закрытая книга! Я ни черта о нем не знала, хотя прожила с ним почти семь лет!»

Эта мысль ее поразила. Семь лет — семь лет неизвестности и пустоты. Она лгала ему. Он... Наверное, тоже что-то скрывал, если в конце концов обзавелся таким смертельным врагом! Как он вел себя в последнее время? Был тревожен, печален? Она не помнила...

Она вообще мало что помнила, начиная с того времени, когда он поймал ее на продаже бриллиантов. А ведь прошло несколько лет... Анжелика сперва не решалась противоречить ему, сидела вечерами дома, экономно тратила деньги. Саша не звонил и не приходил больше в гости. Игорь отмалчивался, не любил вспоминать эту грязную историю. Но через несколько месяцев

Анжелика не выдержала. Она и сама не знала, что уже отравлена ночной напряженной жизнью казино, той жизнью, где был и риск, и азарт, и счастье — неверное, изменчивое, но все же счастье выигрыша... Когда ей везло — она была на вершине блаженства. И однажды она снова поехала туда. Сперва не засиживалась допоздна, чтобы не выдать себя, — уезжала около полуночи домой, унося в кармане жалкий выигрыш. Ведь делать больших ставок она больше не могла. Потом случилось неожиданное — позвонила мать и сказала, что отец снова прислал ей почтовый перевод, по старому адресу. Почему он решил вдруг помочь замужней, обеспеченной дочери — неизвестно. Анжелика съездила домой, получила квитанцию, выслушала претензии матери, что редко заходит. «Разбогатев», она сразу же поехала на пароход. А вернулась только к утру. Ей в ту ночь неслыханно везло. Карманы были набиты деньгами.

Это был переломный момент в ее жизни. Игорь ударил ее по лицу, как только она открыла дверь. Потом стал шарить по ее карманам, а она, вдруг взбесившись, стала бросать на пол скомканные деньги, истерически визжа:

— Вот, вот, получай, мне не нужно ничего! Это не твои деньги, понял?! Я играла на деньги отца! А твои деньги на хозяйство — в другой сумке, вот, сам посмотри! Я ее с собой не брала!

Неизвестно, что с ним тогда случилось. Может быть, он пережил шок оттого, что ударил беспутную, но все еще любимую жену. Может, его убедили слова Анжелики — она действительно не тронула хозяйственных денег. А может быть, произвела впечатление выигранная ею сумма. Но так или иначе, он больше не трогал ее. Она стала ездить в казино почти каждый вечер, снова установила отношения с Сашей, Лизкой, Ксенией и Арменом. Она была безмерно счастлива видеть их, болтать с ними все о том же — игра, удача, деньги. Эти разговоры о деньгах были совсем не такими, какие вел с ней Игорь. Эти деньги были другие, как будто ненастоящие. Они приходили ниоткуда и уходили в никуда. Они как будто не имели цены, пока шла игра. Но стоило Анжелике выйти на рассвете на пустынную набережную, как деньги снова обретали значение и смысл. Она подсчитывала выигрыш или проигрыш тут же, не боясь, что кто-то на нее в этот миг смотрит. Ловила машину, ехала домой. Входила в квартиру, стараясь не шуметь — Игорь в это время видел последний, самый чуткий сон. Раздевалась, ложилась спать в своей комнате. Когда она просыпалась, уже пора было убираться, бежать в магазин, готовить ему ужин. Она тщательно следила, чтобы он был накормлен, обстиран, ухожен. Этим она словно старалась возместить все прочие неудобства, которые ему причиняла. Он никогда не говорил ей «спасибо», но и не бранил ее больше. Они уже не обсуждали ее поездки в казино. Она ведь не наносила ущерб семейному бюджету. Деньги Игоря стали для нее табу. Она основала свой маленький «фонд игры», в основание которого лег тот неожиданный перевод от отца. Деньги она брала только из этого фонда. Саша нередко просил у нее в долг, но она не давала. К тому времени она уже узнала цену многим вещам и поняла, как он нажился на продаже ее драгоценностей. Они крепко поругались, но вскоре снова помирились. Она не умела злиться долго.

«А Игоря я уже не замечала... — сказала она себе теперь. — Он жил какой-то своей жизнью. Может быть, у него были свои тайны или трагедии. Может, была другая женщина. Почему он со мной не разводился? Вот чего я не могу понять. Я была чудовищем. Мерзким запутавшимся чудовищем. Я просто с ума сошла. Я его в конце концов приговорила к смерти. А убил кто-то другой. Вот и мучайся теперь! — зло прикрикнула она на себя. — Получила?! Неизвестно еще, что теперь будет... Кто это сделал, кто, кто?!»

Она решительно вскочила и, запретив себе вспоминать прошлое, вошла в ту комнату, откуда утром увезли труп.

Здесь было темно и холодно. Она торопливо нашарила выключатель на стене, зажегся свет. Да, форточка открыта. Майские ночи не созданы для открытых форточек. А этот май — ледяной. Анжелика машинально бросила взгляд на ковровое покрытие, на то место, где лежало тело Игоря. От него ничего не осталось — только меловой силуэт (работа милиции) да темное присохшее пятно, почти неразличимое на коричневом фоне. Если не знать, что оно там есть, и не разглядишь. Она подошла к этому месту, присела, потрогала пятно пальцем. Сухо. Все это мог бы уничтожить моющий пылесос. Но Анжелика вспомнила, что ей вроде бы запретили убирать комнату, да и не мешал ей этот силуэт на полу, не мешало и пятно. Все это Игорем не было. Да и не Игорь ее волновал. Она бросилась к пепельнице. Там было полно окурков. Ее собственных. Она порылась, извлекла со дна тот самый, первый. Поднесла к свету, рассмотрела, даже понюхала. Пахло отвратно, как еще может пахнуть от окурка? Фильтр был белый, с тоненькой золотой полоской. Надписи никакой не было. Она порылась на столе, оторвала какую-то бумажку, завернула окурок и положила его в карман. «На радость Лене, — подумала она. — Но что это нам дает? Лена может сколько угодно разыгрывать умницу, но понять по окурку, кто это сделал, не сможет. Это уже превышает человеческие возможности».

По ее телу вдруг прошла судорога. Она чуть не вскрикнула от испуга, схватилась за подоконник, отдышалась. «Это от холода... — стучало у нее в голове. — Мне так одиноко здесь... Я не должна была оставаться одна! Ни в коем случае!» Но что было делать? Идти к соседям? Позвонить друзьям, чтобы приехали поддержать? Абсурд. В этот час все ее немногочисленные друзья находятся в казино. И не приедут они, даже если она будет умирать. Не те люди. Не те отношения. Всем на нее наплевать. Она годится разве что как товарищ для игры. С ней можно потрепаться в баре от скуки.

Она умеет поддержать шутку, ее не смущают сальности, она даст себя обхватить за плечи, не возмутится. Но все это — не всерьез, понарошку. На самом деле никто не приставал к ней в казино. Там думают не о женщинах. И не о дармовой выпивке в баре. Все это проходит как бы на заднем плане. Анжелика это прекрасно понимала. Воспоминания накатывали огромной ледяной волной, топили разум, остатки самообладания... Она села в кресло, закурила.

Теперь она вспоминала события совсем недавнего времени. Как все это случилось? Что послужило последней каплей? Когда она потеряла чувство реальности? Она вспоминала — была какая-то безумная ночь, она играла как остервенелая, словно это была ее последняя игра. Почему? Может, Игорь все же сказал ей что-то неприятное, когда она собиралась в казино, может, просто на душе было паршиво. Она делала одну ставку за другой. Выигрывал крупье. В конце концов у нее ничего не осталось. Разумеется, только в карманах. Дома у нее всегда оставался запас. Она повернулась к Саше — тот сидел рядом. Жестко сказала:

— Дай мне пять фишек.

— С какой стати?

— У меня все, видишь? Я тебе сегодня же отдам.

Он знал, что у нее есть дома деньги, потому не отказал. Ему в ту ночь везло. Она проиграла его фишки, снова попросила. Он дал еще парочку, но предупредил, чтобы она была осторожней. Пустые слова. Когда он отказался дать ей фишки в очередной раз, она встала и отправилась в бар. Нашла Армена, заняла у него денег. Поменяла их на фишки, продолжала играть. Когда спустила и это, обратилась к Лизке. Та недавно получила что-то вроде наследства, была при деньгах и смогла одолжить Анжелике требуемую сумму. Все знали, что Анжелика имеет свой «фонд игры», поэтому давали смело. Без денег она не оставалась со времен своего бриллиантового приключения. Слишком сильны были воспоминания о позоре.

Наутро, когда Анжелика, пошатываясь, выползла на набережную, в карманах у нее снова не осталось ничего. Только теперь в ее голове включился счетчик. Она поняла, что проиграла под честное слово больше трех тысяч долларов. Дома, в заначке, было всего пятьсот. Она стояла оцепенев. Ей казалось, что это случилось не с ней. Под каким-то гипнозом она приехала домой на метро, легла в постель, уснула, не думая больше ни о чем. Разбудил ее звонок. Звонил Саша. Для начала он невинно осведомился, поедет ли она вечером в казино. Она похолодела и ответила:

— Не знаю. Живот болит.

— Да? А как насчет денег?

— Я верну тебе, когда поправлюсь.

— Мне нужно сейчас. Я вчера продулся.

Она знала, что он врет. Собственными глазами видела, что он выигрывал до конца. Но что скажешь? Это его дело, говорить о своем выигрыше или нет. Лезть в чужие дела считалось дурным тоном. Она обреченно ответила:

— Ладно, можешь приехать за деньгами. Только скорей, пока Игорь не вернулся.

Ей до смерти не хотелось трогать остатки «фонда игры». Она надеялась отыграться, чтобы отдать долги. Другой возможности достать деньги она не видела. Саша вырывал у нее часть денег, но не отдать их — значило заиметь среди завсегдатаев казино дурную репутацию. Этого она боялась больше всего.

Он приехал быстро, как и обещал, и первым делом впился глазами в ее бледное лицо. Спросил:

— Случилось что-то?

— Катись, — ответила она, протягивая деньги — сто сорок долларов.

— На тебе лица нет. — Засовывая деньги в карман, он сразу стал дружелюбнее. — Ты правда болеешь?

— Живот крутит, сказано тебе.

— Так ты не приедешь?

— Посмотрим.

— Ну смотри... — Он отступил к порогу и, уже уходя, заметил, как бы между прочим: — Армен и Лиза тебя будут ждать.

Она не понимала, откуда взялись силы устоять на ногах. Его фраза была совершенно ясна — никто не станет ждать, пока она раздобудет денег. Отдать надо немедленно, иначе разразится скандал. А отдавать — нечего.

— Постой, — пробормотала она. И когда он остановился, спросила: — Ты не знаешь, кто может дать мне взаймы тысячи две с половиной?

— Чего?!

— Баксов, разумеется.

— Ты вляпалась? — сочувственно спросил он.

— Ну да. — Скрывать дальше правду смысла не имело. Он все равно может подсчитать, сколько она вчера заняла, сколько продула и сколько могло быть у нее в заначке. — Ты должен мне помочь.

— Как?

— У тебя же есть деньги.

— Хорошо бы, но их нет.

— Ты же выиграл!

Эта наивность его насмешила. Он заговорщицки подмигнул и сказал:

— Игоря испугалась? Он теперь стал добрый. Может, простит? А?

Анжелика онемела. Больше всего хотелось разбить эту харю, закричать, выставить вон... Но в таком случае он больше никогда ей не поможет. Ведь когда-то он реально помог ей, помог продать бриллианты. Правда, сжульничал, правда, в конце концов все обнаружилось... Но тут больше ее собственная вина. Выдумка с ночевками у матери была детской, ненадежной. Теперь она придумала бы что-то другое, но вот продать уже нечего. Она прикусила язык и тихо попросила:

— Ради Бога... Всего две с половиной тысячи...

— Но ты же занимала и говорила, что сразу отдашь! Какого черта брала, если нет денег?!

— Хватит читать мораль... Мне нужна помощь. Они не могут немного подождать?

— Вряд ли. Если обещала, надо вернуть.

Она не выдержала, разревелась. Он молча смотрел на ее унижение, потом сказал:

— Вроде бы есть у меня приятель, может дать в долг. Но под проценты. И обычно дает мужикам. А вот бабе...

— Поговори с ним! — Она цеплялась за любую ниточку, чтобы только не пропасть совсем в бездне позора и отчаяния. Она не смогла бы снова признаться мужу в проигрыше. Она ничего уже не могла. Надо было все скрыть, замести следы.

— Ладно, сиди дома. Я позвоню тебе вечером, если что-то устроится, и тогда приедешь на «Александр Блок».

Он не обманул, позвонил. Сказал: «Все уладилось. Приезжай». Она сорвалась с места, даже не попрощавшись с Игорем, как делала обычно. Правда, он все равно не отвечал ей. Но ритуал был нарушен, не осталось и тени приличий. На пароходе Саша вручил ей требуемую сумму.

— Пятнадцать процентов в неделю, — предупредил он. — И здесь — три тысячи.

— Три?

— Пятьсот баксов, чтобы отыграться и вернуть ему с процентами. Ты хоть сознаешь, что попала в передрягу? Он не дарит тебе эти деньги. Чем скорее ты их вернешь, тем лучше для тебя. Сама понимаешь.

Руки у нее дрожали. Она приняла деньги, прижала их к груди, потом спрятала в карман. Не понимала, что чувствует в этот миг — счастье или страх. Только спросила:

— Он знает, что ты брал не для себя?

— Нет. Для тебя бы он не дал. Принципиально не дает денег бабам. Я взял для себя. Под расписку.

— Спасибо... — Ей на миг почудилось, что Саша самый лучший человек на свете. Пошел на такой риск ради нее! Вспомнились нежные взгляды, которые он бросал на нее в первое время замужества. Но эти взгляды давно исчезли. Похоже, в тот миг, когда Анжелика стала играть, она утратила для него всякую женскую привлекательность.

Саша тут же отрезал:

— Не за что! Спасибо я тебе скажу, когда расплатишься с долгами. А пока — пиши.

— Что?

— Расписку. Мне.

— Я не понимаю...

— Чего не понимаешь? — Он как будто рассердился. — Должны быть у меня какие-то гарантии, что ты не улизнешь с деньгами?! Если ты просто откажешься платить, кому отдуваться?! Мне?! Как я докажу, что деньги отдал тебе?! Пиши!

И она написала все, что он требовал, подписалась, вернула ему расписку и, отупев от удивления, пролепетала:

— Но я расплачусь... Я выиграю...

— А если не расплатишься ты, расплатится Игорь.

Этот ответ ее убил. Она стояла, тупо глядя на него, словно не веря услышанному и надеясь на продолжение. И он пояснил:

— У него водятся хорошие деньги. Я об этом стороной узнал. И конечно, он не захочет, чтобы на его жену упало такое позорное пятно. Расплатится как миленький.

— Но ты не выдашь меня!

— При чем тут «выдам, не выдам»? — отмахнулся он. — Я не буду за тебя отдуваться! Короче, или ты добываешь деньги, или я иду к нему.

Она не стала больше возражать. В сущности, он уже сделал для нее достаточно. Теперь, вспоминая все это, она поражалась своей наивности! Ведь она могла попросить его предъявить ту, первую, расписку. Там наверняка не было таких зверских процентов — пятнадцать в неделю! Такого не бывает! Саша, наверное, специально раздул проценты, чтобы разницу положить себе в карман. Могло быть и так, что никакого кредитора вообще не было. Саша дал ей деньги из своего кармана, надеясь в любом случае нажиться: либо сама Анжелика заплатит, либо Игорь. Ее подпись муж не смог бы отрицать. Игорь заплатил бы, а потом выгнал жену. Или... «Или не заплатил бы... — сказала она себе, закуривая новую сигарету и глядя на кровавое пятно на полу. — Об этом Саша тоже подумал. Обязательно подумал. Потому и стал меня подгонять...»

Выиграть ей не удалось. В руки шла какая-то мелочь, а уходили крупные бумажки. Она все проиграла в два вечера, хотя и была предельно осторожна. Но что значит осторожность в игре? Ее оставило самое главное — счастье. Да, она могла спокойно смотреть в глаза Лизе и Армену, зато смертельно боялась встречаться с Сашей. А не встречаться с ним было невозможно. Наступил вечер, когда они вышли на палубу и он потребовал объяснений.

— Я вижу, что тебе не везет, — начал он. — Денег у тебя нет.

— Нет, — сокрушенно призналась она.

— Ты все продула?

— Все.

— В таком случае надо что-то делать.

— А что? — устало спросила она. Посмотрела на берег, потом за борт. Вода была черная, грязная, с Москвы-реки недавно сошел последний лед. Апрель подходил к концу, весна опаздывала. — Опять продать бриллианты? Это невозможно, это не пройдет во второй раз... Единственное, что я могу сделать, — в воду кинуться.

— Ну, уж прости! — засмеялся он. — Ты кинешься, а кто будет платить? Я?

— Игорь... Сам же говорил. А я устала. Я безумно устала. Если бы удалось расплатиться, я бы сюда больше никогда в жизни не пришла...

— Все так говорят.

И вдруг он придвинулся, горячо задышал прямо ей в ухо и начал говорить что-то такое запутанное и невероятное, что она долго не понимала, о чем речь. А когда поняла, не оттолкнула его, не закричала, не испугалась. Нет! Какая-то блаженная прохлада вошла в ее сознание, прохлада освобождения, полного, окончательного. И через минуту ей казалось, что она сама задумала убийство — причем давно.

— У него на счете в банке тысяч двадцать... Я знаю... — шептал ей Саша. — А счет у вас общий! Ты что — забыла?! Ты тоже можешь с него что-то получить! Игорь не будет знать!

— Узнает... — Губы у нее онемели, едва двигались. Она совсем забыла об общем счете! Это была идея Игоря — в первое время их супружества, когда он задаривал ее подарками и закидывал деньгами. Он хотел, чтобы у них были общие деньги. Она забыла об этом. А Саша, оказывается, помнил. — Послушай, но ведь он мог отменить наш общий счет! — возразила она. — Я столько всего натворила за эти годы!

— Он его не отменил.

— Да откуда ты знаешь?! И откуда тебе известно, сколько у него денег в банке? Я же ничего не знаю!

— А я все знаю от Ленки. Он недавно звонил ей и плакался.

— Да? — Она была удивлена, но не слишком. — На меня жаловался?

— Давай о деле. Ты пойдешь в банк, снимешь со счета тысяч десять. Да, десять. Так безопаснее. Потом снимешь все остальное.

— А Игорь?!

— Он никогда не узнает.

И Саша доходчиво объяснил ей, почему ее муж не будет огорчен пропажей кровных денежек. Он просто умрет, прежде чем узнает об этом. Сразу же после того, как Анжелика снимет деньги, Саша позаботится о том, как его устранить. И все. Потом они снимут со счета оставшиеся десять тысяч, закроют его, поделят деньги пополам и начнут новую жизнь.

И она согласилась.

С этого момента она делала только то, что он говорил. Обдумать свои поступки самостоятельно не было ни сил, ни желания. В конце концов, говорила она себе, другого выхода нет. Игорь вышвырнет ее. Может быть, изобьет. Может, даже сильно. Надо его опередить. Она даже не думала, что его смерть неравноценна семейной разборке, ее позору, разводу... Она хотела спастись от надвигающихся неприятностей, только и всего. Честно говоря, она до последнего момента не верила, что Саша решится и пойдет до конца.

Он решился. И его жена, как ни странно, тоже.

«Вот момент, который меня поразил больше всего! — размышляла она, закуривая еще одну сигарету. — Как она согласилась участвовать? Я разыграла инсценировку, как просил Саша. Ворвалась к ним как-то вечером, упала в истерике, стала рыдать, кричать, что запуталась, что мне нужна их помощь... Не знаю, естественно я играла или нет, но мне поверили. Да у меня тогда в самом деле была истерика, истерика каждую минуту, каждый миг... Я уже не могла жить среди всего этого вранья и страха! Лена дала мне воды, потом налила выпить чего-то покрепче, вроде коньяка. Я сразу опьянела — тоже от нервов, наверное, все помню как в тумане. Помню, как Саша рассказывал ей, что написал за меня расписку. Она испугалась, когда узнала, на какую сумму и под какие проценты. Конечно, ведь это были деньги ее мужа! А кто будет платить? Саша? Или придется ей самой? Он делал с ней что хотел, она в него влюблена, как в первый день после свадьбы. Не знаю почему. Они друг другу не подходят. Тут Игорь был прав. Только в одном он ошибся. Он думал, что благоразумная Лена повлияет на безрассудного Сашу. А вышло все наоборот. Стоило Саше чуточку на нее нажать, и она согласилась участвовать в убийстве. Сразу согласилась? Кажется, она сидела как громом пораженная, смотрела то на него, то на меня. Саша обставил свой план так, словно он только теперь пришел ему в голову. Если бы она не согласилась, он бы все представил как нелепую шутку и придумал бы другой план. Так он мне обещал. Но она посидела молча минут пять и сказала, что согласна нам помочь. Я даже протрезвела в тот миг. От изумления. Помню, что потом я вдруг начала реветь. Наверное, поняла, что все это не шутки, мы действительно его убьем. И еще подумала, что, оказывается, даже Лена не испытывала к моему мужу никаких добрых чувств. Хотя ведь они так мило болтали, когда встречались! И вот — она дала согласие. Да, с пьяных глаз мне вдруг стало жалко Игоря. Саша назвал меня дурой. Сказал, что я заварила кашу и придется теперь вытереть слезки и немножко поработать. Тогда мы все обсудили до конца, уже в деталях. Накануне убийства я должна была пойти в банк и снять десять тысяч с нашего общего счета. Саша дал мне все инструкции, как это сделать, чтобы не вызвать в ком-то подозрений. Потом я должна была поехать прямо в казино. Оставаться там до утра, обеспечивая алиби. Вернуться только на рассвете, увидеть труп, вызвать милицию. Саша и Лена должны были явиться к Игорю поздно вечером, без предупреждения, без звонка. Лена была необходима для того, чтобы он открыл им дверь — на брата он злился. У них были дубликаты ключей, которые я сделала, но ими они могли воспользоваться только в крайнем случае. Они должны были посидеть немного, выпить кофе. Далее все выглядело так: Лена ведет светскую беседу, Саша встает, отходит за кресло, в котором сидит Игорь, накидывает ему на шею удавку и душит. Лена держит его за ноги, чтобы тот не слишком брыкался и не производил много шума. Потом они улепетывают, прихватив для вида что-то ценное».

— Черт! — Это Анжелика произнесла вслух, так разволновалась. Вбила окурок в переполненную пепельницу, встала, обвела взглядом стены, мебель... Всюду был беспорядок, все засыпано порошком для снятия отпечатков пальцев.

«Что же они прихватили с собой? Ничего? Весь наш план пошел насмарку... Они пришли к *готовому* трупу. Сами открыли дверь. Ничего этого не предполагалось. Они должны были имитировать ограбление. Похоже, ничего не имитировали, иначе сказали бы мне об этом. Позвонить им сейчас? Спросить?»

Она представила себе трехэтажный мат, которым покроет ее Саша, если она позвонит ему в четвертом часу утра. Кроме того, они заранее уговорились не обсуждать деталей плана по телефону. Кто знает, может, их слушают. Все разговоры между безутешными родственниками должны соответствовать ситуации.

«Да нет, они ничего не взяли. Они же были так растерянны! Напротив, просили меня посмотреть, не пропало ли чего из квартиры? У меня есть ощущение, что чего-то нет... Но чего? Я в последнее время редко заходила в его комнату. Разве что для уборки».

Она еще раз все осмотрела, взгляд ее вернулся к пепельнице. «Ничего не замечаю, — пожаловалась она себе. — Все на месте, но чего-то нет. Ни за что не вспомню, я себя знаю! Если бы хоть понять, что пропало — украшение, книжка, хрен знает что!» Книг в комнате было много, и кому они нужны? Безделушек мало, Игорь их не любил. И все на месте — деревянная кошечка, которую Анжелика купила как-то на выставке, фарфоровый крохотный чайничек, чисто декоративный, — тоже ее приобретение, вот и все. «Интересно, почему милиция не забрала окурок из пепельницы? — спросила она себя. — Наверное, потому, что я сказала, что он мой. А ведь при них я курила совсем другие сигареты, могли бы заметить, что окурки отличаются. Куда им! Нет, на такое способна только такая балда, как я! Выкурить улику!»

Мысли путались, было тяжело думать, вспоминать, но остановиться она не могла. Чтобы хоть как-то отвлечься, она прошла на кухню, сварила себе кофе, примостилась за столом с чашкой. Перед глазами все поплыло — от усталости, от волнений последних дней... «Да, наш план сработал, но как-то странно... — думала она, осторожно касаясь губами края чашки. — Во-первых, нам не удалось все сделать в один день. Я взяла в банке деньги, все сработало отлично. Поехала в казино, а Саша с Леной отправились туда. И не смогли войти в квартиру. Подъезжая к дому, они обратили внимание, что окно его комнаты освещено. Он был дома, как всегда в это время. Но когда они поднялись по лестнице и позвонили, он им не открыл. Они прислушивались и были уверены, что он даже не подошел к двери. Открыть дверь своими ключами не решились — верный скандал еще на пороге, услышит весь дом. А им надо было войти как можно тише и незаметней. Если бы хоть кто-то обратил на них внимание — все бы пропало, ведь они здесь раньше бывали, кто-то мог опознать. Во дворе им почти ничего не грозило — время позднее, никого нет и темно — с фонарями плоховато, их никто бы не узнал. Они были очень осторожны и в подъезде — но и там все обошлось. А вот Игорь их подвел. Пришлось вернуться. Саша был взбешен, сразу поехал в казино. А я там уже вся извелась... Увидела его лицо, решила, что Игорь уже мертв, чуть не заорала... Он был вне себя от злости. Сказал, что это слишком большой риск, оставлять его теперь в живых. Если ему придет в голову поехать в банк за деньгами, он сразу поймет, что я брала со счета. Тогда — хана. Нас мог погубить один лишний день. На следующий вечер мы снова разыграли эту комедию. Я уже спокойнее ожидала новостей на «Александре Блоке». Собственно, если убийство удалось бы, никаких новостей ждать незачем, мы уговорились, что я звонить никому не буду, просто поеду домой навстречу неизвестности. Но Саша снова явился, он совсем озверел. Спросил: «Можешь объяснить, почему твой супруг не реагирует на звонок?! Мог хотя бы спросить — «кто там?!».

Оказывается, Игорь снова был дома, горел свет не только в его комнате, но и на кухне. И снова он не открыл. Этого уже никто понять не мог. На следующий вечер решили действовать не раздумывая — ситуация становилась критической. Они решили позвонить, а если он не откроет, открыть дверь своими ключами. Хрен с ним, с возможным скандалом, могло случиться кое-что и похуже. Игоря нельзя подпускать к банку ни в коем случае. И вот они пришли туда, ворвались в квартиру... А он уже мертв...»

Теперь у нее возникло много вопросов. В шоке первых часов до нее не доходило ничего, даже тот факт, что Игоря убил кто-то не из их компании. Теперь все рисовалось в новом свете. «Почему он не открыл им дверь в первые два вечера? — спрашивала она себя. — Чего боялся? Ведь это могла быть и я — потеряла ключи, забыла что-то, приехала домой, передумала играть в казино... Значит, я должна была мерзнуть на улице?! Он даже к двери не подходил, не спрашивал, кто пришел... Что все это значит? Боялся чего-то? Так боялся, что даже из комнаты не вылезал, когда слышал звонок? Боялся и ждал? Именно в те дни, когда мы пытались его убить? Теперь его поведение становится яснее... Да какое там яснее, ни черта не ясно! — Она залпом допила остывший кофе. — Как могли совпасть два намерения убить его?! В один и тот же день! Точнее — в одни и те же три дня — ведь у нас было три попытки, и в первые два раза он тоже боялся, ждал кого-то... Как нарочно! Как нарочно все придумано, чтобы нас запутать! С одной стороны — прекрасно получилось. Я чиста, Саша чист, Лена ни при чем. Никто его не убивал. Деньги мы получили. Я расплатилась с долгами, Саша у меня на глазах порвал мою расписку. Огреб почти шесть тысяч, с процентами, негодяй... Но мне теперь все равно».

Она снова закурила, хотя в груди уже саднило от табачного дыма, дышалось тяжело. Просто рука сама потянулась и взяла сигарету. К потолку змейкой пополз голубой дымок. Затягивалась лениво и неохотно, словно для вида. Мысли ворочались вяло, как в замедленной съемке. Но перестать думать — значит уже никогда ничего не понять. Она слишком хорошо себя знала.

«Итак, он кого-то ждал и боялся. Этот кто-то пришел, и он наконец открыл ему дверь. Или тот сам открыл ее. Тогда непонятно, почему Игорь не кричал, не сопротивлялся взлому, не вызвал милицию. Скорее всего, открыл дверь сам. Значит, больше тянуть не мог. Понимал, что придется поговорить с тем человеком. Тот человек вошел в его комнату, и дальше я достоверно знаю только две вещи: он уронил сигарету и убил Игоря. Нет, он сделал еще третье: что-то унес. Что?! Что, черт возьми?! Не помню... Не понимаю. Потом явились Лена и Саша. Надо спросить их, горел ли в квартире свет, когда они вошли. «Почему это важно?» — спросила она себя. И тут же ответила: «Известно так мало, что важно все. А прежде всего известно, что Игорь сидел при свете первые два вечера. А еще что? Что еще?»

Она вздохнула, поморщилась, утопила сигарету в остатках кофе. «А больше ничего. Самого главного мы так и не знаем. Кто это был, зачем он убил и где он сейчас. Исчез навсегда? Или милиция его найдет? Да не все ли равно? Я чиста, я свободна, я не убивала, я даже не помогала убийце. Единственное, что я сделала, — взяла деньги с общего счета. Но я имела на это полное право. И это не вызовет подозрений. Надо принять ванну, раздеться и наконец-то уснуть. Зачем я тогда сижу тут и мучаюсь?»

Ответ пришел сам — из ниоткуда, из тишины пустой квартиры, с темной улицы, из ее собственного больного, усталого мозга. «Мне страшно, я его боюсь. Не знаю, кто он, не знаю, как он сюда попал. Но я здесь одна. Мне страшно».

Звонок сорвал ее со стула. Она вскочила, а сердце покатилось куда-то вниз, в желудок. Понадобилось время, чтобы оно вернулось на место и бешено застучало. Первый взгляд она бросила на часы. Пять утра! Невероятное время для случайного звонка! Звонили в дверь. Она стояла, схватившись за спинку стула, с расширенными безумными глазами, обливаясь потом. «Ошибка...» — твердила ее трусливая половина. Другая половина, трезвая и рассудительная, возражала: «Нет, не ошибка. Никогда и никто не звонил в дверь в подобное время. Звонят именно потому, что тут убили Игоря. Потому, что здесь ты.

И звонит тот, кто все это знает. Иди к двери. Иди! Он все равно видел, что в квартире горит свет. Не притворяйся, что тебя здесь нет. Иди туда. Спроси, кто там». — «А если он выстрелит через дверь?» — плаксиво спрашивала трусливая Анжелика. А храбрая Анжелика возражала: «Пальнет? И разбудит весь дом? Иди. Он ничего тебе не сделает. Ты хотела узнать, кто здесь был, так вот тебе случай».

Она преодолела себя, сделала несколько шагов по коридору. В это время снова позвонили. Она привалилась к стене, ее трясло. «Какой упорный... Не уходит, названивает... Я ему нужна. Что делать? Вызвать милицию?» Возможно, это было самое разумное, но вместо этого она сделала еще несколько шагов на ватных ногах и, не подходя вплотную к двери, спросила, почти прошептала:

— Кто?

— Лика, извини... — приглушенно донеслось из-за двери. — Это Юра. Ты не спишь?

— А... — только и вырвалось у нее.

Юра жил на той же площадке, его дверь была напротив. Этого парня она знала не слишком хорошо, но пару раз говорила с ним.

— Я не сплю. Сейчас...

Она отперла дверь и впустила смущенного гостя. Он был одет по-домашнему — клетчатая фланелевая рубашка, спортивные штаны, тапочки. В руке, как заметила Анжелика, что-то было зажато. Проследив за ее взглядом, Юра протянул ей маленькую яркую коробочку:

— Цейлонский чай, очень хороший. Я думал, ты не откажешься выпить со мной чашечку...

Она пожала плечами. Теперь страх улетучился. Во всяком случае, она была не одна. Анжелика тщательно заперла дверь, вскинула на него глаза — он был высокий, выше ее на две головы:

— А ты что в такую рань поднялся?

— Я не спал. Работал.

— Да?.. А чем ты занимаешься?.. — Она говорила безо всякого интереса, только чтобы поддержать разговор. Двинулась на кухню, Юра послушно пошел за ней, объясняя на ходу:

— Готовлю диплом. Я же шестой курс заканчиваю.

— Да? — Она поставила чайник, ополоснула две чашки. На душе у нее стало совсем хорошо — мирный визит, спокойный разговор, в случае нападения у нее будет защитник. Этот Юра хотя и худой, но очень высокий и широкоплечий. Она чуть внимательнее взглянула на соседа. Отметила, что он ничуть не изменился с тех пор, как она видела его в последний раз. Так же пострижены русые волосы — ежиком, те же голубые глаза навыкате, крупный горбатый нос, большие красноватые руки. Только вот глаза стали какие-то усталые. — Постой, — улыбнулась она. — Ты же вроде только поступил в институт? Ты где учишься, во ВГИКе?

— Господи, да ты что? — удивился он. — Я поступил, когда ты только сюда приехала. С тех пор шесть лет прошло. Я ВГИК уже заканчиваю.

— Не помню, ты кто?

— В смысле профессии? Художник.

— А-а-а... — протянула она. — Точно, я все на свете забыла... Не женился еще?

— Нет.

— И не женись.

— Лик, ты что, сердишься, что я пришел? Конечно, тебе очень тяжело... — Он кивнул в сторону комнаты Игоря, и настроение у нее резко упало.

— Ты уже знаешь?

— Весь дом знает. — Юра потряс пачкой сигарет, предлагая ей закурить, но она отказалась:

— Обкурилась уже. А откуда все узнали? Я никому не говорила...

— Откуда-то узнали.

— И ты что — решил подробности разведать? — горько улыбнулась она.

— Лик, не надо... Я просто увидел, что у тебя свет в такое время, сам не спал, вышел на балкон проветриться... Решил, что ты тут изводишься одна. Вот и зашел.

Можешь мне ничего не рассказывать, я же не садист. Успокойся.

— Легко говорить... — Она сняла с плиты чайник, разорвала бумажную упаковку подаренного чая, заварила, торопливо разлила по чашкам. — Ладно, спасибо, что пришел. Мне было страшно одной.

— А почему Сашка тебя одну оставил? — поинтересовался Юра, с неодобрением глядя в свою чашку. Анжелика заваривала чай почти машинально, вышло плохо, на поверхности воды плавали чаинки.

— Сашка тоже не в себе, — пояснила она. — А я думала, что выдержу одна. Я сегодня там была, они предлагали переночевать. Да, лучше бы я согласилась...

— Милиция здорово тебя трепала?

— А почему они меня должны трепать? — удивилась Анжелика. Сама она к чаю не притрагивалась, не любила, предпочитая кофе. Юра тоже не пил. Его визит с заваркой превращался в полную бессмыслицу. «Его просто гложет любопытство, — поняла она. — Мужики еще худшие сплетники, чем бабы. А, все ясно! Его послала мамаша. Он же с мамой живет! А мама — первая сплетница на деревне. Небось сама тоже не спит, в себя прийти не может. Увидела у меня свет, послала его на разведку. Сам бы он не пришел — слишком застенчив. Да и знакомство у нас не то чтобы близкое».

Иронично спросила:

— А что по этому поводу думает твоя мама?

Он сразу смешался, и она поняла, что не ошиблась в своих предположениях.

— Мама? — выдавил он. — А она тут при чем? Ей меньше всех известно про это дело...

— А кому больше всех? — поймала его Анжелика. — Да ты пей чай, ради Бога, я его вообще не употребляю...

Он шумно выдохнул, как бы избавляясь от остатков робости, и довольно независимо сказал:

— Я вообще хотел сперва посоветоваться с тобой.

— Ты о чем?

— Да об этом... Не знаю, может, стоит в милицию заявить? Только боюсь тебе навредить. — Он снова кивнул в сторону комнаты Игоря.

— Я тебя что-то не понимаю... — Она не сводила с него глаз, и до нее постепенно доходило — он пришел не из пустого любопытства, вовсе нет. — Что ты обо всем этом знаешь?

— Да почти ничего, — завилял он, но она уже вцепилась в него мертвой хваткой:

— Ты что — видел вчера ночью кого-то? Да?!

Он сперва кивнул, потом вдруг резко и отрицательно помотал головой. Ей стало дурно, но лишь на миг. Голова тут же просветлела, и в этом свете застыла одна страшная мысль — если он видел Сашу и Лену, вошедших в квартиру после убийства, тогда...

— Понимаешь... — Юра запинался, то, что вертелось у него на языке, явно мучило его. — Не знаю, говорил тебе Игорь или нет... У него, похоже, кто-то был.

— Я понимаю... — Язык и губы у нее стали ватные, слова давались с трудом. — Конечно, кто-то здесь был, если его убили.

— Не в том смысле.

— А в каком?

— Я имею в виду женщину. — Сказав это, он как будто отвел дальнейшие вопросы и схватился за чашку с чаем.

Анжелика не знала, как реагировать, потому что при этом известии не почувствовала ровным счетом ничего. Ни удивления, ни злобы, ни испуга. А реагировать было надо — ее равнодушие могло показаться подозрительным. И она промямлила:

— Первый раз слышу... Ты не ошибаешься?

— Я ее видел.

— Когда?

— Позавчера.

— Подожди... В тот вечер, когда Игоря...

— Нет, я же говорю — позавчера! Это было накануне его смерти. Она была здесь вечером, очень поздно, около полуночи.

Он допил свой невкусный чай и бросил на нее косой взгляд. Анжелика сидела напротив него, держась очень прямо, не чувствуя ни рук, ни ног, даже без мыслей — ее всю залил какой-то странный безразличный холод. Холод шел от сердца, наполнял грудь, поднимался по горлу... Она шевельнула губами, попыталась что-то сказать, и кухня поплыла перед ней, теряя очертания, исчезая.

## Глава 4

— Как ты?.. — Он теребил ее за плечо, тряс, не давал провалиться снова в спасительный холод, в спокойную темноту. Она неохотно, но быстро всплывала из этой тьмы на свет — как надувная игрушка, которую попытались утопить. Еще один рывок — и она открыла глаза. Лицо Юры, покрасневшее от волнения, его испуганные глаза, его рука на плече...

— Нормально... — Она поняла, что лежит на ледяном плиточном полу, здесь же, на кухне. Попыталась сесть, голова снова закружилась, да вдобавок заболел правый локоть — она его ушибла при падении со стула. Юра помог ей сесть, поддерживая за плечи. Заботливо спросил:

— Может, тебе лучше в комнату перейти?

— Мне уже никогда не будет лучше... Посмотри-ка в холодильнике, там должно что-то быть.

— Что?

— Вино оставалось...

Он послушно открыл холодильник и вытащил початую бутылку венгерского муската. Откуда эта бутылка взялась в холодильнике, Анжелика не знала, во всяком случае, мускат покупала не она и пила тоже не она. Он там был, и большего ей не требовалось. Юра налил ей полстакана, придвинул, с сомнением сказал:

— А тебе не будет хуже? Он такой сладкий... Может, чаю выпьешь с лимоном?

— Спасибо за заботу... — Она с отвращением попробовала ледяной приторный мускат и с возмущением прокомментировала: — Какая лошадь поставила это в холодильник?! Вино хранят при комнатной температуре.

Юра только пожал плечами, закурил, внимательно глядя на нее. Она запила мускат водой, и ей не то чтобы стало лучше, но, во всяком случае, исчез обморочный горький вкус во рту. Она тоже закурила, постепенно приходя в себя, спросила:

— Милиции ты об этой женщине не говорил?

— Нет. Сперва решил поговорить с тобой.

— А почему?

— Не знаю... Если это была его любовница, тогда, наверное...

Она вдруг поняла, фыркнула:

— Сдурел? Думаешь, я способна на убийство из-за ревности?!

— А кто тебя знает... — Он нерешительно улыбнулся, но улыбка погасла, когда он встретил сумрачный взгляд Анжелики. Встревоженно спросил: — Я глупость ляпнул, да? Прости, я думал, ты о ней что-то знаешь... Конечно, тебе дурно стало...

— Мне не из-за нее стало дурно, — отрезала она. — Просто у меня сейчас два самых паршивых дня в моей жизни, а будет еще больше. Никогда мне не было так хреново. Я совсем запуталась...

— В чем?

— Во всем. — Она прикусила язык. — Не знаю, как теперь жить, ведь он умер.

— Ты так его любила?

Ей не понравился его взгляд. Слишком внимательный, без тени доверия, без следа сочувствия. «Похоже, он надо мной смеется, — мелькнуло у нее в голове. — С какой стати? Притащился, чтобы сообщить о любовнице Игоря... Ничего не сказал милиции. Торчит здесь и таращится на меня своими лягушачьими выкаченными глазами. Я с ним говорю третий раз в жизни, что он себе позволяет?»

— Опять глупый вопрос, да? — спросил он, стряхивая пепел. — У меня такой талант, на глупые вопросы. В конце концов, это не мое дело, верно ведь? Я просто решил узнать, известно тебе что-то об этой женщине или нет.

— А как ты вообще о ней узнал? — оборвала его Анжелика.

— Встретил в подъезде. Я позавчера поздно возвращался домой, захожу в подъезд, за мной входит незнакомая женщина. Я только обернулся посмотреть, кто это, и больше на нее не смотрел. Я поднимался на пятый этаж, и она за мной. Я уже решил, что она к нам идет, к матери, что ли... К вам же гости не часто ходят, да еще в такое время...

«Интересно, откуда он это знает? — задала себе вопрос Анжелика. — Неужели вел учет нашим гостям? Сашке и Лене просто повезло, что они не нарвались на него в эти три раза, когда сюда приходили... Или... Нарвались?! Что он тут трепется, ведь явно держит камень за пазухой!»

— А на нашей площадке я еще раз на нее оглянулся, — вдохновенно продолжал Юра. — Тогда ее и разглядел. Я стал открывать свою дверь, а она позвонила к вам... То есть к Игорю.

— А откуда ты знаешь, что меня не было? — перебила Анжелика. — Что — следишь, когда я ухожу, когда прихожу?!

— Да нет... Просто заметил, что ты часто не ночуешь дома, возвращаешься на рассвете... — завилял Юра. — Я же постоянно по ночам работаю, иногда вижу тебя с балкона...

— Я не у любовника ночую, — отрезала она.

— Я и не говорил...

— Вот и не говори! Игорь ей открыл?

— Да.

«Вот сволочь! — подумала она. — А в тот же вечер Ленка и Сашка напрасно ему звонили! Значит, он ждал ее. А как он узнал, что это она? Ни черта не понимаю...»

— Может, тебе интересно, как она выглядела? — робко спросил Юра.

— Ты и это рассмотрел?

— Я же сказал. Хотя под лупой не разглядывал, но я ведь художник, у меня глаз наметанный.

— Ну? — заинтересовалась она. — И какая она? Ничего себе?

— Ничего, но ты лучше.

— Ах, мерси, мерси... — Она даже засмеялась, и на душе чуть-чуть посветлело. Хоть какая-то положительная эмоция за последние дни, да что там дни — месяцы... За всей этой историей Анжелика успела забыть, что она все-таки женщина, и женщина привлекательная. — Ну а точнее можешь сказать?

— Довольно высокая, худая. Нет, не худая, но такая мускулистая, без жировых отложений. Блондинка, причем волосы совсем белые, как у Монро.

— У кого?

— Мерилин Монро знаешь?

— Нет, — отрезала она. — У меня своих проблем хватает.

— Да ты что?! — изумился Юра, но она в ответ только поморщилась:

— Продолжай.

— А нечего продолжать, в сущности. Волосы до плеч, белый плащ, больше ничего не разглядел. Интересная, в общем, но не сногсшибательная.

— А лет ей сколько? Хотя бы приблизительно.

— Кто знает... — задумался он. — Может, тридцать, может, больше... Вот моей матушке сорок восемь, а выглядит она на тридцать с хвостиком, не больше.

— Ясно. — Анжелике вдруг стало грустно. Она сама не понимала почему. Никаких чувств к мужу она давно не испытывала, если исключить чувство вины. Ревность была ей незнакома. Собственницей она себя никогда не ощущала. Ей даже в голову не приходило, что у Игоря может кто-то быть, но если бы такая мысль возникла, она бы не слишком поразилась и расстроилась. И все же...

пришла грусть, а вместе с ней — чувство неуюта, заброшенности, своей ненужности. Хотя человек, который мог ее бросить, уже никогда не сделает этого. «В конце концов, — подумала она, — он имел на это право. Мы до смешного редко спали вместе... Правда, если такое случалось, то было хорошо, как и раньше... Мне было с ним хорошо, только я в последнее время постаралась об этом забыть. Он был внимательным, нежным любовником, только вот ничего мне в постели не говорил. А я почему-то хотела, чтобы он меня при этом как-то называл. «Лапушка, красавица, любимая...» Неужели ему было так трудно открыть рот и сказать эти нехитрые слова? Не знаю... Но я ведь и не просила его об этом, стеснялась. Лежала как кукла и повизгивала от восторга. Противно. Противно, какая я была слепая дура! Слепая и самоуверенная! Все шло к тому, что он со мной развелся бы! Любой на его месте вышвырнул бы меня, еще тогда, когда я продала бриллианты... А он меня терпел Бог знает сколько. Зачем? Зачем?! Любил?! А я его?.. Любила ли я его хоть когда-то? Нет? Никогда?.. Почему же мне теперь стало плохо, когда я услышала про любовницу?» Она ничего не могла понять. Подняла глаза на Юру, тот сидел молча, как-то странно глядя на нее.

— Я что, думала вслух? — спросила она.

— Нет, у тебя просто было такое лицо...

— Какое?

— Не знаю... Нездешнее.

— К сожалению, я здесь, и никуда отсюда не денешься... — вздохнула она. — Ну и что теперь делать? Ты расскажешь милиции про эту женщину?

— А ты как считаешь?

— Надо рассказать.

— Надо? — Он как будто встревожился. — Может, сама расскажешь? Только на меня не ссылайся, пожалуйста... У меня диплом горит, я не могу время терять...

— А я тут при чем? Я же ее не видела. Сам и расскажешь.

— А как мне с ними связаться?

— Не знаю. Неужели еще не допрашивали соседей?

— А что, должны допрашивать? — удивился Юра.

— Кажется, должны. Кто-то ведь мог увидеть убийцу... А вчера эта женщина здесь не была?

— Я отвечаю только за тот единственный раз, больше я ее не видел.

— Но Игорь ждал ее? Как тебе показалось?

— Да, наверное, ждал. Впустил в дом без всяких вопросов.

— А она звонила обычно или как-то особенно?

— Да нет, один звонок, и все... А почему ты спрашиваешь?

Конечно, Анжелика не собиралась объяснять ему, что на тот же один звонок Игорь не открыл дверь Саше и Лене, и перевела разговор:

— Ты у нас никогда не был?

— Нет. — Он оглядел кухню, спросил: — Недавно сделали ремонт?

— Давно. — Она махнула рукой. — Хочешь, покажу комнату, где его убили?

Он хотел, и она провела его, показала:

— Вот здесь он лежал, видишь, кровь и мелом обведено.

Он смотрел растерянно, как-то по-детски оттопырив губы. После паузы вздохнул:

— Ужасно все это.

— Ну, ты еще его не видел, — заметила она. — Знаешь, это было самое страшное в моей жизни. Уехала из дому часов в девять, все было так мирно, так обычно... Он смотрел телевизор, только что поужинали... И вот возвращаюсь — он мертвый.

Он молча кивнул, оглядел комнату. Анжелика подошла к столику, взяла переполненную пепельницу, сказала:

— Мне кажется, отсюда что-то пропало, только я не могу понять что.

Она смахнула пепел со столешницы, подняла глаза и увидела, что Юра смотрит на нее неподвижным тяжелым взглядом. Испуганно спросила:

— Ты что? — Не дождавшись ответа, повторила: — Да что случилось? Привидение увидел?

Он наконец ожил, расклеил губы, пробормотал:

— Нормально все, просто здесь душно.

В комнате вовсе не было душно, очень долго была открыта форточка, и Анжелика ему не поверила. «Что он увидел? — спросила она себя. — А он что-то увидел. Черт возьми, что он видит, чего не вижу я?! Псих ненормальный! Лягушачьи глаза! Снова на меня уставился!» И решительно сказала:

— Знаешь, уже поздно, то есть рано. Мне спать хочется.

— Да, я пойду. — Теперь он стал немного похож на человека, но глаза старался прятать. — Мать, наверное, скоро встанет.

— Маме передай привет. — Она выпроводила его и заперла дверь. Этот визит оставил у нее сложные ощущения: удивление, раздражение, досаду. Прошла в комнату, погасила свет. Совсем рассвело, все предметы выступили из темноты. Она закрыла глаза, постояла так с минуту, потом резко открыла их. Она не ошибалась — в комнате чего-то не хватало.

«Часы встали, — подумала она, взглянув на стеллаж. — Показывают дурацкое время. Не буду их заводить. Назло. Они мне не нравятся. Отдам Саше, вроде он их когда-то одобрил». Какое-то воспоминание скользнуло и оставило после себя только слабый трепет, волнение, но она уже догадывалась, что это что-то важное, что-то необходимое, и пыталась понять что... И вдруг поняла. «Часы! Точно — часы! Они же стояли на такой вот квадратной малахитовой подставке, страшно тяжелой и безвкусной! А теперь ее нет! Точно — часы стоят прямо на полке... Чертовщина! Кому нужна эта хреновина?!» Она бросилась к стеллажу, приподняла часы, как будто подставка могла где-то затеряться. Потом обшарила все остальные полки, подставила стул, заглянула наверх и все больше убеждалась — этой подставки в комнате больше нет. Кто-то ее унес.

Произведя на полках полный бардак, она опустилась в кресло, тупо глядя на пепельницу, из которой так и не вытряхнула окурки. «Подставка... Она же никакой ценности не имеет. Она хоть и малахитовая, но грош ей цена. Тяжелая, зараза, и совершенно ненужная. Без нее часы даже лучше смотрятся. Как я сразу не заметила? Да я вообще старалась не обращать внимания на это убожество!»

Анжелика бросилась к телефону, подняла трубку и с грохотом положила ее на место. Потом, решившись, снова сняла и набрала номер. Ей ответили не скоро. В трубке раздавался заспанный голос Лены:

— Да?

— Это я. — Анжелика уже приготовилась отмести все возражения по поводу раннего, да и вообще небезопасного звонка, но Лена неожиданно терпимо отнеслась к ней, только спросила:

— Случилось что?

— Да. Я кое-что нашла, то есть потеряла...

В трубке послышался другой голос, Саша спрашивал жену: «Что нужно этой дуре в такое время?!»

— Скажи, чтобы придержал язык, сам дурак! — парировала Анжелика.

— Да что такое? — окончательно испугалась Лена. — Что-то серьезное? Отвяжись! — Последнее явно относилось к Саше.

— Помнишь, я заметила, что в комнате чего-то не хватает?.. — начала Анжелика. Ответом было напряженное молчание, в котором можно было различить дыхание Лены. — Так вот, я поняла, чего нет. Это так нелепо, что я ничего не понимаю. Пропала малахитовая подставочка для часов, не знаю, помнишь ты ее или нет?

— Нет... — деревянным голосом ответила Лена. — Какая подставочка?

— Часы, часы стояли на малахитовой подставке, — торопливо объясняла Анжелика. — Уродливые часы под старину, они и теперь здесь. А подставка пропала. Она была не приклеена, понимаешь? Вот кто-то ее и унес. Не вы?

— Не мы, — так же заторможенно ответила Лена. Рядом с ней снова завозился Саша, видимо, он опасался, что разговор коснется опасных тем, и хотел вырвать у жены трубку, но та не давала.

— Да скажи ты ему, пусть не играет в сыщиков и воров, — закричала Анжелика. — Нас никто не слушает! Кому мы нужны!

Лена помолчала с минуту, видимо, зажимала трубку ладонью, разговаривая с мужем, потом ответила:

— Он не будет мешать. Просто Саша нервничает.

— Я тоже! — Анжелика никак не могла совладать с собой и не кричать, нервы сдавали. — Скажи, что ты об этом думаешь?

— Не знаю...

— Я тоже не знаю, кому была нужна эта каменная чепуха! Но ее украли.

— Мы ничего не унесли, — ответила Лена. — Мы растерялись.

— Слушай, еще вопрос! — вспомнила Анжелика. — Когда вы вошли, свет в комнате горел?

— Нет, — сразу ответила Лена. — Во всех окнах было темно. Мы потому и вошли.

— Ясно.

— Что — ясно? — Голос ее собеседницы высоко и истерично зазвенел, и Анжелика снова поразилась тому, как тяжело далась этой бесстрастной в общем-то женщине гибель Игоря. В глубине души Анжелика упрекала себя за то, что переживала смерть мужа более спокойно. Она даже стыдилась этого спокойствия. Почему — она и сама не могла сказать. Разве что нарушались какие-то приличия, а ей нужно было оправдание перед самой собой.

— Да ничего не ясно, — вздохнула Анжелика. — Просто в первые два раза свет у него был, а в третий — нет. Не в темноте же его... Значит, когда тот уходил, он погасил свет.

Лена в ответ промолчала.

— Зачем погасил? — Анжелика спрашивала скорее саму себя. — Из аккуратности? Решил сэкономить электричество?

— Может, чтобы внимание не привлекать, — замогильным голосом откликнулась Лена.

— Чье внимание?

— Соседей. Наше внимание. Чтобы мы не зашли на огонек, чтобы никто не зашел, чтобы тело попозже обнаружили... Ну, или просто так погасил свет. Я бы тоже погасила.

— Ты тут при чем?

— Я всегда гашу свет за собой. — Лена как-то неестественно хихикнула, и только теперь Анжелика отметила всю странность ее голоса, он был почти неузнаваем.

— Лен, что с тобой?

— Я пьяная...

— А Сашка?

— Он — нет.

— Как же он тебе разрешил нажраться? — растерялась Анжелика.

Лена пьяно рассмеялась и отчетливо ответила:

— А я его не спросила. Он хочет с тобой говорить. Будешь?

— Буду. — И когда в трубке раздался резкий голос Саши, прошипела: — Ты зачем мне ее подсунул? Она лыка не вяжет.

— А ты зачем сюда звонишь? — сорвался в свою очередь Саша. — Уговаривались же! Тебе что в лоб, что по лбу мои уговоры! Это опасно!

— Так брось трубку, говно! — выпалила Анжелика. — Чего ты-то боишься? Мы ничего не делали!

— Поздно бросать трубку, кому надо, уже все слышали.

— Никто нас не слушает, у тебя мания преследования, — отрезала она. — Может, ты тоже пьяный?

— Что хотела сказать, говори! Ленка... — Послышался ясно различимый женский вскрик. Потом затишье.

Саша объяснил: — Ушла. Я ей дал по морде, чтобы не лезла под руку. Противно на нее смотреть, пьяная, вся опухшая. Не думал, что она так сдаст. Вроде шла на такое дело, и ничего. А ведь она даже ни к чему не прикоснулась. И вот — истерики...

— Ну ты даешь... — потрясенно протянула Анжелика. — Игорь, по крайней мере, рукоприкладством не занимался...

— Не суй мне в нос своего Игорька, говори, зачем разбудила!

— По пунктам, главные новости. Я нашла тот самый окурок, надписи на нем никакой нет. Он при мне, я его в бумажку завернула.

— Принесешь покажешь.

— А еще я поняла, что украли малахитовую подставку, ту самую...

Саша сразу понял, о чем идет речь, и удивился:

— Из-под страхолюдных часиков? А зачем?

— Хорошо бы, ты мне это объяснил, — вздохнула она. — И еще номер третий. У него была баба.

— В смысле? — Саша невероятно оживился.

— Не знаю, в каком смысле, может, любовница, может, знакомая. Факт тот, что она приходила к нему накануне его смерти. Сейчас какое число?

— Шестое наступило.

— Он умер пятого...

— Нашла ты его пятого, — перебил ее Саша.

— Что? — невпопад спросила Анжелика.

— Нашла ты его пятого числа, на рассвете. А когда он помер — четвертого, пятого или вообще в полночь, — мы не знаем.

— Что ты болтаешь, вы же там были в полночь!

— Тем более, умер он четвертого, незадолго до полуночи.

— Боже мой... — вздохнула она. — А он какой был, теплый или нет?

— Уже не помню. Холодный скорее. Какой-то комнатной температуры.

— Значит, умер он четвертого вечером... А третьего приблизительно в то же время, около полуночи, к нему пришла женщина.

— Кто тебе сказал?

— Сосед.

— Юрка, что ли?

— Ты его знаешь? — удивилась Анжелика, и он презрительно ответил:

— Мартышка к старости слаба мозгами стала. Я же там прожил всю жизнь, пока Игорь квартиру нам с матерью не купил. И мы с Юркой вообще в одном классе учились.

— А-а-а... — протянула она и тут же неприлично удивилась: — А что, Юрка твой ровесник?!

— Ему тридцатник, как и мне, просто он все учится. Поздно поступил. Да ты что, решила со мной о Юрке поговорить?! Как он вообще ту бабу заметил?

— Случайно. Не важно как заметил, только он ее внешность описал.

Анжелика добросовестно передала все приметы «любовницы» и спросила:

— Что делать-то будем?

— А что тут сделаешь? Гулял Игорек. Ты ревнуешь? Нет? И молодец... Думаешь, она его убила?

— А почему нет? Юра сказал: мускулистая, высокая. Могла справиться. Тем более по голове дать, это же не драка. А ударили сзади, неожиданно.

— Не верю, чтобы женщина била по голове... — засомневался он. — И вроде бы не грубая деваха. Белый плащ...

— Ты по цвету плаща судишь о человеке? — изумилась Анжелика. — А у кого плащ темный — тот, по-твоему, дебил?

— Ладно, чепуха, не слушай меня. Женщина — это интересно.

— Вот я и говорю — должна о ней милиция знать?

— А почему нет? Расскажи. Тебя, кстати, должны вызвать.

— Представь, я это уже поняла. И это страшно неприятно.

— Но еще неприятней знать, что деньги взяла, а отдать нечего? — усмехнулся он. — Кто говорил: в воду кинусь? Расплатилась, должна быть счастлива, а ты теперь капризничаешь.

— Да, теперь мне плохо. Я делала глупости.

— Запомни одно: ты ничего не сделала. — Его голос стал твердым. — И бояться нечего. Намерение — это еще не деяние.

— Красиво говоришь.

— Красиво говорить будешь ты, в милиции. Поплачь там для правдоподобия. А то слишком хорошо держишься для молодой любящей вдовы.

— Заткнись. — Она произнесла это устало, без злости. — А про подставку им сказать?

— Говори про что угодно, только давай закончим этот разговор. Ты хотя бы знаешь, который час?

— Скоро семь.

— Ты что — не ложилась?

— Мне не удалось уснуть.

— Ты вторую ночь не спишь, кончай так изводиться! Тебе нужна свежая голова.

— Ты же сказал — я совершенно равнодушна и держусь даже слишком хорошо, — усмехнулась Анжелика. — Ничего со мной не будет. Упаду в обморок у следователя в кабинете, как ты говоришь — для правдоподобия.

Он, видимо, хотел что-то добавить, но вместо этого вдруг положил трубку.

Саша как в воду смотрел — в одиннадцатом часу раздался телефонный звонок. Анжелика, встрепанная, очумелая (не успела поспать и трех часов), подскочила к телефону и сперва даже не понимала, что говорит со следователем, что ее просят подъехать по такому-то адресу к такому-то часу. Ложиться досыпать было уже некогда, она умылась холодной водой, выпила крепчайшего кофе, но проснуться по-настоящему так и не смогла. На столе в кухне валялась яркая упаковка чая, и она долго не могла сообразить, откуда взялось это чудо. Наконец вспомнила Юру. Его нелепый утренний визит оставил в ней глухое чувство раздражения. Благодарности к нему она не испытывала. «Сплетник, — сказала она себе, одеваясь. — Да еще и трус. Чего он так испугался? Почему сбежал?» Когда она вышла из подъезда и зажмурилась от ослепительного весеннего солнца, ей в голову пришло, что этот двухметровый широкоплечий парень — обыкновенный неврастеник, к тому же маменькин сынок, отсюда все странности в его поведении...

...Следователь рассматривал ее руки. Она сама не знала, зачем так расфрантилась для визита в милицию — нацепила новый брючный костюм, оба бриллиантовых кольца, вдела в уши серьги. За семь лет Игорь сумел приучить ее, что одеваться надо дорого и элегантно, во всяком случае, когда идешь «в люди». На пароходе, в казино, Анжелика предпочитала одежду своей юности — джинсы и свитерок. Она складывала руки на коленях, то так, то этак, стремясь прикрыть сверкающие камни, потом разозлилась на себя и прямо посмотрела на следователя. Пронзительного взгляда не получилось — глаза от недосыпа опухли, слезились, то и дело закрывались сами собой.

— Я веду ваше дело, зовут меня Кочетков Владимир Борисович, — представился он.

Она кивнула, пошевелила губами, стараясь запомнить его имя.

— А вы, значит, Прохорова Анжелика Андреевна? — полуутвердительно спросил он. — Так Анжелика или Ангелина?

— Анжелика. Могу паспорт показать, — удивилась она.

— Не надо, я просто поинтересовался, у меня дочь Ангелина, требует, чтобы ее звали Анжеликой.

Следователь был в летах, почти весь седой, очень полный, с пронзительным бабьим голоском. Анжелика постепенно перестала робеть перед ним, расслабилась, села свободнее.

— Прохорова вы по мужу?

— Да.

— А ваша девичья фамилия?

— Стасюк.

— Давно вы замужем?

— Семь лет. — Она сцепила и тут же расцепила пальцы, поймала себя на том, что вдруг снова разволновалась. Сонное состояние прошло, только вот раздражал солнечный свет, бивший в глаза, и духота в грязноватом кабинете с обшарпанной мебелью. Постоянно кто-то входил, выходил, говорил по телефону в другом углу, и в воздухе стоял какой-то стойкий запах мужских тел — то ли казармы, то ли спортивного зала.

— Ну и как вы жили? — спросил он, закуривая.

Она обратила внимание на марку сигарет — «Петр I». Дым был крепкий, ядреный, она едва удержалась, чтобы не поморщиться. Ей он закурить не предложил.

— Нормально, — сдержанно ответила она.

— А поподробнее?

— А что именно вас интересует?

— Ну, все же у вас такая разница в возрасте.

— Десять лет с небольшим, — пожала она плечами. — Разве это разница...

— Сейчас — да. Но замуж-то вы вышли в восемнадцать, так я понял? Тогда разница больше ощущалась. Не так ли? Он к вам хорошо относился?

— Всегда очень хорошо, — ответила она и не покривила душой. Если не брать в расчет разборки насчет ее походов в казино и продажи бриллиантов, он никогда на нее не накричал, тем более пальцем не тронул.

— А вы к нему?

— Я, конечно, тоже хорошо... Мы не ссорились.

— Никогда?

— Почти никогда.

— Анжелика Андреевна, может, все же припомните что-нибудь из вашей семейной жизни? Мужа-то вашего убили. Неужто он вам ничего не рассказывал о своих делах, не бывал раздражен и прочее?

— Иногда бывал, но я... Не интересовалась, что ли. — Произнеся это, она поняла, что сделала ошибку — следователь нехорошо напрягся.

— Почему не интересовались?

— Так.

— У вас что, бывали все же нелады?

— Наверное, как в каждой семье. Но ничего серьезного. Просто он считал, что я ничего не пойму в его делах, и никогда со мной не делился...

— Это из-за разницы в возрасте или еще почему-то? — сощурился тот.

— Он просто считал, что я не очень умна, — созналась Анжелика.

— Он что — высказывал такие предположения вам в лицо?

— Нет, он меня не оскорблял... — Она совсем запуталась, стала еще больше нервничать.

Но следователь вдруг сменил тему, поинтересовался:

— Друзей его вы знали?

— Никого.

— Как же так?

— А к нам никто в гости не ходил.

— Никогда?

— Никогда, не было ни одного случая... А, нет! — вспомнила она. — Когда он сделал ремонт, у нас была вечеринка для его сослуживцев. Но я все время подавала на стол, мыла посуду, так что ни с кем не познакомилась. Скучновато было. И они все говорили только о делах. Вот это был единственный случай, когда к нам пришли гости, и он позвал их только потому, что иначе нельзя было.

— А может, он все-таки с кем-то близко дружил? Были у него хорошие знакомые? Он называл вам чьи-то имена?

Она покачала головой.

— Что — ни одного друга не было? — Следователь как будто ей не поверил. — Так не бывает. Наверное, вы просто не помните.

— Я бы запомнила... — тоскливо ответила она. — Но у него не было друзей.

— Так, значит... — Следователь задумался. Вбил окурок в жестяную пепельницу, облизал желтоватые от табака губы и спросил: — А о неприятностях своих он вам тоже не рассказывал?

— Никогда. Я даже не знала, что они у него есть.

— Зачем же тогда жена существует? Неужели никогда не жаловался?

— Ни разу.

— Какой-то железный человек ваш покойный муж... — Он снова закурил. В кабинете уже нечем было дышать. — Ладно, а как насчет другого?

— Я не понимаю?

— Вы никогда не подозревали, что у него, скажем, подруга есть?

— Что вы!.. — Она поежилась, стараясь не слишком глубоко вдыхать отравленный дешевым табаком воздух. — Он был не такой.

«А какой? — спросила она себя. — Одна баба у него все же была. Сказать?» Она вспомнила Юру, его просьбу не ссылаться на него как на свидетеля, и решила промолчать. «Юра что-то темнит! Он ее видел, вот пусть сам и рассказывает! Плевать мне на его диплом!»

— Значит, женщины у него тоже не было, так получается, — вздохнул следователь. — И друзей не было. И проблем не было. Кто ж его тогда убил?

Анжелика вздрогнула, стиснула руки, вскинула подбородок. Особой деликатности она в этом кабинете не ждала, да и вроде не слишком она была ей нужна. Но все же следователь должен был говорить о смерти Игоря намного сдержанней. Так ей хотелось бы.

Они помолчали, потом Анжелика робко сказала:

— Знаете, когда я пришла домой, в то утро, я заметила, что из квартиры что-то пропало.

— Серьезно? — равнодушно спросил он. Казалось, это сообщение его вовсе не заинтересовало.

Она немного разочаровалась, но все же добавила:

— Сегодня я поняла. Пропала малахитовая подставка под часами.

— Это что такое? — спросил он уже с большим интересом.

— Были у нас такие часы, да и сейчас еще есть... — пустилась в объяснение Анжелика. — Они стояли на стеллаже, на такой квадратной малахитовой подставке. А теперь часы стоят просто на полке.

— Кто же подставку отодрал?

— А ее не надо отдирать, она не приклеена, не привинчена. Просто прилагалась к часам. Нелепая такая вещь. И совсем не ценная.

— Вы что — думаете, ее забрал убийца?

— А кто ж еще?

— А ваш муж не мог ее разбить, выбросить?

Она подумала, пожала плечами:

— А зачем? Нет, нет, не мог. Он вообще не любил что-то выкидывать. Тем более эти часы сам когда-то купил.

— Давно купил?

— Не так давно, где-то с год назад.

— Подставка, значит, пропала...

Он покряхтел, затушил окурок и полез в стол. На столешницу легла картонная папка. Анжелика вытянула шею, пытаясь рассмотреть, что там такое. Он пошуршал бумагами, вытянул листок с машинописным текстом, снова покряхтел, внимательно его прочел, уставился на Анжелику каким-то странным взглядом. Наконец спросил:

— Вы мужа-то осматривали, когда нашли?

— Н-нет...

— Испугались?

— Очень... Поняла только, что у него голова пробита.

— Ладно. Вот я вам прочитаю. Это заключение экспертизы. Вообще не полагается вам такие вещи читать, но что поделаешь. Слушайте. «Проникающее ранение...» Тут дальше термины, а вот: «Удар нанесен предположительно предметом прямоугольной формы, в полости раны обнаружены осколки малахита, размером до пяти миллиметров, а также малахитовая крошка». Вы, Анжелика Андреевна, уверены, что та подставка была из малахита? Может, камень под малахит покрашен?

— Был настоящий малахит... — У нее едва ворочался язык. — Боже мой... Так этой подставкой...

— Вот получается, что этой. И она, сами понимаете, не выдержала удара, раскололась. Не очень-то это прочный камень. И чтобы пробить череп, надо ударить с огромной силой. — Выслушав ее потрясенное молчание, он сунул бумагу в папку и заметил: — Вот странная вещь получается, Анжелика Андреевна. Если этот убийца шел к вам с заранее обдуманным намерением убить Игоря Ивановича, что ж он воспользовался такой ненадежной вещью, как подставка под часы? Да еще из малахита. Почему не прихватил с собой чего-нибудь посолидней? Может, все-таки не собирался сперва убивать вашего мужа, как думаете? Может, все получилось случайно?

— Не знаю...

— Вот и я не знаю. И откуда он вообще знал, что подставка не привинчена? Может, бывал у вас в доме, и эти часы тоже видел, и про подставку знал, а?

Она не сводила с него ошалелых глаз.

— А вы, Анжелика Андреевна, утверждаете, что никто у вас в гостях не бывал.

— Совсем никто, нельзя сказать... — неуверенно ответила она. — Бывал его брат Саша с женой, но редко. И мы у них бывали.

Скрывать визиты брата она не могла — это было бы неестественно. Они с Сашей заранее договорились, что она будет о нем рассказывать следователю, и как можно проще и охотнее.

— Брат, значит, с женой. А вы говорите — никого. А какие отношения были у вашего мужа с родственниками?

— Нормальные.

— Все у вас «нормальное». — Он закурил третью вонючую сигарету. — Не ссорились братья? Может, материальные вопросы решали? Делили что-то?

— Нет, им нечего было делить. Все давно поделено. Игорь когда-то купил квартиру, чтобы туда переехали мать и брат. Мать у них потом умерла, теперь Саша живет в той квартире с женой. А кроме квартиры, что же делить?

— Это хорошо, когда нечего делить. — Следователь задумался. — Ладно, с братом мы поговорим. Давно он женат, кстати?

— Давно, уже несколько лет.

— Значит, недавно, — поправил ее следователь. — Да, Анжелика Андреевна! У меня к вам вопрос. Где вы были в ночь, когда произошло убийство?

«Вот оно! — стукнуло у нее сердце. — Теперь держись!» Но ответила четко, она давно отрепетировала все возможные вопросы и ответы:

— Я была в казино «Александр Блок».

Последовало недолгое молчание, он заинтересованно разглядывал девушку в бриллиантах, с опухшими глазами, которая, оказывается, прожигала жизнь в казино, когда убивали ее мужа. Подобная деталь не могла улучшить образ Анжелики, но она к этому и не стремилась. Ей было все равно, как она выглядит в его глазах, главное — иметь безупречное алиби.

— Часто в казино бываете?

— Последнее время — да, — ответила она так же ясно и прямо.

— А откуда взялось такое развлечение?

— Как-то само собой. Мне было скучновато. Я же не работала, не училась. А домашнее хозяйство от этого не страдало.

— Не страдало? И что же, все время выигрывали?

— Я играла по маленькой, никогда много не выигрывала и не проигрывала. Больше любила смотреть, как играют другие.

— А муж с вами никогда не ездил?

— Нет.

— А как же вас одну пускал?

— Да просто пускал. Он же знал, где я бываю. И потом, там бывал и его брат.

Этот факт она тоже скрывать не собиралась. Когда будут опрашивать завсегдатаев казино, кто-то обязательно вспомнит Сашу и степень их родства. Те же Лиза, Ксения и Армен.

— И что — его брат вас опекал?

— Да меня не надо было опекать, — улыбнулась она. — Я же не маленькая.

— А в тот вечер, в последний, муж вас не просил остаться дома, не ездить?

— Нет. Все было совершенно обычно. Я приготовила ему ужин, дождалась его с работы. Он поел, я вымыла посуду. Сказала, что поеду туда. Он не возражал. Смотрел телевизор.

— Вы не поссорились в тот вечер?

— Нет... Почему мы должны ссориться?

— Странно, что он так терпимо относился к этой вашей привычке ездить по ночам в казино.

— Он мне доверял.

— И вы ему тоже?

— Да, конечно. Без доверия мы не смогли бы жить так долго.

— Когда вы уехали из дому?

— В девять вечера.

— Ровно в девять?

— Да, я специально поехала пораньше, чтобы прогуляться перед игрой. Я ведь весь день сидела дома.

— Так вы поехали не прямо в казино?

— Нет, я там была в одиннадцать.

— И до которого часа?

— До утра, часов до пяти. Потом мы поехали домой с одной моей подругой. Доехали до ее дома, там я отпустила машину и дальше добиралась на метро.

— Почему же не поехали на машине?

— У меня не хватило бы денег, — призналась Анжелика.

— Вы проигрались в ту ночь?

— Ну, вроде того...

— Сколько вы проиграли?

— Кажется, долларов пятьсот.

Сумма произвела на него впечатление и, видимо, начисто отбила всякие добрые чувства к Анжелике. После паузы он сказал:

— Кто может подтвердить ваше присутствие в казино, как там его?..

— «Александр Блок». Это на Краснопресненской набережной, ориентир — гостиница «Международная». Меня видели мои приятели. Могу вам дать имена и телефоны по крайней мере трех человек.

— С какого времени они вас там видели? — проворчал он.

— С одиннадцати, — четко ответила Анжелика.

— Так я не понял, где вы были до одиннадцати?

— Я гуляла. Это моя привычка. Я всегда выезжаю из дому пораньше, чтобы погулять часик-полтора по городу, — пояснила она.

На самом деле эта привычка родилась от желания поскорее избавиться от присутствия Игоря, уйти из мрачной притихшей квартиры, сбежать от возможных сцен и упреков. Она всегда выезжала из дому раньше, чем было необходимо. Игорь возвращался с работы около восьми. Она обычно уходила в девять, покормив его ужином и сказав несколько ничего не значащих фраз. Этого общения ей хватало по горло, лишнего часа наедине с ним перед игрой она не перенесла бы.

— Где вы гуляли?

— Мне трудно вспомнить... — пробормотала она. — По бульварам.

— Вас видел кто-нибудь? Может кто-то подтвердить, что вы там гуляли?

— Ой, не знаю... А зачем это?

— Зачем? — Он снова открыл папку, лениво порылся в ней, нащупал нужный листок и скучным голосом зачитал: — «Смерть наступила четвертого мая между девятью и десятью часами вечера». Это заключение судмедэкспертов. Мне бы все-таки хотелось знать, Анжелика Андреевна, что вы делали в это время. Ведь получается, что и в девять вечера, когда вы только собирались уйти из дому, он мог быть мертв. Ваших знакомых в казино мы, конечно, опросим, не переживайте. Но хорошо бы найти еще кого-то, кто бы видел вас раньше, с девяти до десяти.

— В девять он был жив! — высоким, звенящим голосом выкрикнула она.

Он ничего ей не возразил и закурил четвертую сигарету.

## Глава 5

Анжелика глубоко вдавила кнопку звонка, вслушалась в веселую механическую мелодию, покусывая губы от нетерпения. Потом позвонила еще раз, но это явно было лишним — через дверь послышались тяжелые шаги, в глазок кто-то посмотрел. Потом ей открыли.

— Извините, — слегка задыхаясь, сказала она. — Юру можно?

— Он в институте, — певуче ответила ей высокая полная дама в лиловом халате. У дамы было приятное, тщательно напудренное лицо, тоненько выщипанные брови, высокая прическа из угольно-черных волос и неодобрительный взгляд.

Анжелика нерешительно показала на свою дверь:

— Я ваша соседка...

— Я вижу, — спокойно ответила дама.

На этом разговор иссяк. Дама не выказала никакого любопытства, никакого сочувствия по поводу смерти Игоря — вообще ничего. Анжелика ожидала большего и попыталась еще раз:

— Я вообще-то по делу...

Дама подергала поясок своего халата и довольно нервно ответила:

— Не знаю, какое может быть к нам дело?

— Ну вы же слышали... — Анжелика дернула подбородком, показывая на свою дверь.

— Слышала. — Дама поторопилась с ответом, и это выдало ее.

Анжелика поняла — эта женщина вообще не желает с ней говорить, она, непонятно почему, испытывает к молодой соседке неприязнь, а может, что-то похуже... «Из-за того, что ее сыночек ко мне в гости ночью ходил? — пыталась понять Анжелика. — Но это глупо! Ему же тридцать лет, в конце концов, и мы ничего такого не делали...» Ей очень не хотелось говорить на лестнице, еще больше не хотелось доказывать, что она не совращала невинного Юру, — это было бы дико. Поэтому она собралась с духом и спросила:

— Извините, я только что от следователя... Вы, случайно, не видели, как я уходила из дому вечером четвертого мая?

— Как это?! — удивилась дама. — Почему я должна была видеть, как вы уходили? Вы что — сами не знаете, уходили или нет?

— Я-то знаю... — Она уже поняла, что дама ее не спасет. — Но следователю нужны свидетели... Вы наши соседи, я подумала...

— Я не видела вас, — отрезала дама. — Простите, я только после ванны, мне холодно так стоять.

«Наглое вранье. — Анжелика с ненавистью всматривалась в ее смуглое от тональной пудры лицо. — Волосы сухие, свежая косметика, и ничего ей не холодно». Отвернулась, отступила к своему порогу и услышала, как у нее за спиной хлопнула дверь.

Дома она первым делом бросилась к телефону. На этот раз сразу подошел Саша.

— Ну, чего тебе? — прошипел он. — Лена только что уснула!

— Какое мне дело до твоей Лены! — Она скрючилась в кресле с телефонной трубкой в руке, ее знобило, ноги снова подгибались. У следователя она держалась неплохо, но теперь наступила реакция — хотелось рыдать, бить по всему, что на глаза попадется, обвинять кого-то в своих бедах... Но кого? Анжелика почти плакала: — Ты мне нужен, срочно!

— Опять что-то нашла?

— Потеряла, дурак! — Тут она на самом деле разрыдалась, и это было так сладко, так необходимо ей в эту минуту, что она не стала слушать уговоров испуганного Саши, который просил объяснить, в чем дело. Она только и смогла что повторить: — Приезжай скорее... Ты мне нужен!

Он обещал подъехать в течение часа, и она еще долго плакала, сидя в кресле, упершись подбородком в поднятые колени, сцепив на них руки. Так горько и вместе с тем сладко ей не плакалось с детства. Все напряжение, вся долго угнетавшая ее ложь, вся растерянность — все уносилось горючими потоками слез. В конце концов лицо защипало от соли, глаза опухли, но на душе стало чуть светлее. «И это глупо... — сказала себе Анжелика, поднимаясь и идя в ванную. — Глупо, ведь все стало еще ужасней... Но не обвинят ведь меня! Алиби, Боже мой... У меня было хорошее алиби, этот недоносок все испортил!» Она знала, кого имеет в виду, — это был не Саша. Только сейчас до нее дошла вся опасность положения, в которое попала вся троица. «Конечно, нельзя ожидать, что убийца позаботится о нашем алиби... — Она плескала себе в лицо ледяной водой. — Все рухнуло, а я почему-то думала, что его убили, как планировали мы, — где-то после полуночи... Ах, на кой черт мне теперь три свидетеля, да еще тот мужик за столом в казино, с которым я пыталась познакомиться, чтобы иметь еще одного! Теперь мне нужен хотя бы один, хотя бы один свидетель, видевший, что я ушла из дому в девять! Что я действительно гуляла! Господи! Но его же нет!»

Саша явился, вник в обстановку с первых же ее слов и встревоженно спросил:

— А Юрка что?

— Что Юрка... — проворчала она. — Его мамаша меня не видела. А он в институте.

— Можно с ним поговорить. — Саша закурил, выпил минеральной воды. Разговор происходил на кухне. — Даже если он не видел тебя, то может сказать, что видел, да еще не в девять, а пораньше.

— Господи, да хотя бы ровно в девять! — вздохнула она. — Если он им соврет, кто-нибудь может его поймать на этом, тогда вообще я буду под большим подозрением.

— Да кто его поймает?

— Какая-нибудь бабка во дворе. Вдруг меня правда кто-то видел, когда я уходила?

— Что — бабки по часам засекали, когда ты вышла? — усмехнулся он. — Да и дворик у вас не то чтобы многолюдный.

— Скамеечек перед подъездами нет, это раз, и холодно еще бабкам гулять, — кивнула Анжелика. — Может, меня правда кто-то видел, но следователь сказал, что еще никого не опрашивали.

— Черт-те что, ведь свидетели все забудут! Обязаны были сразу опросить.

— Мало ли что они обязаны. Так ты поговоришь с Юрой? Он же твой старый друг... Мне нужен хоть кто-то...

— Да поговорю, не бойся... — Он задумался, переспросил: — Значит, говоришь, у него в ране была малахитовая крошка?

Анжелика кивнула, отошла к окну, стала смотреть во двор. На подсохшем асфальте девочка рисовала классики — розовыми и зелеными мелками. Рисовала она криво, неумело, но зато с огромным наслаждением. Девочка выпрямилась, оглядела свою работу, достала из кармана курточки биту, бросила ее в первый квадрат. Прыгнула, толкнула биту кроссовкой, бита вылетела из пределов квадрата и унеслась прямиком в лужу. Девочка сбегала за ней, достала, обтерла ладонью и повторила попытку. Вышло еще хуже — бита осталась на месте, а девочка упала на колено. Анжелика вскрикнула, словно расшиблась сама, Саша так и подскочил:

— Что?!

— Девчонка упала... — Она задернула штору, повернулась к нему с виноватой улыбкой: — Я тоже не умею в классики играть.

— Рехнулась?! — взбесился он. — Я с тобой о деле говорю, а ты пялишься в окно! Я спрашиваю: они уверены, что убил его кто-то знакомый?

— Нет... — удивилась она. — С чего ты взял? Я ничего такого не говорила...

— Ты сказала, что следователю показалась подозрительной подставка для часов. Действительно, если разобраться, откуда убийца мог знать, что подставка отдирается?

— Ах, ну случайно отодрал... — рассеянно ответила она.

— Проснись! Это же важно! Ты что, не поняла — следователь под тебя копает!

— Под меня?! — Сердце у нее так и ухнуло.

— Конечно! Алиби — это дело второе. А подставка подозрительна. Сама подумай — человек идет на дело, хочет убить. Он что же — рассчитывает найти подходящий тяжелый предмет в квартире жертвы?! Он возьмет с собой что-нибудь, приготовит заранее. Это же ясно! Значит, этот человек знал, что есть у Игоря в комнате такая подходящая штука — подставка, и знал, что ее от часов отделить — раз плюнуть.

Она неуверенно кивнула, соглашаясь, потом робко спросила:

— Да я тут при чем?

— Но ты про часы знала!

— А кто не знал?!

— Никто не знал, — убил ее Саша. — Я, например, понятия не имел, что она не привинчена. А ты с нее сто раз пыль стирала, кому знать, как не тебе. И вообще, что-то тут подозрительно. Зачем он его уложил подставкой? Нелепо как-то...

— Следователь сказал — может, все вышло случайно... — вставила она.

— Так и выглядит. Шел без обдуманного намерения убить, пришел, поссорились, случайно обнаружил, что подставка отделяется... Нет, черт, тут натяжка. Если бы он Игоря часами оглушил, было бы нормально — под руку попались. А тут он под часы залез и взял подставку...

— А может, сперва он за часы схватился, они у него в руке остались, — предположила она. — Увидел каменную подставку, бросил часы, ударил...

— Часы-то идут?

— Встали.

— Но они исправны?

Анжелике пришлось принести на кухню ненавистные часы и завести их для проверки. Часы оказались в порядке.

— Не похоже, что их швыряли... — делился своими соображениями Саша. — Стекло не поцарапано, и вообще все в идеальном виде.

— Ну так что? — томилась Анжелика. — Что ты думаешь об этом?

— Ничего хорошего. — Саша поставил часы на стол, прислушался к их громкому тиканью. — Получается, что этот тип явился сразу после твоего ухода из дому. Получается, что часы эти были ему знакомы. Еще вроде получается, что повздорили они с Игорем случайно. В общем, без алиби тебе хана.

— Но следователь сказал, что удар был нанесен с огромной силой! — воспротивилась она. — Смешно подозревать меня!

Она продемонстрировала ему свою отнюдь не мускулистую руку, но Саша отрезал:

— Был сообщник. Впустила его в квартиру, вместе уложили Игорька.

— Ты что несешь?!

— Я только предполагаю. Может, следователь тебе скажет еще что похуже. Да и баба в гневе тоже на многое способна — ты сама могла пробить ему череп этой каменюгой.

— Я тебя умоляю — будь серьезнее! — От возмущения у нее тряслись губы. — Конечно, тебе можно смеяться... У тебя не требуют алиби, которого нет...

— Еще потребуют.

— Ну и что? Его убили с девяти до десяти. Ты был с Ленкой.

— Я усвоил, когда его убили, но я был не с Ленкой. Или она была не со мной, это с какой стороны смотреть...

— Серьезно? — Анжелика закурила, не сводя с него глаз. — А где вы были?

— Ленка задержалась у себя в магазине, пришла только в одиннадцатом часу. Я уже начал нервничать — вдруг струсила? А сам дома сидел, смотрел телик, чтобы успокоиться.

Анжелика отмахнулась:

— Тебе все равно легче. А Ленка вообще ни при чем. Он мой муж, пойми ты, и они, наверное, думают, что мне выгодна его смерть!

— А что, разве не так?

— Да им-то откуда знать? Внешне все нормально, у нас даже счет был общий... Ну, сняла я с него недавно крупную сумму, и что? Хорошо, что не все сняла, вот это было бы подозрительно...

— Ты им про счет сказала?

— С какой стати?

— Верно, молодец. Если бы сама вылезла с этим счетом, было бы подозрительно — чего это ты вдруг оправдываешься? Я думаю, когда они до счета докопаются, поймут, что его смерть тебе невыгодна, что деньги у тебя и так были. И отвяжутся.

— А если нет?

— Найдем свидетеля, — легко отозвался он. — И вообще — переживай меньше. Иначе раньше времени выдохнешься. А тебе нужно продержаться. Это не долго, вот увидишь.

— Сам только что переживал!

— Ты меня беспокоишь, вот и переживал. Как ты выглядишь?

— Ужасно, ну и что?

Но Саша не сводил с ее лица пристального взгляда, и Анжелика вдруг почувствовала неловкость. Она давно перестала воспринимать себя как женщину в его присутствии. Она была сперва родственницей, потом товарищем по игре, потом сообщницей. И все это ее устраивало. Не устраивал ее вот такой взгляд: он не обещал ничего приятного, он был непонятен. Она с вызовом спросила:

— Любуешься? Знаешь, мне наплевать, как я выгляжу. Во всяком случае, когда дело касается тебя.

— Вот спасибо... — рассмеялся он. — Ты чего злишься? Мне тоже наплевать, как ты выглядишь, причем в любом обществе, не только в моем. Но я желаю, чтобы ты не создавала проблем на пустом месте. И главное — выдержала всякие подвохи, которые будет тебе подсовывать следователь.

— Я выдержу.

— А я вот не уверен в тебе. Опять не спала?

— Почти нет. Но это не важно, я себя нормально чувствую.

— Я бы на твоем месте лег сейчас спать, — неожиданно мягко предложил он. — А я побуду здесь, не хочется ехать домой.

— Да ты что? — удивилась она. — Поссорились?

— Нет, Лена просто совсем сдала. Нервы. Вся издергалась, плачет, напилась димедролу, чтобы уснуть, а ее не прошибло, стало еще хуже. Короче, я замучился. Еще вот ты.

Анжелика снова отдернула штору, посмотрела во двор. Девочка стояла, нахохлившись, сунув руки в карманы, трогала биту носком кроссовки, но больше не пыталась прыгать. С пятого этажа трудно было разглядеть ее коленки, но Анжелика поняла — они содраны до крови.

— Не беспокойся, — сказала она не оборачиваясь. — Я выдержу. Я выдержала с ним семь лет, теперь выдержу еще пару месяцев.

— Лика. — Он сказал это как-то странно, неуверенно. Она обернулась. — А если честно, вы ведь паршиво жили, да?

Анжелика пожала плечами:

— Да какая теперь разница. Я не из-за этого согласилась... его убить.

— Но если все было хорошо, ты бы не согласилась, верно?

— Пожалуй, верно. Да я не думала никогда, хорошо мы живем или плохо. Просто жила.

— А не слишком ли долго ты не думала? Семь лет — хороший срок.

— Хватит. — Она опять отвернулась. — Хороший срок или плохой, но он кончился. А моя девочка ушла.

— Какая еще девочка?

— Та, которая упала.

— Иди-ка ты спать, — сказал он после короткой паузы. — Тебе же легче будет, если я останусь?

Она не ответила, задернула штору и ушла к себе в комнату.

...Глаза она открыла уже в полной темноте. Подтянула одеяло к подбородку, скрючилась в любимой позе, блаженно опустила тяжелые ресницы... Но дрема не возвращалась. Под прикрытой дверью виднелась полоска света. На кухне слышался Сашин голос. «Говорит по телефону... — сонно подумала она. — Который может быть час?» И вдруг она резко подняла голову с подушки, прислушалась. Она не ошиблась — Саше кто-то отвечал. Мужчина.

Анжелика выбралась из постели, запахнулась в халат, сунула ноги в тапочки и вышла. На кухне она увидела умилительную картинку — два школьных друга вспоминают былое за рюмкой муската. Юра, заметив хозяйку, нерешительно привстал.

— Сиди, — кивнула она ему. — Который час? — Это уже относилось к Саше.

— Да спала бы еще. — Он глянул на часы, которые все еще стояли на столе. — Полвторого.

— В смысле ночи?

— Сама не видишь?

Анжелика сонно и ласково улыбнулась, присела за стол, поморщилась, глядя на мускат:

— Допивайте скорее эту гадость! Как она в дом попала, не понимаю.

— Вообще дамский напиток, — заметил Саша. — Я думал — твою заначку нашли.

— Это все равно что варенье пить. Я люблю сухие вина.

— А Игорь?

— Коньяк, не знаешь, что твой брат любил? — спросила она и поймала себя на мысли: надо быть осторожней при Юре. Может выдать небрежное слово, неодобрительное высказывание о покойнике, случайная деталь. Чтобы свернуть с опасной колеи, она обратилась к гостю: — А как ты сюда забрел? Есть новости? Еще что-то вспомнил?

— Мне мать сказала, что ты была.

— А... Почему она меня так ненавидит, кстати? — Она налила воды в чашку, кинула туда растворимого кофе. Горькая холодная бурда помогла ей открыть глаза пошире. — Я просто-напросто спросила, дома ты или нет, еще кое-что, а она меня едва не сожрала.

— Ты не преувеличиваешь? Мать никому не грубит...

— Она и мне не грубила, но моих слабых мозгов хватило, чтобы понять — она меня не выносит. В чем дело, интересно?

— Я не знаю... — Юра передернул плечами. — Слушай, Саша мне объяснил, в какое ты попала положение с этим алиби. Я ничего сделать не могу.

Она бросила взгляд на Сашу, тот довольно равнодушно пожал плечами.

— Юр, а почему? — спросила она почти заискивающе. — Надо всего-навсего сказать им правду, когда я ушла... Я же ушла точно в девять. Кто угодно подтвердит...

— Оставь его в покое, — вмешался Саша. — Он в это время был в другом месте. Его там видели. Дикая история...

— Да уж... — поникла Анжелика, но Саша цинично пояснил:

— Да не с твоим алиби дикая история, а с его дипломом. Представь, он в тот вечер сидел в общаге в гостях и диплом был при нем...

— Двадцать пять акварелей... — вставил Юра.

— А потом он поехал домой, но приехал уже поздно — где-то в пол-одиннадцатого, и его мать, к сожалению, может это подтвердить... Так что с алиби он тебе не поможет.

— Ничего дикого не вижу. — Она закурила, подняв глаза к потолку, разом потеряв интерес к обоим гостям.

— Понимаешь, — нервно вмешался Юра, — я тогда оставил там папку с рисунками. Хватился только сегодня, поехал туда. А папка пропала! Искал, спрашивал, бесполезно... А потом мне сказали: так, мол, и так, прости, но мы твой диплом пропили. Как пропили?! Оказалось, деньги у них кончились, надо было добавить, взять негде. Кто-то в папку заглянул, а там рисунки, правда, были очень красивые, я постарался... Они сбегали с папкой к киоскам, там какой-то продавщице понравились рисунки, она забрала все двадцать пять и дала им взамен бутылку водки. А я в жопе!

Она улыбнулась уголком рта, из вежливости. Саша заметил:

— Ты вообще должен гордиться. Модильяни тоже продавал свои рисунки за стакан вина. Обидно только, что водку выпили другие.

— Модильяни не надо было сдавать диплом! — Юра сильно нервничал, когда прикуривал сигарету, рука у него дрожала. — Я просто в нокауте...

— Послушай, — вздохнула Анжелика. — Я понимаю, тебе при таком раскладе некогда заниматься моим спасением... Но если бы ты хоть рассказал в милиции, что видел ту блондинку, ты бы мне помог... А то получается, что я одна под подозрением.

Юра жадно затягивался сигаретой, прикрыв покрасневшие веки. Выслушав ее просьбу, равнодушно пожал плечами:

— Да расскажу. Если спросят.

— А вдруг тебя дома не будет? — испугалась она. — Нет, ты сам туда сходи.

— Да расскажет он. — Саша разлил остатки муската в две рюмки, кивнул приятелю: — Давай прикончим бутылку, и баиньки.

Мужчины выпили тягучий сладкий напиток, Юра докурил сигарету и встал:

— Ладно, я пошел работать. Ты извини, но ничего не получится с алиби... — Это относилось к Анжелике. Сашу он поманил за собой в коридор. Анжелика услышала, как через минуту на площадке захлопнулась дверь.

— Не волнуйся. — Саша заглянул к ней. — Не он, так другой подтвердит, что ты ушла в девять. Главное, что ты на самом деле этого не делала.

— А спасут меня эти девять часов? — уныло спросила она. — Время его смерти — с девяти до десяти... Я могла убить и уйти...

— Чепуха. Никто всерьез в это не верит. А следователь копает под тебя потому, что ему пока не под кого копать. Погоди, найдут зацепку и оставят тебя в покое.

— Пока дождусь, поседею... — Анжелика сгорбилась и зажала руки между коленей. — Не понимаю. Ничего не понимаю. Кому он мешал, кроме меня? Кто это сделал?

— А может, ты?

Она с ненавистью взглянула в его смеющиеся темные глаза и не сочла нужным ответить. Он посерьезнел, притронулся к ее плечу:

— Ладно, это глупо. Скажи лучше, как будет с похоронами?

— А что?

— Когда его выдадут, не узнала?

— Как-то забыла... — Она и в самом деле не думала, что ей придется хоронить мужа. Когда Саша разворачивал перед ней план его «ликвидации», ей почему-то казалось, что Игорь исчезнет в каком-то безвоздушном пространстве, растворится, просто перестанет существовать. Первое потрясение она пережила, увидев труп Игоря. Этот труп был слишком похож на живого Игоря, чтобы его забыть. Он был реален. Она даже притронулась к нему. Второе потрясение она пережила теперь. Когда тело Игоря увезли, ей казалось, что оно уже никогда не вернется.

— Зачем им его держать? — развивал свою мысль Саша. — Вскрытие давно сделали, все выяснили. Может, отдадут завтра-послезавтра?

— Но я понятия не имею, как это все устроить... — беспомощно отозвалась она.

— Я имею. Маму ведь я хоронил.

При этих словах Анжелика вспомнила о своей матери. Позвонить ей? Сообщить, что случилось? Нет, только не это! Начнутся стоны, крики, слезы — вполне искренние, потом она станет всем советовать и лезть под руку, все захочет сделать по-своему и в тысячный раз назовет дочь дурой... «Нет, она узнает все потом, — решила Анжелика. — Потом».

— Займешься? — спросила она Сашу.

— Конечно. Деньги теперь есть. — Он сказал это с таким видом, словно деньги достались ему тяжким трудом, а вот теперь ему не жалко отдать часть на похороны брата.

Анжелика поймала его взгляд и заметила:

— Знал бы Игорь, зачем он копил деньги... И уж никак он не предполагал, что ты будешь его хоронить!

— Да и я всю жизнь думал, что он меня угробит, как маму, — хмуро бросил тот. — Он был поганый человек, Лика, можешь мне поверить.

Она только плечами передернула.

А Саша продолжил:

— Я не затем это сказал, чтобы оправдаться. Мне оправдываться не в чем.

— Н-да?

— Н-нет! — передразнил он. — Если бы ты его знала лучше! Маму он угробил, клянусь тебе. Если бы не он, она бы и сейчас была жива.

— Она же от рака умерла?!

— Да, но пока мы не переехали, была здорова!

— Что ты болтаешь?

— Он выжил нас с мамой отсюда, чтобы устроиться посвободней! — У Саши тряслись губы, таким злобным она его еще не видела. — Сперва ушел отец, потом он решил, что должны уйти и мы!

— Но ваш отец ушел из-за пьянства, — робко возразила она. — Так мне Игорь рассказывал. Что — неужели вранье?

— Да не в этом дело!

— А в чем?

— Да, он пил, но... — Саша помотал головой, ища слова, но сам себя оборвал: — Да что теперь. Ушел и ушел. Его дело. Но ты хоть знаешь, как он нас с мамой отсюда вытравил? Как тараканов! Жизни не давал! Пока мы жили вчетвером, у нас с ним была одна комната на двоих, маленькая.

— Моя?

— Теперь твоя, да. Я в армии был, когда все это началось... Отец ушел, и знаешь, что он сделал? Поставил маме ультиматум: раз он теперь ее кормит, так пусть она сидит в маленькой комнате, а он перейдет в большую. И запретил ей к нему входить. Знаешь, я вернулся через два года, и мне пришлось жить с мамой в той комнатушке... Представляешь? Двадцать лет мне было, а я с мамой... А он там — один! Ну невыносимо же так жить... Я на работу пошел, правда, вылетел скоро... Учиться не мог — деньги были нужны. Мама сама на себя за эти два года стала не похожа. Все молчит и молчит. С ним вообще не разговаривала. Я ничего заработать не мог. Ругались с ним каждый день. Но в общем-то мы правда на его деньги жили... Вспоминать не хочу...

Анжелика молча слушала, только следила за его лицом. Лицо у Саши стало совсем мальчишеским, обиженным и злым. Саша рассказывал горячо, взахлеб, без рисовки и цинизма.

— Короче, когда он нам купил ту жалкую халупку, мы с радостью ушли. Все равно нам вдвоем было лучше! И тут обнаружилось — мама больна. Причем давно, она скрывала. Я с ума чуть не сошел. Ну, он опять денег давал, на маму, а у меня что-то сплошь неудачи. Знаешь, он деньги давал, чтобы его посторонние не осуждали. Если бы не боялся, что про него нехорошо скажут, ни черта бы не давал. Ну, все понятно, словом...

— Да. — Она осторожно кивнула. — А разве рак можно заработать от нервов?

— Вполне, — отрезал он. — Знаешь, я удивлялся, как ты с ним живешь?! Оказывается, нормально жили, он тебя не трогал, даже баловал... Ну, ты красивая, молодая, он тебя сам выбрал. Это не наша мама, конечно...

— Ты так говоришь, будто он меня купил... — обиделась она.

— А что — нет?

— Нет! — Она помахала перед его лицом руками, демонстрируя кольца, — забыла их снять, когда легла спать. — Ради этого, думаешь? Это для меня стекляшки! Или ради тряпок, что ли?

— Откуда я знаю, ради чего?

— Твоя Лена ради чего за тебя пошла?

— Лена? — Он вдруг испуганно хлопнул своими короткими ресницами, вышло по-детски — почти смешно. — Я про нее, кстати, забыл, она ведь уже проснулась... — Саша вскочил, засобирался уходить.

— Да ты позвони сперва, — подсказала Анжелика.

Саша вернулся в комнату невеселый, сказал, что Лена в депрессии, мол, ей все равно, где он, она не ела и спала мало. И снова засобирался. Анжелика осталась сидеть за столом, глядя в одну точку и крутя на пальцах бриллиантовые кольца.

* * *

Она, конечно, обольщалась, думая, что удастся все сохранить в тайне от мамы. Мама объявилась сама — позвонила по традиции в конце недели, чтобы узнать, как идут дела у дочки и зятя, и пришлось все ей рассказать. С выдачей тела Игоря тоже почему-то затянулось — этим занимался Саша; Анжелика бездействовала, опустила руки, и только названивала ему с просьбами поскорее закончить с этим делом. В результате утро похорон она встретила зареванная, усталая, измученная нравоучениями и расспросами матери.

— Черный платочек нужен... — Мать рылась в шкафу.

Анжелика безучастно курила у окна, время от времени поглядывая вниз — нет ли девочки, играющей в классики? Но девочки не было, зато у подъезда роились бабки — прознали про похороны, и, наверное, с удовольствием зашли бы, но их никто не звал.

— Где черный платок? — почти рыдала мать, переворачивая содержимое всех полок.

— А разве он был? — отозвалась Анжелика.

— Заранее надо было позаботиться. — Мать вытащила из шкафа какой-то серебристый легкий свитерок, посмотрела на него и вдруг завыла: — Игоречек, что же это, как он о тебе заботился...

— Да хватит! — сорвалась Анжелика. — Никому твои рыдания не нужны! Помолчи в конце концов!

Мать остолбенела со свитерком в руках, а дочь хлопнула дверью. В большой комнате стоял гроб с телом Игоря, туда она даже не заглянула. Прошла на кухню, там шептались Саша с Леной. Лена за эти дни постарела лет на пять — похудела, отчего резко обозначились морщинки у глаз и возле губ, была плохо причесана, совсем не накрашена, черный костюм сидел на ней скверно. Саша вырядился в черную водолазку и брюки, держался спокойно и уверенно.

— Все, не могу! — Анжелика рухнула на стул, схватила себя за волосы, слегка подергала их на висках. — Она меня доводит второй день! И еще хочет остаться тут жить после похорон!

— Спокойнее, — посоветовал Саша. — Она все же твоя мать.

— Ну и что?!

Лена молча курила, не вмешиваясь в разговор, словно подчеркивая свою непричастность к истеричному крику Анжелики и равнодушию своего мужа. Из всех троих она выглядела наиболее пристойно — скорбная, сдержанная, молчаливая. На кухню бочком протиснулась мать, прошептала:

— Я там тряпочку нашла, из нее можно платочек выкроить...

— Ну и выкрои! — рявкнула дочь, отворачиваясь и хватая сигареты. — С ума сойти, кому нужен платочек?! Соседкам, что ли?!

— Ну успокойся... — У матери дрожали губы, она совсем растерялась. — Все у тебя как-то не по-людски... Все я одна должна делать...

— Ничего ты не должна!

— Зинаида Сергеевна, вы на нее не обращайте внимания. — Саша примиряюще улыбнулся. — Она очень переживает. Давайте лучше сообразим, где еще стол для поминок взять. Этот в комнату притащим, раз, в комнате еще есть, два, у Юры возьму, три... На двадцать человек хватит?

— За глаза... — успокоила та. — Это сослуживцы Игоря придут?

— Ну да, рассчитываем человек на десять, да мы еще, и на всякий случай несколько лишних приборов поставим, мало ли что...

— А папа ваш будет? — спросила она.

Анжелика с удивлением поняла, что даже не поинтересовалась, дошла ли до отца весть о смерти старшего сына. Отец Игоря и Саши был существом таким же почти абстрактным, как и ее собственный родитель. О нем почти не говорили, его никогда не видели, его как будто вообще не было. И все же он где-то обитал. Саша ответил сдержанно:

— Вряд ли.

— А почему? — не отставала мать.

— Сообщил я ему, но он работает.

— Но ведь сын умер!

— Ну, не знаю... Посуды у нас хватит? Лика! К тебе обращаюсь! — дернул ее Саша.

— Хватит, — равнодушно ответила она. — Слушай, а как ваш отец отнесся к...

— Удивился, — ответил Саша почти с издевкой, благо Зинаида Сергеевна уже исчезла. — А может, и обрадовался, откуда мне знать.

— Ты что несешь? — Лена наконец открыла рот. — Идиот!

— Немая заговорила! — Саша скорчил рожу. — Хватит разводить вселенскую скорбь! Я устал от тебя, поняла — устал! Все эти дни ты меня достаешь своими истериками!

— Идиот, — повторила она. — И хам к тому же.

— Дура набитая!

Анжелика испуганно схватила его за рукав:

— Тише! Оба вы с ума сошли! Нельзя другого места найти?! Все слышно!

— Если я переживу этот день, — тихо сказала Лена, поднимаясь со стула и застегивая пиджак, — лягу в психушку подлечиться. Вы оба сумасшедшие.

— Ни хрена себе логика! — фыркнул Саша.

— Да, вы сумасшедшие! — упрямо повторила она. — Ты в особенности. Сумасшедшие или звери!

— Следи за словами! Ты забываешь, что ни я, ни ты, ни она тут ни при чем!

— Но вы радуетесь, верно?

— О, безумно радуемся! Особенно вот Лика. — Он показал на нее. — Опросили весь дом, и никто не подтвердил ее алиби. Все ослепли в тот вечер! Мы просто безумно рады!

— И ты ведь тоже пошла на это, когда мы тебе предложили... — возмущенно вмешалась Анжелика. — Сразу согласилась!

— Я не понимала, на что шла. — Лена держалась за спинку стула, будто боялась упасть. — А теперь в доме пахнет трупом.

— Ничем не пахнет, он лежал в морозилке, — отрезал Саша и вдруг бросился поддерживать жену, у которой подкосились колени: — Ленка! Ленка! О, чтоб тебя... Опять истерика...

— «Переживают, что съели Кука...» — процитировала Анжелика и вышла.

Вскоре дом наполнился людьми. Сослуживцы Игоря явились дисциплинированно — точно в срок, с дорогим венком и с предложениями помочь. Соседки терлись у подъезда в угрожающем количестве. Матери Юры среди них не было, как отметила Анжелика. Сам Юра также не присутствовал, хотя и был дома, — он спешно воспроизводил утраченный диплом.

Анжелика шла за гробом через весь двор, под локоть ее поддерживал незнакомый мужчина — один из приглашенных, но в поддержке она не нуждалась. Ей стало куда легче, когда гроб вынесли из квартиры. Теперь она была уверена: Игорь не вернется. Теперь он исчезнет окончательно. Гроб погрузили в микроавтобус, приглашенные расселись по машинам, мать Анжелики картинно рыдала, словно по родному сыну, но на кладбище не поехала — надо было накрывать на стол. Какие-то старухи предложили ей свою помощь, явно не бескорыстно, и она колебалась — отказаться или нет? В конце концов сослуживицы Игоря — женщин приехало всего три — тоже не поехали на кладбище, остались с ней. Разочарованные старухи расходились к своим подъездам. Анжелика комкала в руках сухой носовой платок. На переднем сиденье, обморочно-бледная, окаменела Лена. Машины тронулись в путь.

За стол уселись уже вечером. Ожидание в церкви, неразбериха на кладбище, на обратном пути у кого-то лопнула камера... Добрались домой голодные, усталые, Анжелика клевала носом. Но при виде стола все оживились. Пока они ездили, женщины основательно проветрили квартиру, опрыскали большую комнату дезодорантом, уничтожая даже призрачный запах покойника. Сквозь сладкую муть дезодоранта пробивались умопомрачительные запахи — куриный суп с лапшой, баранье жаркое... Анжелика припудрилась в ванной и уселась за стол на вдовье место. Повисла фальшивая скорбная тишина, всем хотелось выпить и закусить, но начинать было как-то совестно.

— Что ж, помянем, — сказал наконец Саша, берясь за свою рюмку. — У всех налито?

— Помянем в первый раз... — пролепетала мать Анжелики, рюмка у нее в руке дрожала.

Выпили, жадно принялись хлебать суп. Сразу стало полегче, понемногу возник разговор. Говорили, конечно, об Игоре, о его достоинствах, вспоминали истории, которые никому были не важны, но особо покойника никто не превозносил — это Анжелика отметила. Она сидела между Сашей и каким-то сослуживцем Игоря. Тот, слава Богу, молчал. Покончили с супом, внесли жаркое. Саша снова возгласил:

— Помянем во второй раз!

— Я водку больше не буду. — Анжелика отодвинула свою рюмку, но поднялся шум: «Надо, надо».

Мать обеспокоенно возражала:

— Она плохо переносит, не стоит водку-то...

Анжелика злобно подняла рюмку и, когда стали пить, тоже проглотила свою порцию. Уже от первой рюмки ее слегка развезло, суп в качестве закуски никуда не годился. После второй рюмки она поняла, что вдребезги пьяна. Ее недуг — плохая координация — давал о себе знать: Анжелику слегка покачивало на стуле, все плыло перед глазами, она облокотилась на стол и стала ковырять вилкой в жарком. При виде баранины она почему-то вспомнила, как обмывали Игоря, вспомнила его плотное желтое тело, угрюмое невыразительное лицо... Анжелика с шумом отодвинула тарелку.

— Может, салата? — предложил ей сосед справа. И, не дожидаясь ответа, положил ей на тарелку горку «оливье». — Да вы ешьте, ешьте... — Он жадно поглядывал на водку, две рюмки, видимо, ничуть его не удовлетворили. — Я когда бабку хоронил, тоже мясо есть не мог, тошнило.

— Я не потому, что тошнит, — пьяно улыбнулась она. Черный платочек (из чего только мать его выкроила?) сполз с ее плеч и упал на пол. Сосед его поднял, протянул ей, но она отмахнулась: — Возьмите себе!

— Что? — удивился он и повесил платок на спинку ее стула.

Анжелика, уже слабо владея собой, смахнула платок на пол. Слава Богу, никто на это внимания не обратил. Но соседа такое поведение молодой вдовы смутило. Он осторожно спросил:

— Вам нехорошо?

— Паршиво, — кивнула она. — Ну и что? Все паршиво. Хорошо, что все кончилось.

«Заткнись, дура! — сказала трезвая Анжелика Анжелике пьяной. — Чего болтаешь!» Но пьяная Анжелика не послушалась, ей сейчас было море по колено. Она развязно спросила:

— Вы Игоря как, хорошо знали?

— Пять лет.

— Я вас не спрашиваю — сколько, я спрашиваю — хорошо? — Ее пошатнуло, собеседник тревожно заглянул ей в глаза:

— Может, вам прилечь?

— Мне? — Она захихикала и поймала вилкой ломтик помидора. — Не хочу. Я давно уже не сплю. Как его убили, так и не сплю.

— Ужасно... — пробормотал он. — Мы все были потрясены.

— А что, вы его так любили? — То ли закуска подействовала, то ли хмель понемногу выветривался, но ей вдруг полегчало, она села ровнее, скоординировала зрение и слух.

— Он был очень четким человеком.

— Каким?

— Четким. Я плохо выразился, наверное... В общем, на него можно было положиться.

— Это я и так знаю. Как вас зовут?

— Михаил.

— Миша, — прошептала она ему в лицо. — Не обращайте на меня внимания. Я пьяная бываю очень плохая.

— Господи, кто же вас обвиняет...

— И не изображайте сочувствия, — посоветовала она.— Или вы правда сочувствуете мне?

— Странно вы как-то говорите, — удивился Михаил.

— Ничего странного. Похороны — это ужасно.

Он кивнул.

— Нет, вы не поняли! — возразила она. — Ужасно то, что всем в общем-то по фигу, что он умер, но делают такие скорбные лица...

— Вы зря так говорите, нам не все равно.

— У вас доброе лицо! — оборвала его Анжелика.

Лицо у Михаила было самое обыкновенное — широкое, щекастое, очень русское. Глаза — непонимающие, немного испуганные. Комплимент его смутил, он повертел в пальцах пустую рюмку и вздохнул:

— Нет, жаль его, жаль действительно...

— Помянем в третий раз, — возгласил Саша.

— Ну, я уже не пью! — воскликнула Анжелика, и ей больше не наливали.

Выпили, разговор стал оживленным, на нее уже никто не обращал внимания. Ее мать теперь не плакала, сидела раскрасневшись, шепталась с соседкой по застолью. Лена выпила третью рюмку с трудом, но внешне ничуть не изменилась. Саша молча поглощал жаркое.

— Знаете, — обратился к вдове Михаил, основательно закусив и раскрасневшись. — Нас ведь тоже всех допрашивали. Приезжали на работу.

— Да? И что?

— Ничего. Спрашивали, не было ли чего странного, каких-нибудь жалоб с его стороны, намеков, вообще чего-то из ряда вон.

— Ну и не было, конечно?

— Почему — конечно?

— Потому что никто ничего странного не видел, — пояснила она. — Даже удивительно. Жил, жил, и вдруг умер.

— Знаете, а ведь кое-что было, — тихо сказал Михаил. — Только вот не знаю — это имеет отношение к делу или нет?

— А что такое?

— Да вот. — Он оглянулся, не курит ли кто, вытащил сигареты. — Не хотите на балкон, покурить?

Она согласилась, он помог ей подняться, и они вышли. На воздухе хмель у нее совсем прошел. Небо было зеленовато-синим, прозрачным, на западе уже горела яркая печальная звезда, фабричная труба на фоне заката испускала из себя тяжелый черный дым. Анжелика поежилась, взяла у него сигарету:

— Холодно. Так что у вас там было?

— Не так давно, — припоминал он, — мы решили устроить пикничок на даче у одного из наших. Был повод, по работе, он хотел нас угостить. Жен не приглашали, так что собрались только свои. А Игорь опоздал. Приехал, когда мы все уже выпили, и не один, с дамой. Вам неприятно, да?

Анжелика впилась в него округлившимися глазами, потом медленно затянулась сигаретой, спросила:

— А что за дама?

— Вы уж простите...

— Да что там, я не ревнива, тем более сейчас... — отмахнулась она.

— Да все равно неприятно... Но что делать, так ведь было. Женщину мы раньше никогда не видели. Он вроде бы за ней совсем не ухаживал, понимаете, вел себя так, будто она ему навязалась. Никому не представил, за стол не посадил. Вышел из машины, сел к нам, а она уж сама подошла. Ну, мы ее усадили, куда деваться, но она ничего не пила, не ела, только все рассматривала.

— Да какая она из себя? — Анжелику трясло, то ли от вечернего холодка, то ли от возбуждения. — Внешность можете описать?

— Блондинка, высокая, лет за тридцать. Красивая, честно говоря.

Анжелика отвернулась и выбросила сигарету за перила балкона. Теперь ее трясло всерьез. А Михаил продолжал:

— Игорь нас всех удивил. Он обычно такой сдержанный, вежливый. А тут, понимаете, вдруг стал поносить ее последними словами. Мы все ошалели.

— А что он ей говорил?

— Я вообще повторять не хочу. «Блядь, шлюха, что тебе здесь надо» и всякое такое. Все просто дар речи потеряли. Главное, мы ее не знаем, не можем ему сказать: «Прекрати!» Может, она и впрямь какая-нибудь дрянь, чего ее защищать. Но все равно неудобно. И женщины наши с нами были, сотрудницы.

— А чем кончилось?

— Я Игорю сказал: «Слушай, у нас тут праздник вообще-то». Он замолчал. А она встала и ушла. Никто даже ее голоса не слышал. Вот и все. — Михаил прикурил вторую сигарету и искоса глянул на Анжелику: — Диковато все, да?

— Еще бы! — Она обняла себя за локти, чтобы как-то сдержать нервную дрожь. — А куда она делась, эта женщина?

— Уехала в город, наверное. Дошла, думаю, до шоссе, там поймала машину...

— И Игорь ничего вам о ней не сказал больше?

— Ничего. А мы не стали спрашивать. Делали вид, что забыли, хотя, конечно, такое не забудешь. Мы от него не ожидали. Праздник был испорчен.

— У меня такое чувство, что вы не о нем рассказываете. Он в жизни не ругался.

— Вот именно! — горячо подтвердил Михаил. — Мы поэтому и решили, что баба эта была редкостная дрянь. Ну а что у них там вышло — кто знает. Больше мы ее не видели и ничего о ней не слыхали.

— Когда это было?

— В конце апреля.

— Недавно... — Анжелика задумалась. — А следователю вы об этом случае рассказывали?

— Все, как один. Но, кажется, на него это впечатления не произвело. Он вообще невнимательно отнесся к нашим показаниям. Спрашивается, зачем надо было от работы отрывать?

— Я чувствую, что еще натерплюсь из-за этого следователя... — поморщилась она. — Хорошо, хоть вы рассказали о ней. А то просто заговор молчания вокруг Игоря.

— Ну что вы...

— Нет, нет, вы не представляете, насколько людям неохота связываться с убийством! — возразила она. И вспомнила о Юре. Он, подлец, отговаривался дипломом и все не спешил зайти в милицию и рассказать о вечерней визитерше. Анжелика была уверена: это была та самая блондинка с пикника. Для верности она поинтересовалась: — А как была одета та женщина?

— Белое пальто, синий свитер, брюки, — отчеканил Михаил. И пояснил: — Это не я запомнил, это наши женщины. Мы же потом обсуждали, о чем следователю рассказать.

«Тогда было белое пальто, а Юра видел белый плащ... — соображала Анжелика. — Видимо, эта блондинка предпочитает белую верхнюю одежду. Конечно, это та же самая!»

— А вообще, — Михаил повернулся к ней, — вы можете на нее даже посмотреть.

— Как это?!

— А я заснял камерой, — пояснил он.

— В смысле — сделали фотографии?

— Да нет, на видео снял. Я снимал праздник на память, у меня хобби такое. Тут как раз подъехал Игорь, я заснял и его, и ее — как он, а потом она за стол садились. А затем Игорь стал выдавать свой текст, а я забыл камеру выключить, снял все это безобразие до конца. Недавно прокрутил, удивился.

— Серьезно, у вас есть все это на пленке?! — изумилась Анжелика. — Вот бы увидеть!

— Какие проблемы? Хоть завтра. У вас же видак есть, я вам кассету привезу.

— А следователю вы об этом сказали?

Михаил покачал головой:

— Нет. И вообще, надо сказать, не хотелось с ним говорить. Все равно не слушает. — И швырнул окурок в сгущающуюся темноту. Огонек прочертил дугу, ударился об асфальт в том месте, где были нарисованы классики, и медленно погас.

## Глава 6

Мать, конечно, осталась на ночь, но все же к обеду следующего дня Анжелика от нее избавилась. К тому же той надо было на работу. Часа в три позвонил Михаил, она недоверчиво спросила:

— Неужели не забыли про кассету?

— Она со мной. Могу после работы завезти. — Сегодня у него был слегка неуверенный голос, он как будто сомневался, как с ней говорить.

«Уж не думает ли он, что кассета — повод к заигрыванию? — сообразила Анжелика. — Вот весело-то!» Она поблагодарила его и договорилась, что будет ждать после семи. Сразу перезвонила Саше.

— Привет, вдовица! — бодро сказал он. — Опять неприятности?

— Держись, — посоветовала Анжелика. — Сейчас упадешь. Ты помнишь, я тебе рассказывала о блондинке в белом плаще?

— Ну помню. Она что — сейчас сидит с тобой и пьет кофе?

— Я бы ей налила кофе! Помнишь такого толстощекого Игорева друга? Мы с ним рядом за столом сидели.

— Он у тебя ночевать остался?

— Балбес, дай слово сказать! — разозлилась она. — Этот Михаил мне сказал, что все они на работе тоже видели эту блондинку. И даже заснял ее на видео. Понял? Это же куда лучше фотографии!

— А чего ты прицепилась к этой бабе? — поинтересовался он. — Она же явилась к нему накануне убийства, а не в тот самый день.

— Но она была здесь! И кто такая — никто не знает. А Игорь с ней дико ругался, и все это снято. Сегодня кассета будет у меня. Он привезет. Давай приезжай к семи вечера с Ленкой.

— Она работает. У них весенне-летний ассортимент. Одежда из кожи, шорты всякие, розовые замшевые штаны, немыслимые прибамбасы...

— Мрак! — отреагировала Анжелика. — Но я хочу, чтобы она тоже посмотрела эту кассету. И главное — договорись, чтобы Юра пришел! Он сможет ее опознать — только он. Может, я ошибаюсь и это были две разные блондинки...

— Странно, — хмыкнул Саша. — Если он предпочитал блондинок, почему женился на брюнетке?

— Вот и увидим, как он их предпочитал, — отрезала Анжелика. — Ты приведешь Юру?

— Милая, да ты что? — возмутился он. — Тебе же только через площадку перейти, а мне ему звонить?!

— Там его матушка сидит, она меня ненавидит.

— А тебе какое дело до матушки? Он не маленький. Сама пригласи. Все, приедем.

Анжелика прибрала квартиру, запихала в шкафы валявшиеся как попало вещи, ахнула над своей черной блузкой — на спине красовался большой треугольный вырез. «Удружила мамочка! — Анжелика посмотрела дыру на свет. — Даже ради моих похорон она бы не испортила целую вещь... Неужели так любила зятя? Вздор! Просто хотелось, чтобы все выглядело прилично!» Саму косынку она сунула в помойное ведро. Собрала остатки от поминального стола, разложила по тарелкам колбасу, ветчину, сыр, нашла пачку печенья, проверила запасы чая и кофе. Когда явился Михаил, она гордилась собой — в большой комнате был очень мило сервирован маленький столик.

— Ну зачем же... — начал тот.

— Ничего, вы мне так удружили! Может, выпьете чего-нибудь?

— Я за рулем, — неуверенно ответил он. Взгляд у него был направлен куда-то в сторону от хозяйки, он говорил как будто через силу, натужно ворочал толстой шеей в белом воротничке. Сегодня он был вычищен, выглажен, распространял сильный запах духов — ну, словом, жених!

Анжелика про себя посмеялась над ним и усадила в кресло.

— Мы немножко подождем, — пояснила она. — Сейчас придут остальные.

— А... — протянул он и сразу погас, перестал ворочать шеей, даже запах его духов сник.

— Мои родственники приедут, — пояснила она. — Брат Игоря, его жена, в смысле брата. И еще сосед.

Михаил вздохнул и тоскливо посмотрел на столик. Она все поняла:

— Может, все-таки выпьете?

— Ну, немножко...

— Сейчас.

Она поставила перед ним бутылку с остатками водки и чистую рюмку, попросила:

— Вы уж сами, я сейчас сбегаю к соседу.

Юра оказался дома и открыл ей сам. Его старая белая майка была украшена на животе двумя огромными пятнами — фиолетовым и зеленым.

— Привет, — уныло произнес он. — Прости, что я вчера...

— Да не стоит! — отмахнулась молодая вдова. — Зайди ко мне, а? Буквально на полчаса.

Где-то за спиной Юры по коридору прошелестел атласный халат. Он нервно оглянулся, почти шепотом сказал:

— Анжелика, ты прости, я не могу. Мне работать надо.

— Не будь жлобом. — Она упорно стояла на своем. — Полчаса — и ты сделаешь доброе дело, в раю оно тебе зачтется, а не твой диплом.

— Не понял.

— На видео снята блондинка, которую ты видел на лестнице. Мне надо, чтобы ты ее опознал. И вот тогда смело иди к следователю. Юр, — она испугалась, увидев его кислое лицо, — я же терпеливо жду, когда ты избавишься от диплома и пойдешь давать показания. Ну какого черта ты прячешься! Все равно придется сказать... Или ты хочешь, чтобы меня посадили?!

— Я зайду... — затравленно пообещал он. — Иди, я сейчас...

— Нет, пошли вместе! А то потом окажется, что тебя срочно вызвали в институт или еще куда!

— Но я...

— Хватит! Думаешь, я не знаю, что ты все время был дома! А мне так нужны твои показания... Пошли! Сейчас же!

На лестнице послышались шаги. Анжелика перевесилась через перила и увидела две знакомые макушки: белокурую — Лены и каштановую — Саши.

— Слава Богу! — радостно крикнула она.

Саша задрал голову, увидел ее и Юру, махнул рукой:

— А где тот?

— Дома, дома... Скорее, а то Юра сбежит!

— Куда это он сбежит? — поинтересовался Саша, преодолевая последнюю ступеньку. — Кто проектировал эти лестницы без лифта, того точно надо было бить по голове малахитовой подставкой. Здорово!

Анжелику передернуло от его цинизма. А Саша уже тряс приятелю руку, и тому ничего не оставалось, как обернуться и крикнуть в глубь своей квартиры:

— Ма, я ненадолго к соседям!

Ответа не последовало. Юра захлопнул дверь, щелкнул замок. Компания отправилась на просмотр.

Михаил успел вылакать почти всю водку. Он заметно повеселел и, кажется, даже обрадовался большому обществу. Он полез в пакет, который принес с собой. Там звякнуло стекло. Саша с Юрой переглянулись. Михаил, очень смущенный, достал кассету.

— Купил коньяк, — пояснил он. — Все же в гости ехал... Вы не откажетесь?

— Никогда! — отчеканил Саша.

Анжелика сбегала за рюмками, нарезала хлеб, принесла лимон. Вытерла руки и взяла кассету:

— Я ставлю?

— Конечно. — Михаил увлеченно сооружал себе бутерброд. — Там снято где-то минут двадцать, все такая муть... Но дело же не в этом, верно?

Анжелика поставила кассету и, не сводя глаз с экрана, уселась за стол и взяла свою рюмку с коньяком. Коньяк пах мягко и сладко, язык от него сразу онемел, горло согрелось. На экране появилось изображение, все сразу замолчали, только Михаил прошептал:

— У меня нет стабилизатора дрожания рук, все собираюсь купить «Самсунг-Маджикэм»...

Саша только рукой махнул, впиваясь взглядом в экран. Изображение действительно подрагивало, видимо, Михаил успел поднабраться. Возникло женское потное лицо, потом чья-то рука с рюмкой, потом в кадр вплыли голые черные деревья, ограда с остатками плюща, дорога... По дороге быстро приближалась знакомая машина — новая «вольво» Игоря. Послышались голоса: «Наконец-то!», «Собрался!», «Штрафную ему!» Потом один женский голос неуверенно произнес: «А он не один...» Машина остановилась у ворот, пристроившись в хвост красному «Москвичу», тоже, видимо, принадлежавшему кому-то из гостей. Открылась дверца, показался Игорь. Он вылез из машины и вошел в ворота. Теперь камера показывала только его. Анжелика видела его бледно-смуглое лицо, сощуренные глаза, светлый твидовый пиджак, купленный совсем недавно... Игорь подошел к столу, со всеми поздоровался, сел. Он что-то сказал, но его голос утонул в шуме приветствий и упреков. Потом из машины появилась еще одна фигура. У Анжелики сильно застучало сердце. По дорожке шла высокая худая женщина в белом пальто. Ее волосы были белее пальто, белые, как бумага, как свежий снег, как известка. Цвет был неестественный, но эффектный. В кадре оказалось ее лицо, взятое довольно крупным планом.

— Останови!

Этот хриплый голос принадлежал Юре. Михаил торопливо нажал «стоп-кадр», лицо вполоборота застыло на экране. Женщина глядела не прямо в кадр, а куда-то вбок, видимо на Игоря. Рот ее был полуоткрыт, словно она собиралась что-то сказать. Высокие скулы, впалые щеки, уверенная и красивая линия шеи и подбородка, смелый макияж. И выражение полной растерянности, так не идущее к этому красивому, жестковатому лицу. Загнанный взгляд. Вопросительно поднятая бровь.

— Это она? — Анжелика повернулась к Юре.

— Да.

— Уверен?

— Сто процентов — она. Тут она еще красивей, чем тогда...

— Вы ее знаете? — удивился Михаил.

— Нет, видел как-то...

— Ну, вы довольны? — Михаил наполнил рюмки коньяком, оглядел собравшихся. — Может, хватит? Честное слово, мне неудобно показывать вам то, что было дальше...

— Ну, еще чего. — Саша выпил, вгляделся в изображение. — Я ее не знаю. Лен, а ты?

Та покачала головой, к рюмке не притронулась. Анжелика тоже никогда этой женщины не видела.

— Я бы запомнила, — пояснила она. — Лицо очень интересное.

— Ее здорово рисовать. — Юра не сводил взгляда с экрана. — Можно дальше посмотреть?

— Ну ладно... — Михаил отжал кнопку, изображение ожило, женщина тряхнула своими белыми волосами, посмотрела прямо в камеру, отвела взгляд. Ее усадили за стол. Перед ней поставили бокал, придвинули тарелку. Она ни к чему не притронулась. Изображение снова сильно плясало, Михаил пояснил: — Я как раз хотел прекратить съемку, и вот тут-то...

Объяснять, что случилось «тут-то», не потребовалось. Послышался голос Игоря — такой отчетливый, словно он был где-то здесь, среди зрителей:

— Ты, сука, чего за мной увязалась?!

Наступила полная тишина, молчали все — и в комнате, и на экране. Саша нервно закурил.

— Поговорить хотела? — Голос у Игоря был сорванный, злой, незнакомый. — Ну так говори! Блядь несчастная! Говори, что хотела сказать!

На экране кто-то ахнул, видимо женщина. Но не блондинка. Теперь весь экран снова был заполнен ее лицом. Видимо, в этот момент Михаил посмотрел на нее, а вместе с ним посмотрела и камера, продолжающая съемку. Женщина сидела с каменным лицом, глядя вбок — на Игоря. Ее ресницы дрожали, губы были плотно сжаты, рот казался нарисованным узким алым штрихом помады. В глазах — изумление и ненависть...

Да, ненависть — настолько явная, что Анжелика до хруста сжала руки: вот оно! Вот *она!* Она сама никогда не смотрела на мужа с такой ненавистью, и ей казалось невозможным, чтобы человек вообще так смотрел на другого человека. Эти темные глаза могли прожечь дыру, с этих губ готово было сорваться какое-то слово... Но женщина молчала. Зато Игорь разорялся, и странно — его голос звучал все растерянней.

— Что ты хочешь мне сказать? — орал он. — Что? Хочешь, я тебе все сам скажу?! Сука ты! Сука! Ты за этим меня искала, чтобы снова услышать?! Забыла, что ты сука?! Я напомню! Я буду тебе это напоминать, пока ты не сдохнешь! Тварь!

Что-то звякнуло — сперва показалось, что на экране, потом Анжелика услышала тревожный голос Саши:

— Ну сколько можно!

Лена, оказывается, отключилась в самый разгар Игоревой декламации. Ее глаза были как-то странно закачены под лоб, мужчины пытались влить ей в рот коньяк. Все это происходило под матерную ругань с экрана, на который уже никто не смотрел. Наконец Лена стала дышать спокойней, глубже, открыла глаза.

— Отведи ее в мою комнату... — Анжелика тронула Сашу за локоть. — Пусть лежит.

— Нет-нет. — Лена моргала своими близорукими глазами, смущенная, внезапно помолодевшая от своей слабости. — Я посижу, мне лучше...

— Она уходит! — крикнул вдруг Юра.

Сперва никто не понял, кто уходит, потом увидели — на экране взметнулись белые волосы, женщина встала из-за стола, так и не произнеся ни слова, и отвернулась. Она уходила к воротам, запахнувшись в свое белое пальто, меся грязь легкими ботинками на квадратных каблуках. За оградой еще раз мелькнули ее белые волосы, пронеслось еще несколько кривых, бессмысленных кадров, и все исчезло.

— Конец, — прокомментировал Михаил. — А дальше все равно ничего интересного не было.

Все помолчали, почему-то стараясь не встречаться взглядами. В комнате повисла неловкая тишина. Наконец Саша сказал:

— Не знаю, конечно, что она ему сделала, но так обращаться с женщиной он права не имел.

— Может, она проститутка? — робко предположила Анжелика. — Шантажировала его, он решил отвязаться, поссориться с ней...

— С проституткой так просто не поссоришься, — почему-то очень авторитетно ответил Михаил. — И она не из таких. Чем больше я эту пленку просматриваю, тем лучше вижу — женщина интеллигентная.

— Почему она молчала? — Это вступил Юра. — Как она это терпела?

— Растерялась, — пояснил Михаил. — Она просто не понимала, что происходит. Знаешь, вообще все нелепо вышло. И мы все молчали, тоже как оглушенные.

— Значит, он с ней поссорился внезапно? — встряла Анжелика. — Ведь она с ним ехала в машине столько времени до дачи, и ничего... Если бы он всю дорогу ей мозги компостировал, она бы давно исчезла. Значит, его только за столом пробило?

— А что, резонно. — Саша разлил по рюмкам остатки коньяка. — Но я все равно не понимаю, как можно так обращаться с женщиной. Тем более с красивой.

— Интересно, она крашеная или нет? — Анжелика лизнула край рюмки, вздохнула. — Да, красивая, конечно. Я не ревную, вы не думайте. Я просто ничего не понимаю. Значит, она сюда приходила совсем не на свидание...

— Она что — еще к нему приходила? — Михаил недоверчиво глянул в ее сторону, прополоскал рот коньяком. — Не знаю, как надо себя не уважать. Неужели после этого женщина еще может простить?

— А может, она его вовсе не простила, а пришла убить! Я же чувствую — это она! Юра, — она повернулась к соседу, — теперь-то ты видишь, как все серьезно?! Ты обязательно должен дать показания!

— Я дам, — обреченно ответил он. — Но не думаю, что она убила...

— Ну конечно, сейчас все мужики будут защищать красавицу! — скривилась Анжелика. — Лен, как ты себя чувствуешь?

— Нормально, — глухо ответила та.

— Поедем домой? — Саша сунул в карман пачку сигарет, повернулся к Михаилу: — Вы оставили бы кассету Лике, она следователю отдаст. Ценный материал.

— Юр, — обрадовалась Анжелика, — давай вместе к следователю пойдем! Я с кассетой, ты с показаниями?! Тут он будет просто обязан что-то сделать! Ее надо искать!

Юра вяло согласился. Все заторопились. Михаил ушел первым, бросив на прощанье косой взгляд на ноги Анжелики. За ним ушли Саша с Леной. Он поддерживал жену под руку, та была мрачна, смотрела в одну точку, забыла попрощаться с хозяйкой. Юра, обнаружив, что остался один, занервничал:

— Тогда ты завтра зайди, договоримся...

— Постой. — Анжелика загородила ему выход. — Ты меня не обманешь, нет?

— Да нет же! Я как раз заканчиваю диплом.

— Ну смотри. — Она отступила в сторону. — Все это сделала та женщина, я уверена! Меня, правда, больше к следователю не вызывали, но все равно не легче. Живу как на вулкане.

— Я же обещал! — Юра явно торопился и тут же выскользнул в приоткрытую дверь.

Оставшись одна, Анжелика принялась прибираться. Составила стопкой опустевшие тарелки из-под закусок, собрала на поднос рюмки, пепельницы с окурками. Увидела забытую кем-то полупустую пачку сигарет, рассеянно вытащила одну штуку, закурила... Не вынимая сигареты изо рта, протерла столик и уже собралась нести на кухню поднос, но пришлось его поставить — дым попал в глаза. Она торопливо сунула сигарету в пепельницу, поморщилась, вытерла набежавшие слезы и вдруг остолбенела. Во рту был вкус ментола. В пепельнице тлела белая сигарета с тонким золотым ободком на фильтре. Не веря своим глазам и ощущениям, она достала сигарету, осмотрела ее, затянулась снова. Ошибки не было.

«То же самое... — пронеслось у нее в голове. — То же самое!» На зеленой пачке, из которой она взяла сигарету, было написано «Данхилл». Она принялась ворошить окурки в пепельницах. Две пепельницы, пять окурков. Эти сигареты выкурили только что ее гости. Вчерашние окурки она вытряхнула в ведро этим утром. Два окурка «Мальборо» — Сашины. Лена не курила, но если бы курила, то сигареты мужа. Михаил тоже курил. Анжелика отделила в сторону окурок «LM» — запомнила, у Михаила была красно-белая пачка. Остались два окурка. Один — ее собственный, «Честерфилд». Другой — точно такой же, как тот, который тлел в ее пальцах, — белый, с золотым ободком. «Кто выкурил эту сигарету?! — соображала она. — Сигарета вроде дамская, но следов помады нет... Лена? Она не курила, я уверена. Не Саша. И не Михаил, разве только я что-то перепутала. Юра. Это он».

Она не колебалась ни минуты. Взяла полупустую пачку «Данхилла», сунула в карман ключи и вышла на лестничную площадку. Позвонила в дверь напротив. Юра при виде ее чуть зубами не скрипнул:

— Ну, что такое?! Ведь уже договорились?

— Не ты забыл? — Она показала ему сигареты.

— Я! — Он хотел забрать их, но наткнулся на сопротивление — Анжелика крепко сжимала пачку, не собираясь так просто с ней расстаться. Он удивленно спросил: — Да ты что? Это мои, мои!

— А ты уверен? Это дамские сигареты. — Она изобразила лукавую улыбку, но в груди у нее рос дрожащий холодок: «Он не понимает. Он не знает, что одна сигарета валялась рядом с трупом. Он этого не знает! Потому не боится».

Юра шумно выдохнул и посмотрел на нее с показной жалостью:

— Скучно тебе, да? Ну ты займись чем-нибудь, ради Бога, только оставь меня в покое! Мне диплом надо заканчивать! И сигареты можешь взять себе! И не надо сегодня приходить, не надо! Может, я у тебя еще что-то забыл?! Тогда скажи сразу, не создавай мне проблем!

— На. — Она сунула ему пачку. — Я к тебе не пристаю. Но могла я спросить, почему двухметровый парень курит дамские сигареты?

— Это мамины сигареты. — Он едва владел собой. — У меня кончились, я взял у нее. Все?

— Все!

Дверь захлопнулась у нее перед носом. Похоже, захлопывание дверей было семейной слабостью у обитателей этой квартиры. Анжелика вернулась к себе. Первый испуг прошел, теперь она могла спокойно рассуждать. «Ну а с чего я взяла, что всякий, кто курит «Данхилл» с ментолом, мог убить моего мужа? — спросила она себя, усаживаясь перед экраном и перематывая кассету. — Теоретически, конечно, всякий мог убить, но сделал это кто-то один. А все остальные потребители сигарет с ментолом не виноваты. Тем более этот верзила. А почему тем более? Да, он не испугался. Хотя по моему лицу все можно было понять. Я же с ним не заигрываю! Глупо вышло... И все же... Нет, а при чем тут его мамаша? Мамаша, которая меня ненавидит на ровном месте. Я ей ничего не сделала. Ничего. Ненавидит?.. Ненавидит или просто боится?!»

Она не успела додумать эту потрясающую мысль. Зазвонил телефон, она взяла трубку:

— Слушаю.

— Анжелика? — спросил очень молодой низкий женский голос.

— Да.

— Ты одна?

— В чем дело? Кто говорит? — Она встревоженно перебирала в памяти своих знакомых женщин. Нет, ни у кого такого голоса не было.

— Тебе нужно алиби?

Тут она оцепенела. Единственная посетившая ее мысль была о том, что это какая-то соседка по дому, которая может засвидетельствовать ее алиби. Неужто такая удача?

— Алло, слушай, — настойчиво повторил голос. — Скажи там, что четвертого мая с девяти до пол-одиннадцатого ты была в клубе «Ла Кантина». Адрес: Тверская, шесть. Ела мясо по-мексикански, пила текилу, слушала блюзы. Поняла?

— Что?!

— Там подтвердят, что ты была. — В голосе появилось раздражение. — Без дураков. Все запомнила? «Ла Кантина», с девяти до пол-одиннадцатого.

— Кто говорит?!

Но женщина уже повесила трубку. Анжелика послушала гудки — все, отбой. Она надеялась, что эта женщина вдруг еще перезвонит и хоть как-то объяснит свои намерения. Она ждала полчаса. Никто ей не перезвонил. «Придется обойтись без объяснений... — подумала она, усаживаясь в кресло и принимая любимую позу — ноги поджаты, руки обхватили согнутые колени. — Кому понадобилось устроить мне липовое алиби? Таких добрых подруг у меня нет, у меня вообще подруг нет. Кто-то пошутил? Опасная шутка... А вдруг бы я клюнула и пошла к следователю с этой байкой? И в этой «Кантине» меня никто бы не опознал... Это могло бы меня утопить. Не знаю, но дача ложных показаний... Скорее всего, следователь решил бы, что я с приветом — зачем же так нагло врать, если никто не может подтвердить вранье?!»

Она закурила, на этот раз свою сигарету, нашла пульт от телевизора, коснулась пальцем кнопки, на экране появились уже знакомые кадры — застолье, «вольво» за оградой, Игорь, блондинка в белом пальто... Она убрала звук, чтобы ругань не отвлекала внимание, и смотрела на женщину. Красивая, растерянная, замкнутая. Запястья тонкие, но, кажется, не слабые... Держится прямо, походка пружинистая, наверное, занимается каким-нибудь спортом. Нет, это вовсе не хрупкое создание. Почему же она так покорно вытерпела ругань? Почему не ответила тем же? Почему просто встала и ушла — проглотила подобное оскорбление в присутствии стольких людей?

Анжелика нажала «стоп-кадр». Вот это лицо, искаженное ненавистью, — темные глаза, в глубине которых сверкает гнев, крепко сжатые губы в алой помаде. Мысли у Анжелики крутились то вокруг этого лица, то вокруг странного звонка. Звонок ее тревожил больше, хотя она и пыталась отнестись к нему с юмором.

«Нет, я не понимаю, кому надо так шутить... Разве что кто-то меня ненавидит и хочет поиздеваться? Женщина. Какая женщина?» Она смотрела на экран, женщина на экране смотрела на нее. Анжелика поменяла позу, опустила на пол затекшие ноги, стряхнула пепел. «Эта блондинка решила мне отомстить? Да я ее в жизни не видела и ничего ей не сделала. Какая еще женщина может знать об этом? А кто вообще знает, что мне нужно алиби?! — Эта мысль поразила ее. — Кто знает?! Лена. Соседки, которых опрашивал следователь. Но это невозможно, ни одна соседка не стала бы мне советовать сослаться на этот клуб. Хотели бы сделать мне алиби — наврали бы следователю, что видели меня в тот вечер во дворе, в парадном. Откуда эта женщина узнала, что у меня сложности со временем — вечер четвертого мая? Да, она делает мне подарок... Алиби аж с девяти часов! Но в девять я только вышла. Я все равно не смогла бы воспользоваться этим... А почему? Никто не видел, как я вышла! Меня никто не видел! Значит... Значит, я спокойно могу сказать, что вышла в полдевятого, взяла машину, к девяти была в этом клубе и... Машину можно выдумать, все равно ее не найдут. И я буду вне подозрений! Его убили с девяти до десяти. Алиби с полдесятого, скажем, меня бы не спасло. Осталось бы подозрительных полчаса. А убить можно за пять минут. Алиби с девяти меня совершенно спасает! Я не могла убить его в девять и за минуту перенестись в центр, на Тверскую... Нет, это не так уж нелепо... Но с какой стати в этом клубе подтвердят, что я там была?

Кому нужны проблемы? Кого я знаю из этого клуба? Да никого! Я вообще в жизни не была ни в одном злачном месте, кроме «Александра Блока»! Может, кто-то с парохода решил мне помочь?..»

Она подумала о Лизе и о Ксении. Но голос из трубки не принадлежал ни той, ни другой. Может, они кого-то попросили... У нее не было их телефонов. Она позвонила Саше, тот выдал ей необходимые номера, попутно поинтересовавшись:

— Соскучилась?

Она обещала перезвонить ему и кое-что сообщить новенькое. Лиза оказалась дома и страшно удивилась, узнав, кто звонит. В трубке слышался визгливый голос ее маленькой дочери — не от Армена.

— Слушай! — воскликнула она. — А меня о тебе спрашивали! Да! Следователь! Я подтвердила, что ты была в казино.

— Спасибо. А... — Анжелика не знала, как спросить об интересующем ее моменте, и в конце концов просто сказала: — А ты никогда не бывала в клубе «Ла Кантина»?

— Где?

— Значит, не была?

— Нет. А что — там играют?

«Все мысли об игре...» — раздраженно подумала Анжелика и торопливо распрощалась. Странно, но с того самого дня, когда она увидела на полу труп мужа, ее больше не тянуло в казино. А раньше эта тяга была такой сильной! Теперь ей казалась дикой одна мысль о том, что она когда-нибудь поедет на «Александр Блок» просаживать деньги в блэкджек. «Взрослею, что ли?» С этой мыслью она набрала номер Ксении. Ждать, пока та подойдет, пришлось довольно долго, Ксения отсыпалась после трудовой ночи. Голос у нее был сердитый и сонный:

— Анжелика? Постой, тапки надену.

— Ксеня, ты бывала в клубе «Ла Кантина» на Тверской?

— Нет, но Армен там был как-то. А что? Решила меня пригласить?

— Нет, мне сейчас не до этого.

— А, точно... Знаешь, а следователь расспрашивал нас с Лизкой, мы подтвердили твое алиби. Ты прости, я номера твоего не знала, а то бы позвонила... Похороны уже были?

— Да, на днях. Ладно, тогда иди спать дальше, прости, что разбудила... Да, кстати, не можешь мне дать номер Армена?

Ксения наизусть продиктовала номер и попутно спросила:

— А Лизке ты не звонила?

— Только что.

— Надеюсь, об Армене не спрашивала?

— А почему ты надеешься?

— Да они на днях разругались в пух и прах. Лучше не говори с ней о нем, она переживает. Арменчик себя нехорошо повел.

Ксения, похоже, просыпалась и готова была осчастливить свою старую знакомую полной информацией об интимной жизни Лизы и Армена. Анжелика едва ее остановила:

— Прости, я тебе вечером перезвоню.

Похоже, та обиделась, но Анжелику это уже не волновало. Она позвонила Армену и убедилась, что ей везет — он тоже был дома. Впрочем, время было вечернее, все собирались в казино, а значит, чистили перышки у семейных очагов. Армен, узнав ее голос, удивился и обрадовался:

— О, а я только что о тебе думал!

— Серьезно? А почему?

— Да эта твоя история с мужем... Лика, ты как? Может, тебе помочь надо?

— В каком смысле? В материальном не стоит, а в моральном ты не сможешь.

— А откуда ты знаешь? — игриво спросил Армен. — Ты вечером придешь?

— Нет.

— Я тоже нет, я туда больше не хожу.

— Из-за Лизы?

— А ты уже знаешь? Да, из-за нее. Она проиграла мои деньги, а я ничего не знал. Мне надо было платить за ремонт машины, которую она же и разбила, а теперь я без колес... Мы поругались.

— А куда ты ходишь, если не секрет? — вкрадчиво спросила она. — В «Ла Кантину»?

— С чего это? — поразился он.

— Да так, подумала, что это местечко как раз для тебя.

— А ты там бываешь?

— М-м-м... — протянула она.

Это можно было понять как угодно, и Армен, видимо, как-то понял, потому что больше не спрашивал. Только и сказал:

— Я был там как-то раз.

— И что?..

— Хорошо, но дороговато. Каждый вечер ходить не будешь. Я сейчас никуда не хожу, работаю. Надо же машину починить. Лизка умудрилась разбить ее знаешь, о что? О милицейскую тачку. Причем тачка стояла, а Лизка ехала, как черепаха. И была не пьяная. Короче, кошмар. Ее даже в «обезьянник» посадили.

— Куда?

— Лизку забрали в отделение и посадили в такую клетушку, где сидят задержанные. Сидела с вонючими дикими бомжами, благоухала «Дольче Вита» и материла всех ментов на свете. Но такие приключения мне надоели.

— Мне тоже. А из твоих приятелей и приятельниц никто в «Ла Кантину» не ходит?

— Нет вроде. А что тебя так волнует это заведение? Я бы, например, еще раз сходил. Тебе компания нужна?

— Вот машину починишь, разрешу себя пригласить, — пообещала она, чтобы свернуть разговор.

Армен посмеялся и пожелал ей поскорее оправиться от понесенной утраты. Она даже не сразу поняла, о чем он говорит, настолько ее голова была забита мыслями об алиби. Она повесила трубку и задумалась еще серьезней. Затем позвонила Саше:

— Ты мне нужен.

— Опять? Сразу не могла сказать?

— Нечего было говорить. Кое-что изменилось. Ты должен приехать.

— Все мне говорят, что я кому-то что-то должен или чего-то не должен! — рассердился он.

— Кто еще?

— Ленка говорит, что я не должен больше ездить в казино. Я, видите ли, должен найти себе настоящее занятие.

— А я тебя не в казино зову. Ты мне нужен в другом месте.

— В каком еще?! Никуда не поеду!

— Поедешь, это важно.

— Да можешь ты сказать, что случилось?

— Не хочу по телефону.

Он насторожился:

— Интересно! То ты убеждаешь меня, что по телефону говорить можно, то заявляешь такие вещи... Что — действительно что-то серьезное?

— Я прошу тебя — приезжай на Тверскую, поближе к метро «Охотный ряд». Нет, давай встретимся прямо в метро!

— А что мы там забыли? — кисло протянул он.

— Для меня — все!

После короткого раздумья он обещал приехать. Видимо, ей удалось его заинтересовать. Назначили место встречи в метро, Анжелика повесила трубку и тут же стала лихорадочно собираться. Уже перед выходом она бросила взгляд на экран телевизора. Там застыло лицо женщины: ненависть крупным планом. Она подбежала и выключила телевизор. Экран погас.

— Даже если это ты... — сказала она пустому темному экрану. — Даже если это ты так шутишь, я все равно проверю. Мне нужно алиби!

Саша встретил ее возмущенным возгласом:

— Ну, если ты из-за какой-то чепухи меня вытащила, башку оторву!

— Не оторвешь. — Она потащила его наверх. — Слушай, что ты в джинсы вырядился, не мог поприличней одеться?

— Не понял юмора? — Бросив взгляд на ее строгий синий костюм (куплен по совету Игоря), бриллиантовые украшения, он задумчиво произнес: — Ты куда намылилась, дорогая?

— В клуб «Ла Кантина».

— Сдурела?!

— Сдурела не я, а кто-то другой. Ладно, твои джинсы на моем фоне как-нибудь проскочат. Может, ты мой шофер или телохранитель.

— Я не пойду никуда! Самое время шляться по клубам! И денег у меня с собой нет!

— Нет?! — Она остановилась. — И это после того, что мы провернули?! И это после твоего фальшивого кредита со зверскими процентами?!

— Говори тише!

— Я тихо говорю... Я все давно поняла! Ты неплохо на мне нажился! Но хотя бы теперь имей совесть, я за тебя платить не буду!

— Да я же не приглашал тебя в этот чертов клуб! — возмутился он. — На кой леший ты меня туда тащишь?! Объясни — что случилось?!

— Мне кто-то позвонил и предложил алиби.

— Что?

— Алиби, глухарь! Не могу же я орать на все метро! Слушай и соображай. Мне нужен твой совет.

Она передала ему содержание разговора по телефону. Глаза у Саши округлились. Задумавшись, он едва не споткнулся на ступеньках. Она подхватила его под руку, так они и пошли дальше. Опомнившись, Саша произнес:

— Подозрительно все это, и вообще не стоит туда идти, наверное...

— Как не стоит? А если мне хотят помочь?

— Кто? У тебя что — есть добрые ангелы? Покровители? Заступники?

— У меня никого теперь нет, кроме тебя, идиот, а ты не хочешь использовать такую возможность! Если у меня не будет алиби — кранты мне! А у меня его не будет!

— А как же блондинка?

— Блондинка сама по себе! Кассета и Юра завтра попадут к следователю, я ему позвоню! Но я хочу, чтобы от меня отвязались раз и навсегда! Глупо, глупо чувствовать себя под подозрением, если ничего не сделала!

— Я бы на твоем месте подождал... — пробормотал он. — Следствие должно идти своим путем. Тебя все равно не посадят.

— Так ты идешь или нет?! — повысила она голос и посмотрела на него так, что он дернул головой и согласился:

— Ради Бога. Но платишь все же ты.

...Зал с деревянной обшивкой стен создавал атмосферу лыжного курорта. Тесные загончики с красными столиками. Приятный «живой» блюз. Джинсы Саши остались незамеченными персоналом, или же на такие мелочи здесь просто не реагировали. За вход платить не пришлось. Их проводили к свободному столику, впрочем, почти все столики были свободны. Официантка предложила сделать заказ. Анжелика просмотрела меню, и ей стало дурно от цен. Кухня, как и обещала неизвестная благодетельница, — мексиканская. Она заказала две текилы, также ориентируясь на слова благодетельницы, — надо же было узнать вкус этого напитка, если придется использовать свое алиби, парочку закусок, от горячих блюд наотрез отказалась. Официантка удалилась медленно, словно пребывая в летаргическом сне. Весь персонал двигался примерно в том же темпе. Блюз, казалось, тоже находился на последнем издыхании и тянул что-то однообразно-ненавязчивое. Саша вертел головой, живо интересуясь обстановкой. Анжелика закурила, уныло осмотрелась, сказала:

— Ты считаешь, персонал подкуплен?

— А?

— Я говорю — если они готовы подтвердить, что я была здесь, — они подкуплены?

— Ты еще не поняла — над тобой подшутили, лапочка.

— Но блюз играет...

— Ну и что?

— А она так и сказала: «Ты сидела, пила текилу, слушала блюз...» Значит, она знала, о чем говорит. Захотела бы пошутить — сказала бы, что здесь играл техно-рейв и бесновались панки.

— Правильно, она добивалась, чтобы ты ей поверила. Зачем врать по мелочам?.. А голос у нее был нормальный? Она не смеялась?

— Нет, она говорила очень серьезно, а когда я не поняла, даже разозлилась. Знаешь, мне показалось, что у нее нет времени объяснять подробнее. Или она злилась на мою тупость. Нет, я уверена — она была серьезна. Или же эта женщина — гениальная актриса.

— А голос точно незнакомый? Ты вспомни.

— Точно. И ни Лиза, ни Ксения, ни Армен ее ко мне не подсылали. Я это выяснила.

— Выяснила — и лады. Так что я советую тебе выпить свою текилу и забыть об этом милом местечке. Что это, кстати, нам заказ не несут?

Текила и закуски появились только через полчаса. Сервировав стол, официантка удалилась еще более расслабленной походкой. Саша посмотрел на ее тощий зад и прокомментировал:

— Жертва мексиканской кухни. Огневой темперамент. Находится в состоянии полного истощения. Видишь, с каким трудом передвигается? У нее язва. Ну, выпьем, что ли?

Они выпили текилу.

— О... — Анжелика приоткрыла рот.

— Уф, — бодро сказал Саша и принялся закусывать. — Господи, огонь, огонь! Что они сюда насовали?!

— Соус «чили» и «карри». — Анжелика выпила минеральной воды, но пожар во рту не погас. — Моя спасительница — страшная оригиналка.

— А голос у нее был молодой?

— Да. Хотя по голосу ничего не определишь. Может, ей и пятьдесят лет.

— Значит, это Юрина мамаша решила искупить свою невежливость и создать тебе липовое алиби.

— Да! — воскликнула Анжелика. — Что ты скажешь о том, что Юра курит «Данхилл» с ментолом?!

— Это его право. — Саша, выпив минеральной воды, с удовольствием закурил. — Нет, здесь неплохо. Определенно неплохо.

— А как тебе тот факт, что сигарета, которую я нашла пятого числа, была именно «Данхилл» с ментолом?!

— Я это давно знал, — лениво ответил он.

— Знал и молчал?!

— А что трепаться? Просто забыл сказать. Ленка, когда ты ей отдала тот окурок, сразу же побежала в магазин и накупила кучу сигарет с ментолом — все сорта. Методом сравнения определила, что твой окурок — «Данхилл». Ну и что? Она так рвалась это узнать, а узнала — и никакой пользы. Мало ли кто курит «Данхилл»?

— Вот Юра и курит. И его мамаша тоже.

— И ты решила, что они вдвоем прикончили Игоря? Интересно только, за что.

— А мне вообще многое интересно. Отношение его матери ко мне — раз! Его ночной визит, совершенно нелепый, — два! Зачем он приходил? Рассказать о блондинке? А потом не хотел идти к следователю. Три! Интересно, да?

— Нет, — отрезал Саша. — Я его знаю, можно сказать, как самого себя. Он этого не делал. Не мог сделать.

— А ты мог?

— Я бы сделал, если бы не опоздал.

— Вот видишь. А ты тоже не производишь впечатления уголовника. Не обольщайся. То, что Юра — твой приятель, его не оправдывает. Он мог это сделать. Не знаю, как с этим связана его мамаша. Может, покрывает его.

— Слушай! — Он поморщился. — Сколько можно! Сперва пусть найдут ту блондинку и выяснят, какие сигареты курит она. При ее страсти ко всему белому, она вполне могла курить в тот вечер белые сигареты с ментолом. Логично?

— Логично, но пока ее найдут, мне свернут шею. Я хватаюсь за соломинку, пойми, у меня скверное положение... Кстати, следователь точно не намекал, что хотел бы и твоего алиби?

— Нет, вообще не заикнулся.

— Он тебя не подозревает, — рассмеялась она. — Забавно. Страдать почему-то должна одна я! Самая невинная!

— Эй, самая невинная! — обратился он к ней. — Может, пойдем отсюда? Ты же не разоришься еще на рюмку текилы?

— Ладно, идем. Надо только заплатить.

— Слушай... — Саша впился взглядом в сомнамбулически приближающуюся официантку. — Если они тут такие сговорчивые, может, договорюсь, чтобы они и мне алиби состряпали?

Анжелика расплатилась, официантка извлекла из глубин своего сна улыбку и произнесла:

— Приходите к нам еще.

— А мы тут уже были! — встрял Саша. — Я вас отлично помню. А вы нас не помните?

Официантка вежливо рассмотрела сперва его, потом Анжелику и осторожно ответила:

— Вероятно, да.

У Анжелики сам собой приоткрылся рот, Саша возликовал:

— Ну, я же говорил, вы должны нас помнить!

— Он шутит, — оборвала его Анжелика. — Он здесь впервые. Но я тут была.

Официантка не возражала, она продолжала сиять своей стертой улыбкой. Клиенты опьянели с рюмки текилы, им хочется пошутить. Анжелике стало неловко, она стала вылезать из-за неудобного столика. Саша последовал за ней. Персонал сопровождал их напутствиями: «Приходите к нам еще!»

На улице, сунув в рот сигарету, он заметил:

— Да они что угодно подтвердят! Сонное царство. Может, ты им снилась в тот вечер.

— Она просто из вежливости не послала нас подальше, — вздохнула Анжелика.

— Нет, она искренне подтвердила, что видела нас!

— Кого — нас?! Ты тут при чем? Зачем примазываешься к моему алиби?

— У тебя его нет. — Саша с наслаждением дымил, озирая вечернюю Тверскую. — Знаешь, а кажется, лето наступило.

— Ну и что мне теперь делать, скажешь? — Они почему-то не пошли к метро «Охотный ряд», а стали спускаться по Тверской до «Пушкинской». — Могу я преподнести следователю такую липу?

— Попробуй. Сдается мне, твоя спасительница знала, что говорила. На удивление покладистый тут персонал. Тем более алиби с девяти часов! Такой подарок! Знаешь, даже если бы ты нашла кого-то, кто видел тебя на прогулке, это бы тебя не спасло. Тебе нужно было алиби именно с девяти. И оно у тебя есть.

— Но откуда об этом догадалась эта женщина?! Она что — близка к следствию?

— Ясновидящая, — предположил он. — Или существо из виртуальной реальности.

— Ты ангела имеешь в виду? Для ангела у нее был слишком раздраженный голос. Почти грубый, низкий такой.

— Ну, ангелы тоже университетов не кончали. Кстати, когда мы перестанем ходить пешком? — Он вопросительно тронул ее локоть. — Ведь «вольво» осталась тебе?

— Но я не смогу сдать на права. С моей координацией!..

— Зато у меня права давно готовы, — невинно заметил он.

Анжелика ничего не ответила, даже не посмотрела в его сторону. Чудесный вечер плавно переливался в теплую ночь, мягкий воздух слегка отдавал дымом, небо было тронуто нежной оранжевой акварелью. Но на сердце у нее вдруг стало тяжело, словно его придавили камнем. Она замедлила шаг, потом остановилась.

— Ты что? — удивился он.

— Я не хочу в тюрьму! Я молодая! — В ее голосе звучала дрожащая истерическая нотка. — А если меня все же посадят, — она смотрела ему не в глаза, а в какую-то точку посередине лба, — если меня не спасет это алиби, я и тебя заложу.

## Глава 7

...Она стоит на набережной, сильный ветер треплет волосы, кидает их то на глаза, то в раскрытый рот, волосы мешают видеть и дышать. Она опирается локтями о гранитный парапет, склоняется над водой. Грязная ленивая река, на волне качается бумажный мусор, флотилия окурков. Она смотрит в воду, слышит за спиной шум подъехавшей машины. Оборачивается. Машина — синяя «вольво». За рулем — мужчина, в окошке виден его профиль, он даже не смотрит в ее сторону. Она подходит, открывает дверцу, садится. Он сразу трогает с места, не говоря ни слова, и через минуту кладет руку на ее колено, поглаживает его через тонкий чулок. Она равнодушно смотрит перед собой. На ней синий костюм, купленный недавно по его указанию, на пальцах блестят бриллиантовые кольца, в ушах — серьги. Черные волосы растрепаны, и она открывает сумочку, чтобы привести себя в порядок. Она причесывается, а он, не убирая свободной руки с ее колена, спрашивает: не страшно ли ей? Может быть, она передумала? Она закрывает сумочку, ее волосы теперь расчесаны на прямой пробор, она смотрит в свое окно и говорит, что он дурак и что теперь ему надо свернуть направо...

...Анжелика открыла глаза, увидела над собой белый потолок и солнечный луч на потолке. Она помнила, что ей снился паршивый сон, в котором реальность и вымысел были смешаны в какой-то дикий коктейль. Но отчетливо вспоминался только Игорь за рулем своей машины. Дальше — провал, а ведь дальше было что-то важное. Что? Она взглянула на часы, ахнула и выскочила из теплой постели.

Сколько трудов стоило ей дотащить Юру до кабинета следователя! Он едва проснулся этим утром, она сама, лично, поднимала его с постели. Когда Анжелика позвонила в дверь к соседям, ей открыла мать Юры и на удивление приветливо предложила девушке войти и разбудить его. Проснувшись, Юра сперва предлагал никуда сегодня не идти, потом, кряхтя и охая, велел ей подождать в коридоре, пока он оденется. Одевался он почти полчаса, ноги у Анжелики затекли от стояния на одном месте, а пройти на кухню, где хозяйка пила кофе, она не решалась. Наконец свершилось — она вытащила Юру на улицу и повлекла в следственное управление.

Там снова пришлось ждать — у следователя кто-то был. И вот долгожданная минута — Анжелика входит в кабинет, сияя, говорит, что ее сосед напротив пришел дать показания... И Владимир Борисович, совсем утонувший в облаках табачного дыма, неожиданно попросил ее выйти и посидеть в коридоре, пока он поговорит с соседом. Анжелика почему-то рассчитывала, что разговор будет происходить при ней. Ничего не поделаешь — пришлось просидеть, по крайней мере, минут сорок в коридоре, на обшарпанной деревянной скамейке, выкрашенной мерзкой коричневой краской. Она сидела и представляла себе, сколько свидетелей и подозреваемых до нее уже сидели на этой скамье. И ей стало очень неуютно. В руках она сжимала сумочку, в сумочке покоилась кассета Михаила. Она укоряла себя за то, что не привела сюда и его — он бы очень пригодился со своими показаниями. В тот миг, когда она про себя выругала последними словами следователя, который не может, просто не хочет обнаружить таких простых вещей, как ее алиби и наличие в деле подозрительной блондинки, Юра вышел.

— Ну? — Она вскочила, едва Юра вышел из кабинета.

Он покачал головой, затем махнул рукой в сторону кабинета, как бы говоря: «Нет у меня времени, иди туда сама».

— Все сказал? — Она схватила его за рукав. — Про блондинку все сказал?

— Да, не беспокойся. Все, все... Мне нужно идти, я не думал, что так долго...

— Я к тебе заскочу потом! — пообещала она, явно не обрадовав его.

Юра торопливо зашагал по коридору к выходу, а Анжелика проскользнула в кабинет.

На этот раз она робела меньше. В прошлый свой визит, когда следователь огорошил ее отсутствием у нее алиби, она едва сознание не потеряла и готова была признаться и в том, что сделала, и в том, в чем вовсе была не виновата. Сейчас у нее было Юрино свидетельство, была кассета и даже алиби, о чем она пока старалась не думать.

— Он вам рассказал? — спросила она, осторожно опускаясь на стул напротив следователя.

— Как поживаем? — спросил тот и придвинул пепельницу. — Курите?

— Да. — Она закурила скорее из любезности — предлагают, зачем же отказываться? Тем более, что в прошлый раз он был не так предупредителен. Поинтересовалась: — Он вам и про кассету сказал?

— И про кассету. Вы ведь тоже ее видели?

— Мы ее просматривали на моем видаке.

— Мы — это кто?

— Я, тот человек, который принес кассету, Юра, потом еще Саша и Лена. Саша — брат моего мужа, Лена — его жена.

— Я в курсе, — поморщился следователь. Напился воды из графина с желтоватым налетом на стенках, закурил. Вид у него был нездоровый, неопрятный. Дышал он с присвистом, при этом в его груди что-то хрипело.

«Докурится до рака...» — подумала Анжелика. И поспешила затушить свою сигарету.

— Значит, ваш сосед Головлев эту женщину не опознал...

— Как — не опознал?! Это же была та самая... — Она захлебнулась от возмущения. — Он ее видел вечером третьего мая у нашей двери! Мой муж ей открыл!

— Я имел в виду — он эту женщину не знает, — пояснил следователь. — Про вечер третьего мая он мне все подробно рассказал. Удивительно, он даже время точное помнит: двадцать три часа, сорок минут.

— Я же говорила!

— Позднее время дли визита, верно? Вас, конечно, дома не было?

— Нет.

— Играли в казино?

— Как обычно, — ответила она даже с каким-то вызовом. Она боялась его все меньше. — В этом ничего такого нет. Я почти всегда уходила вечером, а приходила на рассвете. Игорь меня не ругал. Такое хобби, что поделать.

— Конечно, ведь работать вам не приходилось, — заметил следователь с явной насмешкой. — Кстати, почему?

— А при чем тут это? — возмутилась она. Разговор снова переходил на ее личность, и это ей не нравилось.

— Да просто хочется знать.

Помявшись, она пояснила:

— Не нашла своего призвания. Не знала, чем заняться.

— Муж достаточно зарабатывал?

— Да.

— Он никогда не намекал, мол, хотел бы, чтобы вы работали?

— В первое время после нашей женитьбы. Потом это прошло само собой.

— Почему?

— Ну...

— Он что, стал больше получать? Кстати, какая у него была зарплата?

— Не знаю... — растерялась она. Ей действительно никогда не приходилось этим интересоваться. — Высокая, наверное.

— Как же так? Вы, его жена, за все семь лет не поинтересовались, откуда у него деньги на покупку дорогой машины, на ваши наряды, на бриллианты в ушках и на пальчиках, на всякие подарки?

— Мне теперь и самой это странно... — призналась она. — Я, пожалуй, могу это объяснить. Он относился ко мне как... К ребенку, что ли? У меня было такое чувство, будто он на меня не очень рассчитывает, в смысле совета или помощи. Он был такой человек — все делал сам. Любил, чтобы я благодарила его за подарки. Ему нравилось меня опекать, наверное... И не нравилось, когда я высказывала свое мнение... Я от этого быстро отучилась.

— То есть если бы вы попробовали спросить, сколько он зарабатывает, он бы отреагировал отрицательно? — оживился следователь.

— Наверное... Нет, он бы меня не ругал, он бы ответил. Но... Не знаю, наверное, он бы при этом посмеялся надо мной.

— Почему?

— Ну, он считал, что я ничего не понимаю в практической стороне жизни.

— И это было действительно так?

— Нет. Просто я... Не знаю. — От этих расспросов она сердилась и путалась, ей было неприятно вспоминать годы своего безволия. Теперь ей на самом деле казалось, что муж ее унижал. Следователь терпеливо ждал вразумительного ответа, и она в конце концов сказала: — Я бы могла сама вести хозяйство. Но к деньгам меня не допускали.

— Как это понять?

— Ну, он всегда выдавал мне на хозяйство определенную сумму и потом требовал отчета. Доходило до смешного — если я покупала растительное масло на две тысячи дороже, чем рассчитывал он, то муж говорил, что я транжирка.

— Он был настолько скуп? Как это увязать с вашими посещениями казино?

— Никак. Я не тратила его деньги.

— А на какие средства играли?

— Мой отец... — Она покусала губы, тихо сказала: — Отец мне как-то прислал перевод. И я на основе этих денег создала фонд для игры.

— А ваш муж не говорил, чтобы вы отдавали эти деньги ему?

— Нет.

— Значит, он все же признавал ваше право распоряжаться личными деньгами?

— Только теми, которые мне дал не он. Я никогда не пыталась взять у него деньги на что-то... Ну, не на хозяйство.

— Серьезных ссор на материальной почве у вас, значит, не было? За исключением конфликтов из-за растительного масла? — усмехнулся он.

Ее это взбесило, и она с достоинством ответила:

— Я вам повторяю: мы не ссорились, я не давала повода. Я была достаточно бережлива, старалась укладываться в те деньги, которые получала от него на продукты и прочие хозяйственные дела. Да, он был расчетлив. Но болезненно скупым не был. Он ведь дарил мне дорогие подарки.

— Верно. И даже восстановил утраченные вами бриллианты?

Она посмотрела на свои кольца, потом подняла глаза. «А это он откуда узнал?!» — пронеслось у нее в голове. Но думать времени не было. Надо было что-то говорить. И она осторожно сказала:

— Да. Меня ограбили несколько лет назад. Украли кольца и серьги. Он купил мне точно такие же украшения.

— Почему вы не заявили об ограблении?

— Он не захотел...

— Но почему? Это не вяжется с его расчетливостью. Ведь грабителя могли найти, и вам бы все вернули. А он предпочел купить вам такие же украшения и забыть об этом?

— Я не запомнила лицо грабителя. Было слишком темно, и я до смерти испугалась. Не смотрела на того типа, просто все сняла и отдала. Боялась, что он пырнет меня ножом, — вдохновенно врала Анжелика, попутно соображая, кто мог дать следователю такую информацию. Ей чудился подвох.

— И ваш муж решил не травмировать вас разбирательством?

— Наверное. Я была в истерике. Он за мной так ухаживал в тот вечер... — Внезапно горло у нее сжалось, глаза увлажнились. Она тяжело задышала, по-детски провела под глазами пальцем, убирая слезы, полезла в сумку за платком. «Да, все так и было... — думала она. — Он был так заботлив... И все было хорошо, пока он не обнаружил, что я его обманула... Господи! Господи, что же я хотела сделать?! Но не я же *это* сделала!»

Следователь закурил очередную сигарету и спокойно пояснил:

— Мне рассказал об этом случае его брат, Александр Иванович Прохоров. Он привел это как пример того, что его старший брат не был скуп по отношению к вам. Он очень настаивал на этой характеристике.

— Это правда. — Она немного успокоилась. — Игорь оказался на высоте.

— А на курсы секретарей-референтов он вас устроил или вы сами пошли?

«Господи, и про это узнали! — воскликнула она про себя. Уже снова стало тревожно на душе. — Ну чего он прицепился ко мне?!»

Она поморщилась:

— Эти курсы... Я не знаю, почему он хотел, чтобы я на них пошла. Зарплата у секретарей небольшая. Ну и курсы эти я не закончила.

— Не устраивала такая работа? — усмехнулся он. — Кого? Его или вас? Любящий муж посылает жену в секретари к кому-то... Может быть, в то время ухудшились его заработки?

— Не знаю...

— Не знаете, значит, — повторил он даже с каким-то удовольствием. — Ну а о каких-то побочных заработках ваш муж никогда вам не говорил? Может быть, его не устраивала зарплата? Может, были сложности с налогами? Может, у него были какие-то перспективы, деловые предложения?

— Я совершенно не в курсе этих дел... Я даже налоговой декларации никогда в жизни не заполняла, — вздохнула Анжелика.

— А сколько денег лежало на счете в банке у вашего мужа?

Вот оно. Разузнали! Наконец-то! Анжелика внутренне напряглась, собирая все свои силы и актерские способности. Потом не торопясь, как бы припоминая, ответила:

— Около двадцати тысяч долларов.

— Значит, вы все же были в курсе его материальных дел?

— Только в том, что касалось счета в банке. Ведь счет у нас общий. Он открыл его сразу после свадьбы. Хотел, чтобы у нас были общие деньги.

— Он никогда не говорил, что хотел бы что-то изменить в этом отношении?

— Нет... А зачем?

— Ну, если он мог устроить скандал из-за растительного масла...

— Я не знаю, как объяснить... — замялась она. — В мелочах он мог быть прижимист, это да. Но в таких крупных вещах, как банковский счет, — нет. Может, он просто был так устроен...

— Вам когда-нибудь приходилось брать деньги с этого счета?

Она ответила, не теряя ни секунды, прямо глядя ему в глаза:

— Только один раз.

Он полез за новой сигаретой. Она сидела неподвижно, потом поймала себя на том, что непрерывно открывает и захлопывает сумочку, щелкая замком. Готова была ударить себя по пальцам — спокойствие давалось ей с трудом. Наконец он спросил:

— А когда это было?

— Недавно, м-м-м, недели две назад. Я взяла со счета десять тысяч долларов.

Ей было так же трудно сказать это, как признаться в убийстве. Но следователь, казалось, не очень впечатлился. Только и спросил:

— Куда же вы потратили такие деньги?

Ответ у нее был давно готов. Она сто раз обсудила с Сашей, как ответить, чтобы невозможно было проверить.

— Мы собирались поехать в путешествие, — сказала она. — Во Францию. Проехать по замкам на Луаре. Это очень дорого, конечно, но он мне давно обещал... Ведь мы с ним никогда никуда не ездили, вы не поверите... У меня даже загранпаспорта нет. Не знаю, как у него...

— У него тоже нет... — Сигарета дымила вовсю, следователь смотрел в окно, где ровным счетом ничего не было видно — грязное стекло, глухая стена дома напротив. — Значит, теперь никуда не поедете?

— Нет, конечно. Я об этом и думать перестала.

— А путевки вы уже купили?

— Сперва мне надо было сделать паспорт... Ему, оказывается, тоже... Мы говорили об этом как о чем-то решенном, хотя, конечно, так сразу поехать не смогли бы... Но Игорь мне сказал: «Поедем». И я позвонила в турагентство, узнала стоимость путевки, пошла в банк и сняла деньги. Теперь придется положить их обратно.

— Ну хорошо. — Он внезапно откинулся на спинку стула, переменил тему: — Значит, ни вы, ни ваши родственники никогда эту женщину не видели?

— Блондинку? Никогда.

— Как думаете, вообще имеет смысл ее искать?

— А как же?! Вот кассета... Тут все записано. — Она торопливо вытянула из сумки свое сокровище. — Только, ради Бога, не потеряйте...

— Не переживайте, — отрезал он. — Значит, все заснято?

— От начала до конца.

— Посмотрим.

Его тон ее разочаровал — он говорил без особого интереса, как будто ему каждый день случалось получать видеозапись с изображением возможного преступника. «А еще говорят — составляют фотороботы, — злилась она про себя, — ищут улики, снимают отпечатки пальцев... Фигня все это! Ему все равно. Ох, если он потеряет... Дура я, надо было сделать копию! Но как? С моей техникой не сделаешь... Нужно что-то покруче... Надо было не торопиться так, а попросить помочь Мишу. У него же есть видак. Записали бы парочку копий для верности...» Долго думать ей не пришлось. Она услышала вопрос:

— Да, кстати, возвращаясь к нашему прошлому разговору. Вы утверждаете, что у вас дома никогда не было гостей.

— Я сказала — кроме Саши и Лены. Да, почти никто к нам не приходил.

— То есть вы никого не видели?

— Ну да... Конечно, теперь, когда я узнала о той блондинке, я уже не уверена, что у нас никто не бывал. А кстати, ее отпечатки пальцев вы нашли? — с надеждой спросила она.

— Мы нашли отпечатки, — подтвердил он. — По крайней мере шести посторонних людей.

— Шести?!

— Не считая ваших собственных и отпечатков вашего мужа. Их, конечно, было больше всего. Также мы идентифицировали отпечатки ваших родственников.

— Саши и Лены?

— Да, но их мало.

— Они редко бывали... И потом, я же прибиралась, вытирала пыль, мыла окна и двери... Отпечатков вообще-то не должно было быть много...

— Но генеральной уборки вы давно не делали?

— Ой, год по крайней мере... — вздохнула она. — Но прибиралась почти через день, так, понемногу... Так что, вполне возможно, стерла какие-то отпечатки... Но не отпечатки убийцы, я думаю! Ведь я же не могла убрать квартиру после того, как нашла мужа... Разве что убийца сам все вытер...

— Как же вы находили время для дома при таком режиме? Ночью играли, днем, наверное, спали...

— Я всегда выполняла свои обязанности, — холодно ответила Анжелика. — Я же объясняла — он никогда бы не позволил мне играть, если бы это хоть как-то отразилось на нашей жизни и хозяйстве. Это не отражалось. Я готовила, убиралась, ходила в магазин. Он был избавлен от всех бытовых проблем. И жаловаться ему не приходилось.

— Но вероятно, ночью он по вас скучал?

— Он спал, — отрезала она. Помолчав, добавила: — Вас интересует интимная сторона нашей жизни?

— В какой-то мере. Вероятно, между вами все же наступило некоторое охлаждение из-за вашей привычки ночевать вне дома? Мне трудно представить себе мужчину, который бы радовался такому поведению молодой жены.

— Он не радовался. Но жили мы почти как прежде. А насчет интимной стороны... — Ей было трудно говорить, хотя она убеждала себя: следователь — тот же врач, ему можно рассказать все... Но нужно ли? Она нерешительно закончила: — Нет, все было нормально. Мы жили вместе как супруги, а не как соседи. Отношения были хорошие. Простите, а что там еще за отпечатки пальцев?

— Ну, пока неизвестно. Их очень мало.

— Вы сказали — не меньше шести. Минус Саша и Лена... Еще четыре человека? Никогда не думала, что у нас бывает столько посетителей... Одна из них, наверное, та блондинка.

— Вероятно, если она была не в перчатках. — Он вдруг приподнялся из-за стола, протянул ей руку: — Ну, всего хорошего, Анжелика Андреевна. Спасибо за свидетеля и за кассету.

— Я... — растерялась она, осторожно берясь за эту горячую потную руку и не зная, что с ней делать. Он, слава Богу, быстро ее отпустил. — Я еще хотела сказать...

— Что? — Он уже шелестел какими-то бумагами.

— Я... — решилась она, с обморочным холодом в груди. — Я, кажется, вспомнила, где была в тот вечер четвертого мая, с девяти до десяти. Даже до пол-одиннадцатого.

— М-м-м? — Он поднял на нее равнодушный взгляд. — Да? Вспомнили?

— Да. — Голос у нее слегка подрагивал, и она невыносимо злилась на себя за это малодушие. — Я была в клубе «Ла Кантина», на Тверской. С девяти вечера до половины одиннадцатого. Потом поехала на «Александр Блок».

— Как же? — Он стал немного внимательнее. — Вы же раньше говорили, что ушли из дому ровно в девять? Ошиблись?

— Я ошиблась на полчаса. Я была в таком состоянии, когда давала вам показания... И за временем не следила. Теперь я вспомнила. Я выехала из дому раньше, взяла машину, приехала в клуб, там поужинала, послушала музыку и только потом отправилась в казино. А гуляла по бульварам я раньше, днем раньше! Я действительно люблю гулять, но в тот вечер мне вдруг захотелось поесть, а дома я не успела... У меня эти два дня спутались...

— Вот как? — Он смотрел на нее без особого восторга, но с любопытством. Это было уже кое-что. — Как называется клуб?

— «Ла Кантина». Адрес — Тверская, шесть.

— И вы там были?

— Да. — Она из последних сил сдерживала предательскую дрожь. А дрожал уже не только голос — дрожали руки, ноги, все тело, сердце в груди, даже мысли в голове. «Идиотка... Или пан, или пропал... Сошлюсь на невменяемость... Пусть считают дурой... Пусть проверяют!» Ей хотелось скорее покончить со своим сомнительным положением. Она спросила с надеждой: — Вы проверите?

— У-м, — промычал он и кивнул. — Не переживайте. Мы проверим. Если вы там были, значит, все подтвердится.

* * *

...Она никогда не отпирала гараж. И ключи от гаража держала в руках впервые. Взяла их из дому этим утром машинально, может быть потому, что не выходил из головы сон — Игорь за рулем и гадостное чувство близкой опасности. И вот теперь она стояла в тупичке неподалеку от своего дома, где располагались гаражи. Прекрасный солнечный день, и ключи теперь — ее собственность, так же, как и гараж, и машина в нем, и все, что в машине. Но у нее было такое чувство, словно она собирается что-то украсть.

Замок поддался легко. Она потянула на себя тяжелую металлическую дверь — только одну створку. Петли не скрипели, наверное, он недавно их смазал. Заглянула вовнутрь. Осторожно вошла. Не стала открывать вторую створку двери, не потянулась зажечь свет. Она и так все видела. Робко провела пальцами по пыльному синему крылу «вольво», дотронулась до ветрового стекла. Потом отперла дверцу. Села за руль. В висках что-то запульсировало, тело покрывалось испариной. «Я схожу с ума, — подумала она. — Здесь сидел он. Там — она. Женщина в белом пальто. А я?» И тут до нее медленно стала доходить одна истина. Ведь она никогда не ездила в этой машине! Ни разу — с тех пор как он поменял свой старый красный «Москвич». Ее разбирал истерический смех. Она обхватила руль, опустила на него голову и зашлась в смехе Потом захлебнулась и умолкла.

Пахло бензином, машинным маслом — чужие, незнакомые запахи. Но был еще один запах. Отчетливый, тонкий, знакомый. Настолько знакомый и привычный, что она сперва даже не уловила его. Так пахла обивка кресла рядом с водительским. Анжелика некоторое время вертела головой, принюхивалась, пытаясь понять, в чем же дело? Потом сообразила. «Это мои духи! «Эксжламэйшн»! Он сам подарил их мне на последний день рождения!» Анжелика оттянула блузку на груди, принюхалась, потом понюхала отворот пиджака, потом обивку. Запах исходил только от обивки, в той части, где голова касается спинки сиденья. На мгновение она увидела на сиденье призрак — очертания чьей-то фигуры, волну волос... Но это видение потонуло в облаке аромата. Запах стал настолько явным, что Анжелика не выдержала — рванула дверцу и выскочила из машины. Подбежала к двери, высунулась наружу, подышала свежим воздухом. «Негодяй! — сказала она про себя. — Он покупал одинаковые духи любовнице и мне!» В порыве злости она вернулась к машине, обнюхала ее еще раз, убедилась в своей правоте — это были те самые духи, которыми она не душилась по крайней мере неделю. От нее самой запах исходить не мог. Пахло только одно сиденье — рядом с водителем. Остальные не пахли ничем. Они выглядели так, словно на них никто никогда не сидел — пушистый новенький ворс обивки, ни пятнышка, ни дырочки.

Искать в гараже было нечего. Когда она сообщила в милицию, что убили ее мужа, сперва осмотрели квартиру, потом — гараж и машину. Всюду сняли отпечатки пальцев. Не обратили внимание только на запах духов, который тогда, наверное, был более отчетливым. Впрочем, он прекрасно сохранился в закрытом салоне машины. Казалось, женщина, пахнущая этими духами, не больше часа назад встала и ушла. Анжелика повертела на пальце ключи, заглянула в багажник, осмотрела полки, но ничего интересного не обнаружила. Тогда она заперла дверцу машины, а потом и сам гараж. После полумрака яркое солнце ее ослепило. Неподалеку возился со своей побитой «Волгой» сосед по подъезду. Он выпрямился, вытер руки заскорузлой тряпкой и проводил Анжелику неприязненным взглядом сплетника. Она по привычке с ним поздоровалась. Он ей не ответил.

...На столе стояла бутылка сладкого муската. Под потолком кухни застоялся сигаретный дым. Анжелика прислонилась к дверному косяку и, онемев, смотрела на своих гостей. Юра, моргая воспаленными веками, уставился на нее и не сказал ни слова. Саша велел ей присесть за стол:

— Ну? Тебя поздравить можно?

— С чем это?! — с ненавистью выкрикнула она.

В руке она сжимала ключи от гаража. В следующий миг ключи полетели на стол, сшибли пустую хрустальную рюмку, она упала на плиточный пол и вдребезги раскололась. Юра сонно заморгал, уронил голову на руки, Саша изумился:

— Да ты сдурела?!

— Как ты сюда попал? — Она продолжала кричать, не смущаясь присутствием гостя. — Как ты вошел в квартиру?!

— У меня же есть ключи, — спокойно ответил тот.

Она показала пальцем себе на лоб, перевела взгляд на Юру. Саша мотнул головой. Это означало — его бояться нечего.

— Отдай мне их, — потребовала она.

Саша пожал плечами, полез в карман куртки, достал связку ключей. Потом подобрал с пола ключи от гаража и тоже подал Анжелике:

— Забирай. Просто так было удобней. Я мог сюда приходить и дожидаться тебя в любое время.

— А мне не нужно, чтобы ты сюда приходил в любое время! — Она сунула ключи в карман, пнула табуретку, та с грохотом покатилась по полу. Юра дернулся и поднял голову. Анжелика брезгливо фыркнула: — Он что — пьян?

— Да, — тускло ответил Юра.

— Пей дома!

— Не ори, как на базаре, — вступился Саша. — У парня неприятности. Он не может пить дома.

— А, черт! — Она подняла табуретку, уселась за стол. — Устроили тут вокзал! Кто вас звал?! Почему я минуту не могу побыть одна?!

— Что ты взъелась? — встревоженно спросил Саша. — Юра же все подтвердил. Ты должна быть довольна.

— Довольна? А кто рассказал следователю про бриллианты?!

Юра тупо посмотрел сперва на нее, потом на Сашу. Тот невинно ответил:

— А что тут такого? Их же у тебя действительно украли.

— Но кто тебя просил трепаться?

— А что — следователь так ими интересовался?

— Представь себе! И вообще, он мне осточертел. Я думала, сегодня все будет покончено. Нет! Ему понадобилось узнать кучу вещей о моей личной жизни. Он хотел знать, сколько Игорь зарабатывал! Платил налоги или нет! Подрабатывал или нет! Почему я не стала секретарем-референтом! Где находится Луара и все эти блядские замки! Сколько это стоит! Спала я с мужем или нет! Блядство! Блядство! — Она ударила ладонью по столу.

— Не ори, — спокойно попросил он. — Слушай, а ты не хочешь узнать, что с Юркой?

— Нет! — отрезала она.

— А зря. Интересная история.

— У меня взяли отпечатки пальцев... — пробормотал Юра, снова поднимая голову.

— Ну и что? — брезгливо ответила Анжелика. — У всех взяли.

— Вам — все равно.

— А тебе?

— Понимаешь, — вмешался Саша. — Юра, оказывается, был у вас на днях. Буквально в тот самый вечер. И наследил.

— Да ты что? — Анжелика даже слегка привстала из-за стола. — Как это — ты у нас был? К кому ты сюда приходил?!

— К нему, — убито вымолвил Юра.

— К Игорю, тебя же дома не было, — уточнил Саша. — Я тебе могу одно сказать: он его не убивал.

— Он уже был убит, — качнул головой Юра.

Анжелика в ужасе смотрела на них, потом вдруг почувствовала, как грудь сдавило удушье. Она хрипло прошептала:

— Сигарета — твоя?!

— Его, — ответил Саша.

— Моя, — кивнул Юра. — Анжелика... Я понимаю... Тебе трудно... Но я его не трогал... Я его не убивал...

Она обвела кухню тоскующим бессмысленным взглядом. Действительность расползалась, как гнилая тряпка, в ней появлялись дыры, мысли путались и застревали в них, как в паутине. Она с трудом скоординировала взгляд на Юре.

— И ты мне врал? — спросила она.

— Врал, потому что не мог...

— Он думал — ничего не откроется, — вступился за Юру защитник. — А следователь вдруг взял у него отпечатки. Это раз. И сейчас, буквально перед твоим приходом, сюда приезжали и взяли отпечатки у его матери. Это два. Короче — пиздец.

— А мать его при чем?! — К Анжелике вернулось нормальное дыхание. — Она что — тоже припутана к этой мерзости?

— А мать его тут тоже была, — как-то смущенно ответил Саша. — Да он сам тебе расскажет.

— Нет, — отказался тот.

— Что значит нет? Девчонка тебя будет вытаскивать, а ты отказываешься ей даже объяснить? — Саша возмущенно тряхнул его за локоть. — Нет, ты уж сам расскажи.

— Откуда это я буду его вытаскивать? — забеспокоилась она.

— Из жопы, — холодно ответил Саша. — Сама понимаешь — тут нашли их отпечатки, им нужно подтверждение, что они бывали здесь. А ты, ворона, талдычила у следователя свое — никто в гости не ходил. Ты должна будешь подтвердить, что Юра со своей мамой както зашли на чай. И больше ничего от тебя не требуется. Им хватит.

— Ничего я не подтвержу! — взвизгнула она. — Какое свинство! Им было западло мне алиби подтвердить, а я должна их выгораживать? Пусть убирается отсюда!

— Я пойду... — загнанно сказал Юра и действительно стал выбираться из-за стола.

Анжелика тоже вскочила, чтобы держаться от него подальше. Но он не сделал ни единого движения в ее сторону. Его шатало. Он держался за край стола и повторял:

— Ей конец, и мне конец.

— Сядь! — крикнул Саша. — Сядь, дурак!

Он силой усадил его обратно. Анжелика прижалась спиной к стене, губы у нее побелели. Через минуту, не дождавшись продолжения сцены, она спросила:

— Кому это конец? Мне?

— Маме... — Юра вдруг часто и тяжело задышал, закрыл лицо ладонью и заплакал.

— Маме? — Она чуть отошла, увидев, что он ей в самом деле не угрожал. Но за стол сесть не решилась. Этот плачущий двухметровый парень не внушал ей больше страха, но видеть его было неприятно. Она обратилась к Саше: — Ты можешь мне путем объяснить, что они с мамой сделали и почему ты их выгораживаешь? Мне бы так помогал на следствии, вместо того чтобы сплетни разносить!

— Я не сплетни разносил, я тебе помог.

— Чем это?

— Мало ли кто мог узнать про бриллианты? А ты смолчала бы, а это подозрительно. Чем больше следователь будет знать, тем лучше для тебя. Тебе скрывать нечего.

Она недоуменно посмотрела на Юру. Саша, осторожный Саша, впервые столь открыто обсуждал их дела в присутствии постороннего свидетеля. Ей пришла в голову дикая мысль — а настолько ли Юра посторонний? Его появление в доме в ночь после убийства... Его страх. Его скрытность, нежелание идти к следователю. Все это можно теперь объяснить страхом за себя и за мать. Но поведение Саши, его непонятная откровенность? Она поманила его, и он вышел за ней в коридор. Там она приперла его к стенке:

— Он что — все знает?!

— Нет. — От Саши пахло вином и табаком, глаза припухли, как всегда после алкоголя. Он выглядел ничуть не смущенным и не растерянным. — Он ничего не знает, я же не дурак разбалтывать.

— Так зачем ты при нем говоришь на эти темы?

— На какие?

— О следователе, о бриллиантах...

— Дурочка, ты сама завела все эти разговоры, — снисходительно напомнил он. — И между прочим, ничего криминального тут нет. Думаешь, родственники всех покойников на свете только и делают, что рвут на себе волосы и молятся за упокой их душ? Они делят наследство, цапаются друг с другом... А уж если еще и следствие идет — это постоянная грызня...

— Ладно, но я не буду ничего подтверждать.

— Из мести, что ли?

— Просто не буду. Я не обязана.

— Ты хочешь, чтобы у них были крупные неприятности? Что они тебе сделали-то? Юрка к следователю пошел с тобой, хотя ему не хотелось, можешь мне поверить.

— Он обязан был пойти.

— А мог и не пойти. Мог и вообще не говорить тебе о той блондинке. Его же никто не заставлял. Но он все рассказал, а сам вляпался. Ты должна ему теперь помочь.

Его свистящий шепот действовал ей на нервы. Она немного отодвинулась и спросила:

— Эта помощь мне дорого обойдется?

— В пару фраз она тебе обойдется. И отвечать за вранье не будешь. Кто докажет, что они сюда в гости не заходили? Соседи снизу? Да они на ваш этаж вообще не ходят. Юрка с матерью ни с кем из дома не общаются. Как ты скажешь, так в деле и запишут. Больше свидетелей не будет. А им, сама понимаешь, было опасно врать, что они тебя видели в девять часов...

— Но я действительно ушла в девять! Что опасного-то — правду сказать?!

— Зато теперь тебе это пригодилось, — заметил он. — Как твое алиби?

— Рассказала, — мрачно бросила она. — Не знаю, что теперь будет. Не иначе, я с ума сошла. Но мне было так страшно! И я так устала... — Она провела рукой по спутавшимся за день волосам и прошептала: — Да ладно... Бог с вами. Скажу я, что они тут были. Только нервы с вами трепать... И сигарета, значит, его мамаши... Стоило столько мучиться... Ленка уже знает?

— Я предпочитаю ей не говорить.

— Почему же?

— Она мне вообще перестала нравиться.

— Так разведись, — посоветовала Анжелика. Она прислушалась — на кухне раздавались шаги. Юра, видимо, метался взад-вперед, чувствуя, что решается его судьба.

— Дело не в разводе, — озабоченно заметил Саша. — Она мне кажется ненормальной. Знаешь, этой ночью она так кричала во сне. И все такое странное...

— Это бывает со всеми.

— Она кричала: «Убей ты его, убей ты его, наконец!», а потом как расплачется... Я проснулся, лежу рядом, весь потный от страха, сперва не понял, что случилось... Слушаю ее, смотрю, как она ревет, сам чуть не рехнулся... Разбудил, она ничего не помнит, утверждала, что снов не видела. Мне с ней стало тяжело, честно говоря.

— Я пойду... — донесся голос из кухни.

Саша ухватил Анжелику под локоть и втащил туда. Усадил на табурет. Она не сопротивлялась.

— Все в порядке, Лика подтвердит, что вы заходили в гости.

Юра молча уставился на нее — без надежды, без вопросов. Он просто ждал. Она сунула в рот сигарету, потянулась за спичками. Спросила:

— А все-таки можно узнать, чего ради ты сюда пришел? И при чем тут твоя мама?

— Мама здесь бывала. У него, — с трудом выдавил тот.

— В смысле?

— Подумай, и поймешь в каком.

Ее рука, в которой она держала зажженную спичку, внезапно дернулась от боли — спичка догорела, огонь опалил указательный палец. В этот миг, в долю секунды, вспышка боли вдруг озарила все, что до сих пор было ей непонятно. Она даже не вскрикнула. Бросила обгорелую спичку на пол, зажгла другую, дождалась, когда пойдет дым от сигареты. Подняла глаза. Юра сидел сгорбившись, свесив руки между коленей, смотрел в пол. Саша, полуприсев на подоконник, размашисто качал ногой и с циничным любопытством рассматривал стриженый затылок своего приятеля. Этот разговор явно доставлял ему удовольствие.

— А ты не врешь? — спросила она. — Трудно поверить.

— Не вру, — ответил он с какой-то даже ненавистью. — А зачем мне? Я бы мог соврать, чтобы не позориться. И ее не позорить. Я правду говорю.

— И давно они?..

— Год по крайней мере.

— С ума сойти! — Она жадно затягивалась, не спуская с него глаз. Ей было даже весело, впрочем, веселость была истерического характера, как и все впечатления в этот нелепый день. А начинался он так удачно!.. — Ну почему на это пошла твоя мама, я еще могу понять. А он-то зачем?

— Ты не понимаешь мужской психологии, — вмешался Саша. — Мужику, в общем, все равно что трахать.

Она заметила, как при этих словах напряглись плечи Юры — надо сказать, довольно широкие. Укоризненно взглянула на Сашу, снова обратилась к несчастному парню:

— Слушай, а ты как относился?

— А как мне относиться? Я с тобой не общался, его тоже мало знал. А Сашки это не касалось. Зачем мне кому-то рассказывать?

— А как узнал?

— Да просто. — Он понемногу начинал трезветь. — Узнать не трудно, мы же соседи. Что я — не видел, куда она бегает на полчаса?

— Ладно, все! — Анжелика вздохнула. — Кругом мерзость. Ну и подзаборник был мой муж! А с виду такой порядочный, строгий даже... Похоже, у него был целый... — Она хотела сказать «гарем», но осеклась — речь все же шла о матери Юры. Скомкала фразу, в последний раз затянувшись сигаретой, бросила ее в пепельницу. — Ну хорошо. Насчет твоей мамы и ее отпечатков я уже все поняла. Но ты зачем пришел сюда?

— За отцовским кубком.

— Зачем-зачем?

— Она снесла твоему мужу отцовский кубок, память об отце... — со злостью пояснил он. — Я пришел домой, увидел, что кубка нет. Она, видимо, давно решила его подарить, потому что в последнее время держала не на видном месте, а в шкафчике. Чтобы я отвык его видеть, понимаешь? А я сразу что-то неладное почувствовал. Представляешь — прихожу я домой, поужинал. И за каким-то чертом полез в шкафчик. Вижу — кубка нет.

— Ада Дмитриевна поторопилась, — вставил Саша. — Ей надо было хоть инсценировать ограбление квартиры. А так он сразу все понял.

— А что за кубок такой? Спортивный? — поинтересовалась Анжелика.

— Нет, отец в жизни спортом не занимался. Кубок очень красивый, баварское рубиновое стекло, на кованой золотой ножке. Его привез дедушка с войны как трофей. Отец этот кубок очень любил. Несколько раз рисовал его. Он же был художник.

— Между прочим, портрет Ады Дмитриевны с этим кубком у них в большой комнате висит, — снова вмешался Саша. — Шикарный портрет!

— Я когда увидел, что кубка нет, сразу понял — она его подарила Игорю, — продолжал Юра. — Припер ее к стенке, она молчит. Значит, думаю, так и есть. Побежал сюда. Вбегаю — он лежит на полу мертвый. Я сразу понял, что мертвый. Кубок на полке стоит, рядом с часами. Я не сразу решился подойти к нему. Потом все же подошел, наклонился, даже лоб ему потрогал. Уже был холодный...

— Во сколько это было?! — жадно спросила она.

— Я могу точно сказать, во сколько я в себя пришел. В десять сорок пять. У себя в комнате, с кубком в руке. Значит, труп я нашел минут пятнадцать назад. В половине одиннадцатого. Наверное, тогда я и сигарету выронил из кармана, когда наклонился над ним. Не помню, ни черта не помню... Я в тот день опять курил мамины сигареты.

— А мама твоя во сколько приходила? Она действительно была у него в тот вечер? И ничего подозрительного не видела?

— Ничего и никого, кроме тебя. Она смотрела в глазок, когда ты уйдешь. Ты ушла в девять. Тогда она подождала пять минут и побежала к нему с подарком. — У Юры при этих словах скривилось лицо. — Но он подарок взял, а ее выставил, под тем предлогом, что скоро уйдет.

— Так я и знала! Твоя мама все же видела, когда я ушла?! А больше она никого не видела? Не смотрела в глазок, когда он выставил ее?

— Для ревнивой женщины — вполне нормальное явление, — явно издевательски вставил Саша. — А вот наша Лика совсем не ревнива! Если у нее и есть достоинство, то только это!

— Мать сидела у себя и плакала целый час, пока я домой не пришел, — отрезал Юра, явно тяготясь этим расследованием. — А потом я сам туда побежал. Вот и все. А то, что она тебя видела... Ей нельзя об этом говорить. С чего бы ей за тобой следить, если разобраться? Понимаешь, если обнаружится это дело, то нам с ней конец. Ты пойми, она же была его любовницей... Мерзко говорить, но ей приходилось дарить ему подарки, чтобы он хоть изредка на нее обращал внимание. Мать еще не старая... Многим нравится... Что она к нему привязалась? Лучше бы она была старухой! — резко закончил Юра.

— Лучше чего? — Анжелика была ошеломлена этим потоком темпераментных выкриков. От внешне хладнокровного соседа она такого не ожидала.

— Лучше, чем быть такой, как сейчас! Я ее иногда ненавижу!

— Ну хватит, хватит! — Саша разлил по рюмкам мускат, придвинул одну Юре: — Выпей. И ты, Лик, тоже. Тебе полезно, после стресса.

Она с отвращением отодвинула сладкую гадость, а Юра с обреченным видом выпил.

— А мускат у нас в доме откуда? — спросила она. — Ты, что ли, Юра, принес?

— Мамин мускат. У нас его целый склад. Она его любит.

— А... То-то я глядела — у нас всегда в холодильнике бутылка этого недоделанного сиропа!— усмехнулась она. — Наверное, приносила с собой, когда в гости шла?

— Ну.

— Так и на бутылке, наверное, ее отпечатки пальцев нашли?

— А проверяли бутылку?!

— По-моему, они тут все проверяли. Да ты не переживай, я скажу, что это вы мускат принесли. Ничего страшного, поверят. — Анжелика смотрела на парня с жалостью. Потом решилась задать еще один вопрос: — Юра, а отец твой где?

— Умер. Давно.

— Что-то у всех у нас с отцами неладно, — вздохнула она. — У кого из семьи ушел, у кого ушел в мир иной...

— А у кого отца прогнали. — Юра повернул голову и посмотрел на своего приятеля.

Саша подхватил его под мышки и помог встать:

— Все, ты готов. Лика, его надо куда-то уложить.

— Да клади к Игорю, на диван. Постой! — воскликнула она вдруг. Юра поднял на нее сонные глаза. — А как ты вошел в квартиру?! Когда вернулся за кубком?! Твоей маме Игорь открыл, это я понимаю, но кто открыл тебе?

Ни слова не говоря, он медленно полез в карман и с трудом извлек оттуда несколько ключей в связке. Анжелика даже с расстояния узнала ключи от собственной квартиры.

— Откуда они у тебя?!

— У мамы были... Сделала... — Он невразумительно помахал рукой в воздухе.

Саша уволок его из кухни и через несколько минут послышался капризный голос Юры, он не желал ложиться. Дескать, хочет кое-что сообщить Лике!

А она стояла в раздумье на пороге — одна связка ключей в руке, другая — в кармане. Там же лежали ключи от машины и гаража. Она сложила все это на ладони, в результате получилась внушительная и довольно увесистая кучка железа.

— Хотела бы я знать, — пробормотала она, — у кого еще есть ключи от моей квартиры?

## Глава 8

Утром, глядя в зеркало, она обнаружила темные круги под глазами. Нахмурилась, открыла пудреницу и увидела там жалкие крохи и истрепанную губку. Все эти дни у нее не было повода как следует накраситься, тем более позаботиться о своей косметичке. Анжелика терпеть не могла таких «сюрпризов». Пришлось использовать то, что осталось, а потом быстренько собраться и съездить в центр. Собственно, пудру «Ланком» можно было купить и где-нибудь поближе, но Игорь раз и навсегда приучил ее делать покупки только в ГУМе, куда она теперь — по привычке — направилась. В гумовских галереях Анжелика долго не задержалась — не было настроения демонстрировать свои «подбитые», кое-как накрашенные глаза. Купила искомую пудру, съела безумно дорогое и довольно вкусное пирожное и вернулась домой. Однако неприятности на этом не закончились. И все же если бы Анжелика знала, что ее ожидает, она бы решила, что провела утро чудесно.

Около полудня без звонка, без предупреждения заявилась ее мать, притащившая тяжелую сумку с продуктами и целый ворох впечатлений. Для начала Анжелика услышала, что она «безответственная особа». Например, она совершенно забыла о таком обычае, как девять дней. Анжелика всегда была несведущей в области обычаев и этикета. Кроме того, ей никогда и никого не приходилось хоронить, а рассказы о чужих похоронах она старалась пропускать мимо ушей.

— Ну хорошо, — вздохнула Анжелика, выслушав все упреки. — Не справила я эти девять дней. Забыла, не успела. И косынку я выкинула. В конце концов, это мое личное дело.

Потом она сознательно «оглохла» минут на пять, давая матери выговориться, и обрела слух, только лишь услышав имя отца.

— Андрей, — пожаловалась мать, — совершенно тобой не интересуется! Я звонила ему, а он...

— А зачем ты звонила?

— Но ты же его дочь! Его дочь осталась вдовой, а ему и дела нет!

— Знаешь, — заметила Анжелика, — меня это не удивляет. Игоря он вообще не знал. Я думаю, что папа до сих пор уверен, что мне четырнадцать лет.

— Хватит острить!

— Если это острота, по-твоему... Оставь отца в покое. Так будет лучше для нас всех.

— Ты всегда его защищала!

Тут Анжелике пришлось снова «оглохнуть» — минут на десять. Зинаида Сергеевна даже всплакнула под конец своей пламенной речи, в которой она вкратце описала свою «погубленную ради ребенка» жизнь. Когда «ребенок» закурил и закатил глаза, мать поняла, что следует сменить тему.

— И что ты теперь собираешься делать? — спросила она.

— А что?

— Ты же осталась без средств к существованию! Тебе надо найти работу!

— Зачем? — вяло отреагировала Анжелика.

Этот ответ привел мать в ярость.

— Тебе двадцать пять, а ты вообще ничего не умеешь делать! Только в казино играть! Ужас! Я вообще не понимаю, как Игорь тебя терпел!

— Я тоже. Ну и что? А насчет моего будущего не переживай. У меня есть эта квартира, есть машина. Остались сбережения. Когда деньги кончатся, я пойду продавать водку в местный супермаркет.

Анжелика говорила резче, чем ей хотелось бы. В сущности, она не хотела грубить матери, но спокойно слушать нравоучения не могла. Мать вконец расстроилась, это было заметно. Анжелика тоже пала духом. «И почему она никогда не может поговорить со мной как с человеком, а не как с собакой, которая нагадила в углу? — спрашивала себя Анжелика. — Почему я всегда как будто виновата перед ней? Конечно, станешь при таких условиях грубиянкой! И ведь я понимаю, что она желает мне добра, но как она это делает!»

Мать налила себе холодного жидкого чая и сдавленным голосом проговорила:

— Не хотела тебя расстраивать, но ладно уж. У Игоря, кажется, была женщина.

— Знаю! — беспечно отмахнулась Анжелика.

Мать остолбенела. Спустя минуту она осторожно спросила:

— А откуда ты знаешь?

— А ты откуда?

— Она звонила, когда были поминки... — неуверенно пробормотала мать. — Такой довольно молодой голос... Спросила Игоря, я сказала, что он умер... Она ахнула и повесила трубку. Я даже не успела узнать, кто звонит.

— А может, просто знакомая?

— Все его «просто знакомые» были на поминках! И вообще, я уж как-нибудь разберу по голосу, любовница это или «просто знакомая»! Опыт имеется!

— Да уж... — протянула дочь. — Ты запросто могла бы вести следствие. Я думаю, уже нашла бы ее.

— А что следователь говорит?

— А ничего. Меня оправдали. У меня алиби.

Все это не совсем соответствовало действительности, но Анжелика решила раз и навсегда закрыть эту тему. И ей было жалко мать — та, конечно, беспокоилась за дочь, находящуюся под следствием.

— Слава Богу! Еще бы они тебя не оправдали! А я думаю, раз квартиру не ограбили, может, это была его женщина?

— Я и сама так думаю.

— А может, это та, которая звонила?!

— Вполне вероятно. Жалко, ты с ней подольше не поболтала. Я, между прочим, уже сдала следователю видеокассету с ее физиономией, — сообщила Анжелика. — Надеюсь, ее быстро найдут. Но хотелось бы знать имя.

— А как же ты про нее узнала? Игорь же не мог рассказать...

— Конечно нет. Узнала от посторонних людей. И вообще, мой муж был та-а-кой ходок! — Она округлила глаза. — А ты все говорила, что я его недостойна! Да я просто ангел по сравнению с ним. Я-то ему никогда не изменяла.

Мать не стала возражать. Верность была тем качеством, которое, как она полагала, передалось от нее ее дочери. Отца — в смысле наследственности — она решительно сбрасывала со счетов. И не желала, чтобы Анжелика чем-то на него походила.

— А вообще-то... — медленно проговорила Анжелика. — Вообще-то, наверное, та, с кем ты говорила, ни при чем.

— Это почему?

— С какой стати ей спрашивать Игоря, если она его убила?! Соображать надо!

— А может, для отвода глаз! — предположила мать. — А если она хотела проверить, точно ли убила Игоря или нет?!

— Прекрати! Для отвода глаз надо сидеть у себя в норе и не высовываться. Ее никто не знает. Зачем ей вообще сюда лезть? Вот если бы это была одна из его знакомых по работе! Тогда ей обязательно надо было прийти на поминки, чтобы отвести от себя подозрения.

Тут зазвонил телефон. Анжелика сбегала в большую комнату, сняла трубку и сказала: «Алло!» Тотчас же послышались гудки. Она вернулась к матери и решительно заявила:

— А вообще, мам, я собиралась уходить. Так что извини...

— Я подожду, когда ты вернешься, — предложила мать. — Хочешь, обед сготовлю?

— Нет, я вернусь поздно.

— Тебе же тут одиноко...

— Нет, — отрезала Анжелика.

Мать не стала настаивать. Когда Анжелика говорила «нет» таким тоном, спорить было бесполезно. Она разобрала сумку, сунула продукты в холодильник и ушла — разом постаревшая, растерявшая боевой пыл, грустная. Анжелика отдернула занавеску и посмотрела, как мать пересекает двор. Сердце сжалось — сверху мать казалась такой маленькой, трогательной, жалкой... «Мне не одиноко, это ей самой там одиноко, она тянется ко мне... — думала Анжелика. — Я свинья. Мне за свинство можно медаль дать. Окликнуть ее, позвать назад? Поздно. С этим я опоздала на много лет. Нам будет плохо вместе. Мы друг друга не поймем. Не знаю, что делать. Не знаю...»

На сердце у нее было тяжело. Не развеселили даже девочки, играющие под окнами в классики. Теперь там веселилась целая стайка в шортиках и расклешенных юбочках. Свою знакомую девочку, которая рисовала кривые классики и училась играть в полном одиночестве, Анжелика тоже узнала. Та сидела на бордюре, скрестив ноги в голубых джинсах, и смотрела на скачущих подруг. Она не играла. Ее никто не брал в пару. Такая неуклюжая напарница могла испортить все дело. Девчонки скакали, изощряясь на все лады, — по диагонали, задом-наперед, с закрытыми глазами, на левой ноге, хлопали себя ладонями по груди после каждого прыжка и удара по бите, даже ползали на корточках, при каждом ударе подпрыгивая, точно огромные жабы. Анжелика смотрела на них с завистью. Девочка на бордюре — тоже. «Вот, — подумала Анжелика, — она так сидит, совсем одна, а потом ей станет до того скучно и одиноко, что она выскочит замуж за первого попавшегося хама, который сломает ей жизнь...» Теперь, когда она думала о муже, угрызения совести ее совсем не мучили. Возможно, последней каплей было вчерашнее известие о том, что величественная Ада Дмитриевна, вдова художника, была любовницей Игоря. Нелепо, смешно, удивительно... Настолько удивительно, что с трудом верилось. Но Анжелика поверила сразу и потеряла остатки уважения и к соседке, и к покойному мужу, и ко всему миру в целом.

Снова зазвонил телефон. В трубке раздался грустный голос Саши:

— Привет, старушка. Надеюсь, у тебя дела лучше, чем у меня.

— М-м-м... — протянула она. — В чем дело?

— Ленку забрали.

В глазах у Анжелики потемнело. Несколько секунд она ловила ртом воздух. Наконец, собравшись с силами, выдавила:

— Господи, за что?

— Как это за что? — В голосе Саши звучало недоверие. — Ты меня вообще слушаешь? Я же тебе говорю — ее увезли в больницу.

— Впервые слышу! Я думала — в милицию!

— За что?! — в свою очередь воскликнул Саша.

— Вот и я удивилась... А что с ней такое? Нервный срыв, что ли?

— Да, но это не главное. Срыв я бы еще пережил. Она наглоталась таблеток.

— Ленка?! — изумилась Анжелика. — Сознательно наглоталась?

— А ты думаешь — случайно?! По рассеянности выпила две упаковки димедрола?!

— Мамочки, что это с ней случилось?! — ахала Анжелика. — Она хотела покончить с собой?!

— Да уж наверное!

— А записки не оставила?

— Нет, ничего не оставила. Прихожу домой вчера вечером, от тебя, гляжу — она лежит в постели, глаза закрыты, еле дышит. Я успокоился — хоть уснула. Знаешь, я даже за нее боялся в последнее время. Ей вся эта история тяжело далась.

— Почему-то тяжелее, чем мне и тебе, — проворчала Анжелика. — А ведь она ему никто! Когда она начинала закатывать нам сцены или падать в обмороки, мне казалось, что это специально, чтобы показать, какая я бессердечная дура.

— Но она это делала не специально... — возразил Саша. — Лена не такой человек. Я всегда считал ее более сдержанной... Во всяком случае, ломать комедию перед нами она бы не стала. Ей действительно было плохо, а мы не понимали...

— Знаешь, у меня и своих проблем выше крыши! — фыркнула Анжелика. — Не рассчитывала, что придется ее успокаивать. Я ведь тоже нуждалась в помощи...

— Но ты в порядке, а она... — заныл Саша. — Представляешь, я принял душ, лег с ней рядом...

— Избавь меня от подробностей, — попросила Анжелика. — Ненавижу слушать про чужие постельные приключения.

— Идиотка! Ничего не было! Она так крепко спала, что я не решился бы ее разбудить.

— Вот тебе и подробности... И что — к утру ты понял, что она вовсе не спит?

— Да нет, до меня дошло, что спит она как-то... чересчур спокойно, не вздыхает, не ворочается. А в последнее время у нее был такой плохой сон! Смотрю на стол — там пустой стакан, бутылка воды рядом, бумажки. Я вечером внимания не обратил, а тут стал рассматривать. И обнаружил, что все это от снотворного. Стал ее толкать — не просыпается. Но сердце еще прослушивалось, только так тихо, прямо жуть... Я вызвал «скорую», ее увезли...

— И как она?

— Сделали промывание, но она без сознания.

— Выживет?

— Обещают, что да. Я только что из больницы... Не могу понять, что с ней случилось.

— Она тебе все объяснит, когда выйдет. Придется объяснить.

— Сомневаюсь, что она захочет что-то объяснять... Знаешь, я был свиньей.

— Представь, я только что думала то же самое о себе! — вздохнула Анжелика.

— И потом, меня беспокоит то, что это привлечет внимание милиции. Как ты думаешь — ведь привлечет? Все же покушение на самоубийство...

— О, не знаю... Из-за того, что убили Игоря, может, и привлечет... Слишком много смертей на одну семью, пусть и недружную...

— Типун тебе на язык! Она не умерла! — в испуге закричал Саша. — Жаль, что она не оставила записку... Если было что-то важное, я бы хоть узнал... А если нет — если она травилась просто так, из-за нервов, — показал бы в милиции, если бы спросили о причине... А так... Не знаю, что говорить...

— Вот когда тебя станут щипать, тогда и думай, — выпалила Анжелика. — Когда меня таскали в милицию, тебя это как будто не очень волновало. Во всяком случае, ты же на нее не покушался! Нельзя насильно накормить человека снотворным. Даже если ты чудовище и довел жену до самоубийства, все равно тебя не будут судить и не посадят.

— И тебя не будут, — уверил он ее. — Слушай, мне так скверно... Хочется куда-нибудь пойти... Ты не хочешь развеяться?

— У тебя семь пятниц на неделе! То жена помирает, то ему хочется развеяться!

— Я все равно ей не помогу, а сам могу свихнуться в этой квартире, рядом с этой постелью!

— Выброси постель и купи новую, — посоветовала она. — Деньги теперь у тебя есть. И вообще, что это все мужики такие нытики?!

— Кто — все?

— Ты и Юра.

— А он не заходил?

— Я ему не открою, если зайдет. Он от меня бегал, когда надо было показания давать, теперь я от него побегаю.

— Лика...

— Да ничего с ним не случится! С этой бальзаковской женщиной тоже!

— Слушай, — спросил он почти заискивающе, — а ты не хочешь нынче вечером наведаться на «Александр

Блок»? Там у меня не то что грустные мысли пропадают, но и вообще всякие...

Она так и подскочила:

— Ну, ты и!..

Ничего более красноречивого она сказать не смогла, но Саша и так все понял:

— Все, поеду один. Не думал, что ты станешь такая правильная. С чего бы это?

Она бросила трубку. «Все рехнулись! Ленка, Саша, Юра, его мамаша и я за компанию! Если так дальше пойдет, в конце концов соберемся в большую кучу и пойдем признаваться, что Игоря укокошили мы!» Телефон зазвонил снова, она с ненавистью взглянула на него и решила выдержать характер. Когда она наконец подняла трубку, были только гудки. Анжелика отправилась на кухню и сварила себе кофе. Когда она сидела за столом и дула в свою чашку, снова раздался звонок. Кофе выплеснулся на столешницу. Анжелика встала и направилась к телефону в твердой решимости задать Саше трепку. Но это был не Саша.

Голос она узнала сразу. Тот самый, низкий голос, принадлежавший неизвестной молодой женщине, так любезно предложившей алиби. Анжелика не знала, что сказать. «Спасибо за помощь»? «Я вас узнала»? «Скажите, наконец, кто вы такая»? Говорить ничего не пришлось. Эта женщина, как и в первый раз, сразу взяла инициативу в свои руки.

— Нам нужно встретиться, — прозвучало в трубке. Причем тон был такой, что стало ясно — возражений она не потерпит.

— Простите, — пролепетала Анжелика. — Может, вы все же назовете себя?

— При встрече, — пообещала та. — У тебя все в порядке?

— Да, но...

— Ладно, слушай, — оборвала та ее несмелое возражение. — Увидимся сегодня вечером, в шесть тридцать, в уличном кафе на Тверской.

— Но...

— Объясняю, как найти! — Голос звучал так, словно его обладательница привыкла командовать. — Идешь от станции «Пушкинская» в сторону Кремля, поняла? Идешь по той стороне, где ювелирный магазин, ясно?

— Там по обеим сторонам есть ювелирные магазины! — наконец вмешалась Анжелика.

— Ну, не по той стороне, где «Елисеевский», а по другой! Тут ювелирный будет раньше, чем там! Я же ясно объясняю!

— Ясно... Но зачем нам встречаться? Кто вы, можно все-таки узнать?

— Говорю — узнаешь, — отрезала та, впрочем без особого раздражения. — Ты меня поняла? И первое уличное кафе будет то самое. Там загородочка, зеленый коврик в виде лужайки, парочка пластиковых столиков и мерзкая жратва. Вот там ты и будешь сидеть.

— А в другом месте встретиться нельзя? — Анжелику все это очень занимало, но в то же время она чувствовала тревогу. С какой стати эта женщина называет ее на «ты»? Они ведь незнакомы. И откуда она выкопала алиби? И кто она такая?!

— Мне удобно в этом. Так, давай договоримся, во что ты будешь одета.

— Зачем?

— Чтобы я тебя узнала.

— А вы меня не знаете? — удивилась Анжелика.

— Нет, не видела. Да я все объясню, не переживай. Ну, что ты наденешь?

— Н-не знаю... Сегодня тепло?

— Жарко уже.

— Тогда я буду, наверное, в белых брюках и белой кофточке...

— Наверное или точно?

— Точно. Я брюнетка, что еще сказать?

— Разберемся. Да, лучше возьми что-нибудь в руки, чтобы я тебя точно узнала.

— А что?

— Журналы у тебя какие есть?

— Могу взять «Путешественник», — предложила Анжелика. Этот номер журнала она купила, чтобы узнать цены на поездку по Луаре, когда готовила версию для следователя. Ее собеседница немного удивилась:

— А что это за журнал?

— Про отдых и туризм.

— А-а-а... Ладно, пусть будет «Путешественник». Так запомни — в шесть тридцать! И не опаздывай. А если я чуточку задержусь, дождись меня обязательно. Я сама к тебе подсяду.

— А нам так нужно встретиться? — попробовала еще посопротивляться Анжелика.

— Это больше нужно тебе, чем мне.

В голосе явно слышалось превосходство. И что-то еще. Угроза? Насмешка? Анжелика с удовольствием отказалась бы встречаться с этой женщиной, но сделать это после того, как она воспользовалась липовым алиби... Такой шаг был бы слишком рискованным. И она обреченно спросила:

— А вас я как узнаю?

— Я сама тебя узнаю. Все, до встречи.

Трубку положили.

«Какое хамство все-таки... — Анжелика нашарила на столе сигареты, закурила, уставившись вдаль бессмысленным взглядом. — Что она себе позволяет? Почему говорит в таком тоне, если даже не знает меня? Меня-то она не знает, зато, кажется, слишком много знает о смерти Игоря... Иначе — при чем тут мое алиби? Ну, уж про алиби-то я все узнаю!» И все же она предпочла бы никогда не слышать этого голоса. Голос был напористый, наглый, самоуверенный. Голос командовал. Голос не терпел возражений и ничего не желал объяснять. Слишком многие люди пытались командовать Анжеликой. Она таких людей ненавидела, и все же что-то мешало ей сразу ответить «нет». Робость? Материно воспитание? Любопытство?

Она перемыла посуду, слегка прибрала в квартире, набила нижний ящик шкафа скопившимся за последнее время грязным бельем. Хозяйственные хлопоты, как всегда, давались через силу. Теперь они стали почти бессмысленными: Игоря нет, никто не упрекнет ее за грязную чашку, за несвежее постельное белье, за мутные оконные стекла. «Я не понимаю, — раздумывала она за уборкой. — Почему он со мной не развелся? Теперь выясняется, что у него были как минимум две любовницы. Блондинка и наша дорогая соседка. Не знаю, как обстояло дело с блондинкой, но Ада Дмитриевна ему просто в рот смотрела, если верить Юре... И вообще, у него не могло быть проблем с женщинами. Симпатичный, молодой, обеспеченный, серьезный. Разве что чересчур серьезный. Но может, это только со мной он был таким? Чтобы держать меня в узде? Он мог найти себе идеальную жену. Она бы не знала, как выглядят карты, понятия не имела о пароходе «Александр Блок», прекрасно бы одевалась, готовила экзотические блюда, прыгала перед Игорем на цыпочках и нуждалась бы в его мудрых советах. А я? Зачем я была ему нужна? В безумную любовь я не верю. Я впечатлила его тогда на набережной, в день нашего знакомства, это было сразу видно. Он глаз с меня не сводил, казалось — встретил девушку своей мечты. Но потом я, кажется, сделала все, чтобы его отпугнуть. Так в чем же дело? Почему он терпел?»

В преддверии встречи с незнакомкой она волновалась. Заранее проверила, в порядке ли ее туалет, в котором она обещала появиться в уличном кафе. Вещи были чистые, она отгладила брюки и повесила их на спинку стула. День был теплый, но душный, облачный. Накинув короткий халатик, она в тревоге выходила на балкон, осматривала небо и нюхала ветер — не пахнет ли дождем, не сорвется ли встреча? Если пойдет дождь, ей нечего будет делать в уличном кафе без крыши.

Звонок в дверь застал ее на полдороге к кухне. Она как раз собиралась перекусить. В одной руке у нее была незажженная сигарета, в другой — тонкие белые носки, которые она собиралась надеть на встречу. Она замерла, обернулась и посмотрела на дверь. Позвонили еще раз. «А я не боюсь, — поняла она. — Я знаю, кто это. Юра. Ему нужны мои показания. А вот фиг! Теперь подождет!»

Звонок назойливо повторился. Она окончательно убедилась, что звонит Юра — она ведь вчера забрала у него ключи от квартиры! Эта сцена до сих пор ее смущала — уж чересчур неприятно было обнаружить, что дом, где ты спишь, прячешься, чувствуешь себя в безопасности, открыт кому-то постороннему. Она на цыпочках подкралась к двери, прислушалась. На площадке было тихо. Ей в голову вдруг пришла мысль — Саша и Лена тоже стояли и звонили, и в первые два раза Игорь так же подходил к двери и слушал... Что мешало ему открыть? Откуда он мог знать, что за дверью — смерть? Что-то чувствовал? Что-то знал? Она ничего не знала и ничего не чувствовала. Она просто не хотела, не могла открыть, хотя не было ничего легче, чем протянуть руку, повернуть ручку замка, увидеть Юру, послать его к черту...

На площадке был шершавый цементный пол. Она услышала, как по этому полу шаркнула подошва. За дверью кто-то топтался и молчал. Потом она услышала, как звякнули перила — кто-то взялся за них рукой, они всегда так при этом звякали... И шаги вниз по лестнице. Вниз — а не в квартиру напротив. Она решилась, отодвинула крышечку с глазка, выглянула. На площадке пусто. Дверь напротив закрыта. Тогда она отперла свою дверь и выскочила на площадку, перевесилась через перила. Перила гудели уже где-то на первом этаже — видимо, посетитель бежал, а не спускался шагом. Она вернулась в квартиру, захлопнула дверь, побежала на кухню, чтобы выглянуть в окно и увидеть выходящего из подъезда. Но она явно опоздала — смотрела минуты две, а из подъезда никто не вышел. Потом вышла старушка. Визитер явно покинул двор прежде, чем она успела занять наблюдательный пост у окна. Только девочки все еще играли в классики, да старушка заковыляла вслед за своей облезлой белой болонкой, да появился в поле зрения сосед — тот самый, которого она вчера встретила у гаражей. А парня не было.

«А почему парня? — спросила она себя. — Может, приходила наша блондинка?» Она и сама не могла сказать, почему была уверена, что в дверь звонил мужчина. Молчание, шарканье подошвы большого размера, звон перил, когда за них ухватилась тяжелая рука, скорость, с которой тот скрылся... «И к тому же, — с грустью пояснила она себе, — если это была блондинка, от нее, наверное, пахло бы моими духами... А на площадке не пахло ничем». Ей стало не по себе, но от идеи перекусить она не отказалась. Мать привезла гору продуктов — видимо, считала, что дочь убита горем и теперь нуждается в доставке продуктов на дом. Анжелика вытащила колбасу, кетчуп, банку оливок, наделала бутербродов, налила большую кружку томатного сока. Есть она отправилась на балкон — не для того, чтобы наблюдать за своим подъездом (тем более, что он был с другой стороны дома), а просто для разнообразия. Когда первый бутерброд был съеден, кружка наполовину опорожнена, а на душе полегчало, ее неожиданно окликнули. Она в испуге завертела головой. И увидела Юру. Он высовывался из окна своей квартиры, а так как жили они в «хрущебе», до его окна было рукой подать. Протяни Юра свою длинную руку — смог бы Анжелику хлопнуть по заду.

— Напугал! — пробормотала она с набитым ртом. Прожевала остатки бутерброда, запила соком и поставила кружку на подоконник. — Это не ты ведь ко мне в дверь звонил?

— Нет, я только проснулся.

— Хорошо спишь, совесть чиста? — спросила она насмешливо.

Он промолчал. Наверное, предпочел сделать вид, что не помнит, как вчера уснул в квартире Анжелики, в бывшей комнате ее мужа, и что рассказывал, и как плакал, и как Саша тащил его к матери, а он ни за что не хотел уходить.

— Знаешь, — сообщила ему Анжелика, — я хочу поменять замки в двери.

Юра наморщил лоб, вспоминая, видимо, вчерашний эпизод с ключами.

— Разумно, — выдавил он наконец. — Тебе надо быть осторожней.

— Может, найму тебя в охрану. — Настроение у Анжелики заметно улучшилось. Она принялась за второй бутерброд.

Юра вздохнул:

— Голова болит. У тебя ничего нет?

— Ничего. — Она сделала последний глоток. — Сходи в клуб «Ла Кантина», там недурно кормят. Мексиканская кухня.

— Где это?

— На Тверской.

— А... у нас там квартира, — откликнулся Юра.

Анжелика изумилась:

— Серьезно? — Она посмотрела на него недоверчиво. — Квартира на Тверской? И классная, наверное?

— Неплохая, четыре комнаты. Там отцовская квартира. А эта — мамина.

— А что вы тут живете?

— А мы ту квартиру сдаем. Мать же не работает, а я учусь.

— И за сколько сдаете?

— Не спрашивай, — с загадочным видом ответил Юра.

Она прониклась к нему уважением — не каждому выпадает счастье жить на Тверской! Юра, похоже почувствовав, что его акции повысились, довольно бодро спросил:

— А может, сходим куда-нибудь пообедать?

— Тебе мать не готовит?

Он молча пожал плечами. Она закурила. Протянула и ему сигарету. Теперь они были совсем рядом — она в углу балкона, он высовывался из окна. Анжелика даже видела, какого цвета обои в его комнате. Зеленые в бежевую полоску.

— Она дома? — шепотом спросила Анжелика.

— Уехала в парикмахерскую.

— Ну как она? Узнала, что ты разболтал?

— Я тебя прошу: по возможности не вспоминай об этом, — нахмурился Юра.

— Подумаешь! Я же никому не скажу.

— А нас весь дом слышит.

— Как это?!

Он указал вниз, и она увидела, что в окне под ним красуется дама лет тридцати. Соседка, женщина с испитым дегенеративным лицом, встретила взгляд Анжелики без всякого смущения. Анжелика возблагодарила Бога, что не ляпнула чего-нибудь неподходящего. И в то же время разозлилась. Кивнув на соседку, она спросила:

— А откуда ты знаешь, что она там? Ты же ее не видишь!

— А не чувствуешь, как перегаром разит?

Анжелика потянула носом и убедилась, что Юра прав. С грустью сказала:

— Тогда ладно, потом поговорим. Я, честно говоря, думала, что это ты ко мне в дверь звонил, по вчерашнему делу пришел, как договорились. Помнишь, как я к тебе бегала?

— Что? А... Знаешь, тебе не стоит самой лезть... Когда спросят — тогда ответишь. А то с чего бы ты стала о нас говорить, да? Получается, что мы тебя попросили?

— Ты прав. Слушай, ты очень, наверное, осторожный человек? — Анжелика заговорила смелее, потому что дегенератка внизу исчезла, даже закрыла окно.

— Я-то осторожный, но пользы мне от этого никакой. А можно к тебе зайти?

— Нет. — Передернув плечами, она взяла с подоконника пустую кружку. — Я сейчас ухожу.

— По делам? — У него был вид собаки, с которой хозяин отказался погулять.

Анжелика посоветовала:

— Да сходи ты куда-нибудь, не кисни! Такой здоровый парень, а сидишь с мамашей и расстраиваешься из-за ее грехов...

— Да тише ты!

— Ее нет. — Анжелика глянула вниз. — И вообще, ты слишком многого боишься. Я вот ничего не боюсь.

Она с величественным видом удалилась, даже не дождавшись ответа. Посмотрела на часы. Дома не сиделось, хотя до назначенного свидания оставалось еще много времени. Чтобы скоротать ожидание, она вымыла голову, уложила волосы, слегка накрасилась. Затем оделась, зашнуровала легкие бежевые башмачки и уложила в сумку кое-какие мелочи. После чего ей не оставалось ничего иного, как взглянуть в зеркало и выйти из дому.

Перед подъездом Анжелика едва не упала — на нее налетела растрепанная белокурая девчонка. Она бежала за биткой, вылетевшей за пределы классиков, и в азарте не заметила Анжелику.

— Черт бы тебя побрал, — проворчала Анжелика.

Девчонка отбросила с глаз волосы, глянула на нее и побежала прочь. Анжелика мысленно осудила «нынешнюю молодежь», вмиг почувствовав себя солидной пожилой дамой. Сделав несколько шагов, она увидела свою знакомую — девочку, которая не умела играть в классики. Анжелика припомнила, что девочка вроде бы из соседнего подъезда. Она прожила в этом доме семь лет, но так ни с кем и не познакомилась. Анжелика попыталась припомнить имя девочки. Бесполезно. Тогда она просто улыбнулась ей и кивнула:

— А ты что не играешь?

Девочка пожала плечами. Она была нескладная, но довольно симпатичная. Крупные веснушки, вздернутый нос, темно-русые волосы до пояса. Девочка рассматривала наряд Анжелики, который, видимо, произвел на нее должное впечатление.

— Слушай, — Анжелика остановилась, помахивая сумкой, — а ты не видела, случайно, из этого подъезда не выходил незнакомый парень?

— Парень? Да, видела.

— Серьезно? А какой он был из себя? Понимаешь, мне кто-то в дверь звонил, а я не открыла.

— А он такой... — в смущении пробормотала девочка. — Ну, высокий, толстый...

— Толстый?

— Не очень толстый... — Девочка улыбнулась. — Но у него пузо. Наверное, от пива.

«Ишь, разбирается в пиве и в парнях!» — усмехнулась про себя Анжелика. Однако ей было не до смеха — среди ее знакомых такой персонаж не значился.

— А он блондин, брюнет?

— Он очень коротко стрижен, почти наголо... — Девочка задумалась. — Блондин или брюнет? Не знаю... Что-то среднее.

— Ну, спасибо тебе, — вздохнула Анжелика. — Как тебя звать?

— Света.

— А меня Лика.

— А я знаю. У вас мужа убили, — кивнула девочка. Сообразив, что допустила бестактность, она ужасно смутилась, даже попыталась отвернуться.

Но Анжелика грустно усмехнулась:

— Точно, убили. Ну, пока?

Света что-то пробормотала, так и не оправившись от смущения. Кивнув на прощанье, Анжелика покинула свою знакомую.

Конечно, на место она прибыла слишком рано. Пришлось болтаться по Тверской туда и обратно, благо погода позволяла и толпа была не слишком густая. Анжелика зашла в несколько магазинов, рассмотрела косметику в «Диоре» и «Ив Роше». Потом осмотрела себя в одной очень привлекательной витрине — с зеркальными золотистыми стеклами. В этих золотых зеркалах любое лицо казалось моложе и красивее, чем на самом деле. Она осталась очень довольна собой. Какой-то парень уставился на нее во все глаза. А седой грузный мужчина, сидевший в шикарной машине, просто пожирал ее взглядом. Она на время забыла о всех своих печалях, наслаждаясь мужским вниманием. Наконец решила, что пора отправляться на место встречи. Кафе нашла без труда. Занят был только один столик из трех. За столиком сидела компания — трое парней, все в джинсах, в коже, в грязных ботинках. Анжелика уселась за свободный столик, заказала ужасно дорогие бутерброд и пиво и настроилась ждать. Было ровно шесть тридцать. Спокойно ей удалось просидеть минуты три, потом началось...

— Девушка, — окликнул ее один из веселой троицы. — Вам купить шоколадку?

— Нет, — ответила она, не поворачиваясь и вглядываясь в толпу. Она уже сообразила, что ждать в такой компании будет нелегко.

— А мармеладку? — спросил другой парень.

— Девушка! — окликнул ее третий.

Анжелика твердо решила больше не отвечать — это только провоцировало бы парней на продолжение разговора. Она открыла сумку и заглянула туда в поисках какого-нибудь чтива. Всегда легче отмалчиваться, когда смотришь в книжку. И выругалась (про себя, разумеется) — в сумке не оказалось журнала! Она напрочь про него забыла! Теперь на душе стало еще тревожней. Толпа текла себе мимо, многие бросали на нее взгляды — и мужчины, и женщины; одна из этих женщин, возможно, была той самой, что назначила ей встречу... Но почему же она не подходит? Разве можно предположить, что в таком крохотном паршивом уличном кафе окажутся две брюнетки в белых одеждах? Но рядом вообще никого нет, если не считать нахальных парней... Спутать Анжелику с кем-то — невозможно! Так почему же...

— Ну, девушка...

Ее обдало вонью — запахом давно немытого тела. Один из парней навис над ее столиком. Он был вроде не пьян, но глаза нехорошие — будто он их тоже не мыл. Глаза были тупые и злые. Анжелика схватилась за свою сумочку и отвела взгляд.

— Девушка, мы же вас не обижаем. Почему вы с нами не хотите выпить?

— Пива, — добавил его друг.

Третий парень неожиданно заржал.

Надо было уходить. Но она не могла уйти. Анжелика в растерянности озиралась. И вдруг увидела выход из положения: из-за кофейного автомата, обслуживающего заведение, выглядывал накачанный детина с трехдневной щетиной на щеках и даже на шее. Детина мигом оценил обстановку и высунулся из-за своего автомата еще на метр-другой. Габариты у парня были внушительные. Странно, что такой атлет занимался варкой кофе и подогревом кислых «баварских» колбасок. Такому пробивать бы кулаками дверцы сейфов. Тем более, что выражение лица у него было соответствующее. Анжелика взглянула на него с мольбой. Он понял. Не торопясь, вышел к столикам.

— Какие проблемы?

— Никаких, — обернулся пристававший к Анжелике парень.

— Не мешайте девушке отдыхать, — резюмировал громила.

Анжелика вздрогнула и крепче прижала к коленям сумку, готовясь дать деру. Ей показалось, что начнется драка. Но ничего подобного не произошло. Парни уселись за свой столик и стали о чем-то шептаться и громко ржать. Громила же вернулся за свой кофейный агрегат, даже не взглянув на Анжелику на прощанье. Она потягивала пиво, то и дело поглядывая на часы. Без пятнадцати семь. Без десяти. Без пяти.

Она уже выкурила столько сигарет, что в горле запершило. И уже майский вечер утратил свою весеннюю прелесть — сидеть на сквозняке было все-таки прохладно, и ноги замерзли. Кожано-джинсовые парни ушли, зато на их месте появились другие посетители, и теперь все столики были заняты. Подсели и к Анжелике. Она же сидела с пустой банкой из-под пива и огрызком бутерброда — но без журнала, без опознавательного знака, сидела уже без всякой надежды. Сидела и смотрела на толпу, и толпа смотрела на нее. В семь тридцать наконец поднялась. Ждать не имело смысла.

Когда Анжелика подходила к дому, пошел дождь. Крупные холодные капли шлепнулись ей на голову, на плечи. Она вздрогнула и побежала. Рванула на себя дверь подъезда, поспешила наверх через две ступеньки, хотя здесь, конечно, дождя-то не было. На третьем этаже запыхалась — в ушах шумело, не хватало воздуха. На четвертом сбавила шаг. На подходе к своей площадке едва не споткнулась. Выпрямилась и почувствовала, что за спиной у нее кто-то стоит. Хотела обернуться, но тут чья-то широкая и горячая ладонь зажала ей рот — легла на пол-лица. Анжелика издала сдавленный хрип, рванулась, лягнула чью-то ногу. У нее возникло ощущение, что за спиной... словно шкаф стоит. Налетчик был высок, силен, широкоплеч. И бороться с таким — так же бесполезно, как удержать падающий на тебя шкаф. Анжелика попыталась закричать, но ничего у нее не вышло. Попыталась укусить ладонь — солоноватую, огромную, шершавую. Она задыхалась. В глазах потемнело. И тут на ухо ей прошептали:

— Дома кто-нибудь есть?

Она замерла, не в силах даже помотать головой. Так страшно ей никогда еще не было.

— Открой дверь, — прошептал шкаф. — И без фокусов, поняла?

Она ничего не понимала. Шкаф быстро ощупал карманы ее брюк, сорвал с плеча сумку, встряхнул, звякнули ключи. Ключи он вложил в ее правую руку. Она их едва не уронила. Подталкивая свою жертву сзади, он подтащил ее к нужной двери и прошептал:

— Открывай давай.

Анжелика попыталась вставить ключ в скважину. Но не смогла — в глазах стоял туман, в ушах звенело. Она почувствовала, что вот-вот грохнется в обморок. И грохнулась бы, если бы он отпустил ее. Видимо, до ее мучителя дошло, что она не может справиться с замками. Он взял из ее руки ключи и сам отпер дверь. Толкнул Анжелику в спину, и она влетела в прихожую. Дверь за ней захлопнулась, щелкнул замок. Наконец ей удалось глотнуть воздуха — его ладонь уже не так плотно прижималась к ее губам. Она ахнула и попыталась закричать, но тут же оказалась на полу. Удар был оглушительный, безжалостный. Он бил по лицу. Раз, другой, третий. Склонился над ней в полутьме прихожей — и бил, бил. А она как упала на пол, так и не могла подняться. Только отползала тихонько в сторону кухни, не сводя с него безумных глаз (теперь уже действительно подбитых), и открывала рот, пытаясь закричать. Но закричать не получалось — удары следовали один за другим. Ее никогда в жизни не били. Только Игорь, один раз, но разве это могло сравниться с этим избиением!

— Ты, значит, думала, что я тебя не найду? — спросил он, приподнимая ладонью ее дрожащий подбородок.

— В-ва-вва... — задыхалась Анжелика; он откинул назад ее голову, словно решил проверить — не сломается ли шея. Последовал еще один удар — и она стукнулась затылком об пол. Анжелика лежала на полу, она пыталась приподняться, пыталась сделать хоть что-то, хоть что-то понять... Но ничего не понимала. За что?!

Он схватил ее за плечи и швырнул в открытую дверь большой комнаты. Ковровое покрытие немного смягчило удар, и она снова попыталась приподняться. На сей раз он ей даже помог — его рука приподняла ее подбородок. Теперь она почти сидела — спиной к окну, лицом к нему... И было слышно, как хлещет по оконным стеклам дождь. Анжелика наконец рассмотрела его. Высокий, плотно сбитый, одет прилично, но банально — дорогие джинсы, трикотажная рубашка-поло. Стрижка короткая, очень короткая, темно-русые волосы. А лицо... Довольно приятное, если бы его не искажало выражение дикой злобы. Короткий прямой нос, тонкие брови, скобочкой, очень светлые, как бы прозрачные глаза. И в глазах этих происходило что-то странное... Он смотрел на нее сначала яростным, невидящим взглядом — когда втолкнул в комнату и бросил на пол. Потом во взгляде появилось что-то новое — он протянул к ней руку, и она зажмурилась... Но удара не последовало — теперь обе его ладони придерживали ее щеки и виски, будто он собирался привлечь ее к себе и поцеловать, как в кино... Она все еще не решалась открыть глаза. Потом услышала вздох — это он вздохнул, странно как-то вздохнул, со свистом втянув в себя воздух. Наконец она решилась открыть глаза и увидела на его лице выражение безграничного изумления, потом — растерянности, потом — испуга...

— Вот черт... — пробормотал шкаф, убирая руки от ее лица.

Анжелика чуть не упала от неожиданности, но вовремя оперлась локтем об пол. А он развернулся и исчез в коридоре. Спустя мгновение хлопнула входная дверь. Анжелика, встав на четвереньки, поползла в прихожую. Подняться на ноги она не решилась — очень кружилась голова. Входная дверь была закрыта. Анжелика подползла к ней, подергала за ручку, убедилась, что замок защелкнут, что незнакомец действительно ушел...

Всхлипнула, опустилась на пол. В колено уперлось что-то твердое. Ключи. Ее ключи. Он бросил их, когда убегал. Она сжала ключи в руке и заревела...

## Глава 9

— Маша! Машка! — Мужчина кричал, но обожженная алкоголем глотка подводила — он то срывался на хрип, то давал петуха. — Я тебе говорю?!

В кухню неспешно вошла молодая женщина в потрепанном фланелевом халате, продранном на локтях. Лицо у нее было осунувшееся, усталые глаза с тоской смотрели на мужчину. В руке женщина держала расческу — вышла из ванной. Расчесалась, заложила за уши белокурые пряди и спросила:

— Ну, чего тебе еще?

— Куда собралась?

Женщина молча подошла к окну, распахнула одну из створок и заметила:

— Мог бы и проветрить в кои-то веки. Накурил, хоть топор вешай.

— Куда намылилась, спрашиваю!..

Мутные глаза с ненавистью ощупывали ладную стройную фигуру, которую не мог изуродовать даже убогий наряд.

— По делам, — ответила женщина скучным голосом.

— Ты же сегодня не работаешь?!

— Я всегда работаю. — Она поставила на конфорку чайник, зажгла газ. — Должна же я что-то есть. И тебя кормить, между прочим. Иван, сколько тебе говорить, не оставляй сковородку без крышки, тараканы лезут!

— Кормит она меня! — ярился мутноглазый. — Ты живешь в моей квартире!

— Ну и что?

Глаза его налились кровью:

— Ты, Машка, все забыла?! Я тебя спрашиваю, где бы ты теперь была, если б не я?! Еще разговаривает тут...

— Если бы не ты, — так же равнодушно ответила она, — я бы тогда уехала домой.

— В свой Кустанай? — с ехидством спросил мужчина.

По-прежнему не обращая на него внимания, она составила в раковину грязную посуду и вытерла со стола, для чего ей пришлось сдвинуть на угол недопитую бутылку водки и мутный стакан. Мужчина следил за быстрыми движениями тонких белых рук. Потом попытался перехватить ее руку. Она молча освободилась. Мужчине было лет шестьдесят. Небритый, обрюзгший, седой — он распространял по квартире запах водочного и табачного перегара, запах нестираного белья. Женщина поморщилась. Он заметил это. Усмехнувшись, спросил:

— В Кустанае тебя вроде никто не ждал? Чего же ты не поехала, раз могла?

— Дура была, — ответила она, уже не так равнодушно. Затем отошла к раковине и пустила воду. Взяла в руки мочалку.

Женщина с тоской смотрела в приоткрытое окно. Там шумела щедрая майская листва, там сверкало на мокром подоконнике солнце, там был яркий день, свежий ветер, там была жизнь... А тут — он и она. Вот уже двенадцать лет. Только они двое. И его пьяные друзья — изредка, он не любил никого приглашать... Предпочитал пить в одиночку, и сколько ни старался, не смог приучить ее. Тут за спиной ее раздалось тихое фальшивое пение. Мужчина пытался напевать: «Какая свадьба без баяна, какая Марья без Ивана...» Потом замолчал, захрипел, закашлялся. Кашлял отвратительно, долго, мучительно. Ее передернуло — опять этот кашель. Потом она услышала звяканье стекла.

— Выпей! — потребовал он, хватая бутылку и нетвердой рукой наклоняя ее к стакану.

— Начинается, — вздохнула она. — Пей сам.

— Я тебе говорю — выпей! — просипел он.

— Отвяжись.

— Сука! — Мужчина вылакал водку и зажмурился, задохнулся, заскреб ногтями по столешнице. Потом продышался, схватил корку черного хлеба, пожевал.

Она закатила глаза, словно призывая Всевышнего в свидетели. Потом заявила:

— Пить уже не можешь. Скоро подохнешь от своей водки.

— Машка... — Он смотрел на нее глазами, полными слез. — Ну выпей же хоть раз за упокой его души.

— Сам пей! — Она резко отвернулась и принялась мыть тарелку.

— Он сын мне был...

— А мне кто? — ответила она тем же холодным тоном. Ее спина была неестественно прямой, словно затянутой в корсет.

Он, с ненавистью глядя на эту несгибаемую спину, прошипел:

— А тебе кто? Тебе кто? Ты жизнь мне сломала, сука проклятая... Выпей, говорю! Меня даже на похороны не позвали...

— Все равно наследства бы не дождался, — отрезала она. — У него жена есть.

Выпив еще четверть стакана, он нетвердой рукой нашарил папиросы, закурил. По кухне пополз едкий дым. Она поторопилась домыть посуду и сняла с плиты чайник. Насыпала себе немного растворимого кофе, плеснула в чашку кипятку и пошла в комнату. Там поставила чашку на стол, чтобы кофе остывал, и торопливо принялась краситься. Вскоре за ее спиной громко заскрипели половицы. Она обернулась, рявкнула:

— Оставь ты меня в покое! Выжрал свою бутыль? Ну и сиди кури!

— Маш. — Он с трудом уселся на старый диванчик и уставился на ее стройные голые ноги, видневшиеся под полами халата. Она заметила это, но не стала одергивать халат — ей было все равно. — Маш, а ты все-таки куда идешь?

— Отстань. — Она внимательно рассмотрела в зеркальце сперва один накрашенный глаз, потом второй. Второй получился чуть больше первого. Она вздохнула и взялась за устранение дефекта. Потом нанесла румяна, взяла красную помаду и принялась «рисовать» губы.

— Маш, ты же не в магазин?

Она не ответила. Нижняя губа удалась на славу. Оставалось «нарисовать» верхнюю. Постепенно губы становились такими, какими она привыкла их видеть — идеально очерченными, надменными, плотно сжатыми.

— Маш, я же проверю, если ты не в магазине будешь, я узнаю...

— Слишком часто стал меня проверять.

— Да! И буду! — Он повысил голос. — Красишься вот, тряпки себе покупаешь новые... Еще говоришь, что денег нет!

— Я тебе на водку выдаю, чего тебе еще? — сверкнула она глазами.

— Чего мне еще? Еще я хочу, чтобы ты больше дома сидела! Вчера вот два часа своей говенной аэробикой занималась... Для кого, а? Ты, в конце концов, пока что моя жена!

— Вот именно — пока.

Рот был готов. Она скинула халат и осталась в трусиках и в лифчике. Белье было не слишком дорогое, но свежее, отделанное белым кружевом. Мужчина впился взглядом в ее небольшую грудь — дразнящую, словно девичью. Машина фигура могла свести с ума даже законченного алкоголика. Но она не обращала на сидевшего перед ней мужчину ни малейшего внимания. Открыла шкаф, достала белую юбку и красный шелковый свитерок. Одевшись, проверила, хорошо ли натянуты колготки и достала из коробки новые белые туфли. Спрыснула грудь и волосы духами. Мужчина тупо смотрел на все это великолепие. Его чуть покачивало, пришлось откинуться на спинку дивана. Заплетающимся языком он произнес без вопросительной интонации, словно констатируя непреложный факт:

— На свидание пошла...

— Не твое дело.

Маша обулась, проверила, все ли необходимые мелочи уложены в белую сумочку. Она уже сделала шаг к двери, ведущей в коридор, когда ее остановил его свистящий шепот:

— Это ты, сука, его убила!

Она замерла. Помедлив, повернула к нему голову, внимательно вгляделась в мутные глаза, потом коротко ответила:

— Болван.

— Ты, Машка, ты! — Он попытался встать с дивана, но это ему не удалось. — Думаешь, я не знаю? Не знаю, куда ты ходила?

— Куда это я ходила? — Женщина прижала к груди сумочку, не сводя с него глаз.

— К нему!

— Откуда ты знаешь?

— Я тебя выследил! — закричал он. — Я следил за тобой!

Она помолчала. Потом пожала плечами:

— Делать тебе больше нечего? И откуда силы-то взялись следить?.. Едва по стенке ползаешь... Надо же! Ревность — великая сила!

— Ты, ты! — злобно повторил он. — До сих пор забыть его не можешь, да?!

— А ты что — все забыл? — Маша дышала сдавленно, ей едва удавалось сдерживать ярость. Ее темные глаза утратили равнодушное выражение, теперь в них словно молнии сверкали. — Забыл, видимо! Иначе не стал бы со мной говорить о своем сыне! Постыдился бы, старый пес! Да ты за бутылку водки все на свете забудешь!

— Я не забыл, нет, — пробормотал он, потупившись под ее угрожающим взглядом. — Но он мой сын...

— Я его не убивала, — отрезала она. — А хотелось бы!

— А зачем туда ходила?

— Поговорить, раз уж ты все знаешь.

— О чем? — протянул он со страдальческим выражением лица. — О чем ты с ним могла говорить?

— Да о жизни, о жизни! О жизни, которой у меня уже двенадцать лет нет! — крикнула она, выходя в коридор.

Он не успел ее задержать — в следующую секунду за ней захлопнулась входная дверь. Мужчина посидел немного, бессильно уронив руки. Потом встал и, потянувшись к столу, взял нетронутую чашку с кофе. Осторожно понюхал, попробовал отпить... Его лицо страдальчески перекосилось, руки затряслись, кофе выплеснулся на потертый ковер.

...Маша быстро шагала по тротуару, яростно размахивая сумочкой. Лишь когда ее обматерили (она нечаянно шлепнула сумкой проходящего мимо мужчину), Маша опомнилась. Прижала сумку локтем и пошла медленнее. В груди у нее все так и кипело, она с трудом сдерживала злые слезы. Наконец поравнялась с витриной продуктового магазина. Потянув на себя стеклянную дверь, вошла. Кивнула подружке за мясным прилавком. Та оживилась:

— О, какие мы красивые! Ты даже раньше, чем договорились!

— Ты сказала Тамаре, что я тебя подменяю? Она не будет выступать? — поинтересовалась Маша, останавливаясь у прилавка.

— Нет, она не возражает. А мне сегодня вечером к свекрови ехать, у нее день рождения, я уже второй год не могу сходить — все работаю... Уже обижается по-настоящему. Конечно, ночью за тебя тоже невесело пахать, но все равно...

Рыженькая продавщица болтала бы еще долго, но нервная покупательница уже который раз указывала пальцем на толстую колбасу, и Маша отправилась в подсобное помещение. Она переобулась в старые туфли на низком каблуке, накинула голубой нейлоновый халат и вышла в зал. Рыженькая уступила ей свое место и убежала переодеваться. Уходя, она улыбнулась подруге.

— Вам? — спросила Маша очередного покупателя. Затем вытащила из холодильника «Особую» колбасу.

Около пяти вечера, когда к мясному прилавку выстроилась небольшая очередь и Маша совершенно замоталась, в магазин вошел еще один покупатель. Она не обратила на него внимания — не имела привычки вертеть головой и разглядывать каждого входящего. Зато он, углядев белокурую, а не рыжую женщину за прилавком, остолбенел. Потом нерешительно направился к ней. Маша вертелась как заведенная — отрезала куски по сто и двести граммов, взвешивала целые палки, швыряла на прилавок жестяные банки тушенки, кричала в подсобку: «Саш, сосисок индюшачьих мне принеси!» Маша не видела мужчину, пока тот не поравнялся с ней.

— Вам? — спросила она машинально.

— Мне? — улыбнулся он.

Маша и бровью не повела, узнав знакомого. Указала на очередь:

— Видишь, сколько народу? Неужели не мог попозже зайти?

— А я зашел за пивом, не думал, что ты работаешь... — пожал плечами мужчина.

Ему было на вид лет тридцать. Хорошо одетый, щуплый, невысокий. Держался уверенно. В остроносом же личике его было что-то крысиное. Впрочем, его самоуверенность не производила на продавщицу никакого впечатления. Она обронила:

— Ну и что? Я подменила Оксану.

— Ладно, тогда кинь мне вон ту нарезку... — Он указал пальцем на прилавок. Услышав, сколько требовалось заплатить, тихо спросил: — А больше ничего не скажешь?

— А что тебе сказать? — равнодушно откликнулась Маша. — Слушай, не видишь — очередь!

— Например, почему ты решила эту ночь не работать? Можно узнать?

— Нельзя, — отрезала она и спросила женщину, проявлявшую нетерпение: — Вам?

Взвешивая копченую колбасу, Маша услышала:

— Ты же не первый раз так делаешь?

— Так, — обернулась она. — Отойди в сторону и подожди. Немного освобожусь — поговорим. Если тебе так хочется. Вам? — обратилась Маша к следующему покупателю.

Мужчина послушно отошел в сторону. Купил пиво «Миллер», отвинтил крышку и стал прихлебывать прямо из горлышка, попутно беседуя с продавщицей в кондитерском отделе. Он знал всех более-менее привлекательных девушек в этом магазине. Продавщица охотно кокетничала и что-то шептала, показывая глазами на Машу.

Только через полчаса возле мясного прилавка народу стало поменьше. Маша, казалось, была не рада этому. Она бросила косой взгляд на ожидавшего ее «кавалера». Тот быстро подошел и спросил:

— Ну так как?

— А никак. — Она достала из кармана халата зеркальце и заглянула в него, проверяя, не потекла ли помада.

— Что значит — никак? Ты что собираешься делать этой ночью?

— А ты мне кто, чтобы спрашивать? — спросила она с ехидной усмешкой. — Папа, дядя, дедушка? Мне, слава Богу, давно уже никто не указывает, куда ходить вечером и с каким мальчиком дружить.

— Я тебе тоже не указываю. — Он презрительно поджал губы. — Мне просто интересно — если у тебя кто-то завелся, почему не скажешь прямо?

— Что? — спросила она рассеянно.

Он разозлился, отчего стал еще больше походить на крысенка.

— Ты что о себе думаешь? Я приходил к тебе третьего вечером, тебя не было. Четвертого — тоже. Можешь объяснить, зачем тебе понадобилось меняться с Оксаной?

— Не могу.

— У тебя есть кто-то, это же ясно.

— Ну и что? — Она тоже начинала злиться. — Ты кто такой, чтобы меня проверять? А? Ты что себе вообразил? Если я пару раз полгода назад с тобой переспала, ты можешь ставить мне условия?

Он побелел, изменился в лице. Потом с ненавистью выдавил:

— Значит, так ты заговорила? Пару раз? Полгода назад?

— Ну, в апреле... — насмешливо протянула она, уже немного успокоившись. — Какая разница? Для меня это вообще ничего не значит. Если я это сделала, значит, мне так хотелось. А если я этого больше не делаю, значит, мне больше не хочется. Чего тебе от меня надо?

— Ах ты, сука! — не повышая голоса, произнес он. — Дешевка! С чего это я тебя за порядочную считал?!

— Иди, иди... — Ее темные глаза снова стали равнодушными и непроницаемыми. — Поищи себе другую подружку. Только подбирай по росту, а то в постели неудобно...

Взбешенный, он пулей вылетел из магазина. Остальные продавщицы проводили его пристальными взглядами и тут же переглянулись — переглянулись с пониманием, с улыбками. Маша снова посмотрела в зеркальце и мизинцем поправила помаду. Перевела взгляд на дверь. И шумно, горестно вздохнула. За стеклянной витриной, на улице, стоял ее муж. Старый, небритый, расплывшийся. В грязной клетчатой рубахе и спортивных штанах. Ее крест. Ее позор. Двенадцать лет ее жизни. Он выискивал Машу взглядом, а найдя, виновато заулыбался, помахал рукой, подавая знаки: «Выйди!» В магазин он заходить не решался — знал, что она поднимет его на смех, отругает, выгонит. Маша снова вздохнула. Взглянула на девушку за соседним прилавком, где торговали молочными продуктами:

— Слушай, я на пять минут выскочу. Если что, обслужи, а?

— Иди. — Та с интересом посмотрела на витрину. Все в магазине знали мужа Маши в лицо и удивлялись — что такая красивая женщина нашла в этом чудовище? — Что, опять проверка документов?

Маша только рукой махнула. На улице остановилась перед супругом подбоченившись — классическая поза всех жен алкоголиков.

— Ну что?

— Маш, я... Прости, я это...

— Что — проверил? Не к любовнику ли я пошла? Зачем явился?

— Маш... — Его небритый подбородок вдруг затрясся. Глаза наполнились слезами. — Я обижаю тебя, ты прости... Я тебе давно хотел сказать...

— Подумаешь, новости, — ответила она довольно резко. Затем повнимательнее всмотрелась в его лицо. Слезы?.. Это что-то новенькое. Да еще «прости». Обычно он подтверждал свою вину молчанием, не любил извиняться, да она и не требовала. — Так что ты мне хотел сказать?

— Про Игоря...

— Про него?!

— Да, я... это... Он умер, конечно, теперь уже можно...

— Что можно-то?! — Она нервно теребила пуговицу на своем халате, не сводя с мужа глаз. — Что ты такое болтаешь?

— Он тогда, знаешь... — Было очевидно, что каждое слово давалось ему с кровью. — Ну, когда он с матерью нас застал, в тот день...

Она молчала, даже пуговицу перестала откручивать. Глаза ее казались двумя черными провалами на белом лице. Мужчина поднял на нее умоляющий взгляд и прошептал:

— Маш, я же сам никогда бы до тебя не дотронулся... Это же он сам мне сказал...

— Что?!

— Он сам.

Она помолчала. Потом мотнула головой:

— Ты пьян, как свинья. Иди домой, проспись. Лучше бы не извинялся.

— Маш, не веришь?! Он сам мне тогда сказал: «Она на тебя обращает внимание и всякое такое... Ты ей нравишься больше, чем я...»

— Да ты рехнулся?!

— Игорь рехнулся, а не я! Я ему не поверил. А он мне несколько дней подряд твердил: «Отец, я от нее отказываюсь, я ее не люблю, а она тебя любит... Давай, смелее действуй...» Ну, ты пришла к нему, а его дома нет... Помнишь сама... Я тебя чаем поил, а потом...

Она тяжело дышала. Потом рванула пуговицу. Пуговица осталась у нее в руке.

— Потом он с матерью вдруг вернулся, я не ожидал... А мы с тобой вроде как... Сама знаешь... Ну да, я виноват...

Она положила пуговицу в карман. Едва шевеля помертвевшими губами, спросила:

— Все?

— Да...

— Значит, он сам тебя об этом попросил?

— Сам, — подтвердил мужчина.

Маша уставилась в витрину невидящим взглядом. Мужчина робко потянулся к ней, тронул за локоть:

— Зря я рассказал, наверно? Не веришь, наверно? Маш, все правда...

— Да я это давно знала, — ответила она, не сводя глаз с витрины.

Мужчина, казалось, испугался:

— Откуда?!

Она повернулась к нему. На ее губах играла едва заметная улыбка. Но в этой улыбке не было естественности — только напряжение.

— Откуда, спрашиваешь? Да ты сам как-то по-пьяни проболтался.

— Я?!

— Ты, — невозмутимо подтвердила она. — Ты нажрался в очередной раз. Я пришла с работы к утру, а ты валялся в комнате... Хотела лечь на диване, как всегда, а ты стал требовать, чтобы легла с тобой. Я послала тебя подальше. Тогда ты заявил: «Я всегда знал, что Игорь мне наврал!» Я думала, у тебя просто пьяный бред. А ты продолжаешь: «Все наврал, что ты в меня влюблена! Ты всегда от меня нос воротила! И зачем он мне намекал, чтобы я тебя окрутил? Зачем к тебе толкал? Из дома меня, что ли, хотел выгнать?» Потом ты стал плакать. А потом вдруг захрапел.

— Что-то не помню... — мучительно поморщился пьянчуга. — Ей-богу, не помню... Я так тебе сказал?

— Так и сказал. Я тебе не поверила тогда, но все же задумалась — не мог же ты все это выдумать? Значит, хоть крупица правды должна быть? Стала все вспоминать. И вспомнила, как пришла тогда к вам домой, он мне сказал — к пяти. А его нет. Стала ждать. Ты поил меня чаем. А потом вдруг стал приставать. Я даже пальцем шевельнуть не могла от ужаса — думала, ты с ума сошел... Все же отец моего парня! Ничего я не понимала. Дура была, безответная провинциалка! — Маша с вызовом тряхнула своими обесцвеченными волосами и возбужденно продолжала: — А потом... Помнишь хоть, как завалил меня? В большой комнате, на диване... Какая я дура была! Кричать почему-то боялась... Ни пикнуть, ни вырваться не могу — руки-ноги окоченели, в горле пересохло... Тьфу, тетеря! Только шептала: «Да вы что, да вы что...» Мы же еще на «вы» тогда были. И вдруг — кто-то дверь отпирает. Входит сперва твоя жена, за ней — Игорь...

Мужчина задыхался, кивал. Потом полез в нагрудный карман рубашки, достал папиросы, закурил. Маша тоже вытащила сигареты — зеленую пачку ментолового «Данхилла» из кармана халата. Выпустив первую струйку дыма, сказала уже спокойнее:

— Он выгнал меня, как шлюху. А затем и тебя. Дура я была! Все вышло так нелепо... А ведь могла бы догадаться... Но я не понимала... А потом... Потом сделала самую большую глупость в своей жизни. Надо было мне доучиться в своем строительном и ехать по распределению... А я... Не могла учиться в одном институте с Игорем. Ушла. Ты же меня нашел в общаге, когда я уже вещи паковала... И вот... Зачем я согласилась с тобой жить, зачем потом за тебя замуж пошла? Сейчас я бы такого не сделала. Дура была. И... как в тумане... Как в страшном сне. А потом... — Она вздохнула. — Домой ехать не хотелось. Позор. Ведь они знали, что у меня жених есть. Я так боялась объяснений... Это сейчас никто ничего не боится, а тогда ведь и время другое было... Во всяком случае, в таком городке, как мой, такая история — позор для девушки.

— Маш... — робко перебил он. — А ты что же — тогда все и поняла? Когда я проболтался?

— Да.

— А к нему... К Игорю... Ну, недавно... Ты не затем ходила?

— Затем, — отрезала она. Бросила сигарету в урну, спросила: — Все у тебя? Тогда я пошла.

— Нет, постой... — Он мучительно подыскивал слова. — Маш, а когда...

— Что — когда?

— Когда я проболтался?

— В апреле.

— В этом?

— Ну да, ясное дело. Иначе я бы давно к нему сходила. Разобраться.

— И... как? — Его глаза смотрели испуганно и выжидающе. — Что он тебе сказал?

— А ничего.

— Неужели соврал, что я сам к тебе полез?!

— Да он даже слушать меня не захотел, — с грустью в голосе ответила Маша. — После стольких лет едва сказал «здравствуй!». Ничего я от него не добилась. Но зато поняла: ты не соврал. Она пристально посмотрела на него и вдруг рассмеялась. Рассмеялась коротко, отрывисто, истерично. — Слушай, а ты что — и впрямь решил, что это я его прикончила?

Мужчина отшатнулся. Она уже не смеялась. Стояла, сунув руки в карманы халата и покачиваясь на стоптанных каблуках. Стояла, глядя спокойно, даже вроде бы с насмешкой. Потом процедила:

— Иди-ка ты домой. Отсыпайся.

— Я, это...

— Вот-вот. Это самое. Иди. И не болтай больше глупостей.

Он понурился, повернулся, собираясь исполнить ее приказ. Но Маша остановила его:

— Погоди! Скажи-ка, зачем ты мне сейчас все это рассказал?

— Я... Я же знаю, что обижаю тебя... — пробормотал он, стараясь не встречаться с ней взглядом. — А почему обижаю? Потому что забыть не могу, что из-за тебя моя семья распалась... Я же там оставаться не мог. И честно, Маша, ты мне нравилась, но я же сам никогда бы не решился к тебе полезть... Думаешь, не понимаю, что такая девушка не про меня! Я решил тебе рассказать, потому что... Ну, потому...

— Потому что ты уверен, что я его убила, — прошептала Маша.

— Да нет же...

— Все! — Она отвернулась и взялась за дверную ручку. — Больше не приходи.

— А... ты?..

— Что — я?

— Ты почему сегодня днем работаешь?

— Потому что ночь у меня должна быть свободна.

* * *

После обеда Анжелике позвонил следователь. Она пыталась слушать его, не слишком сильно прижимая трубку к уху — оно болело... Вчерашний посетитель приложился не только к лицу. За ночь все тайные и явные синяки и ссадины угрожающе увеличились в размерах, опухли и напоминали о себе при каждом движении, при каждом слове, при попытке улыбнуться. Впрочем, ей в это утро было не до улыбок. Полночи она прорыдала, делая себе холодные примочки и рассматривая багровые синяки на бедрах — их она заработала, когда упала на пол после первого удара... Другую половину ночи она провела в горьких размышлениях на тему: чего этот парень от нее хотел, откуда он взялся? Если это маньяк, который втолкнул ее в квартиру с целью избить до смерти — почему не довел дело до конца? Если это был вор... Так он же ничего не украл, даже ключи выбросил! Если... Анжелика совершенно ничего не понимала. Ей вспоминался эпизод из ее школьной жизни. Лика, второклассница, поднимается с портфелем по школьной лестнице — с первого этажа на второй. Навстречу ей спускается мальчишка, по виду года на три старше, наверное пятиклассник... И этот мальчишка ни с того ни с сего дает ей пощечину! Как она плакала тогда, усевшись на ступеньку со своим портфелем, как ей было больно и обидно! И сверлил тот же вопрос: за что? Не так сильна была боль от удара, как чувство обиды. Правда, синяка у нее тогда не появилось и этого мальчишку она больше не встречала. Наверное, он перешел в другую школу. На этот раз все обошлось не так благополучно. Синяков было предостаточно... И когда Анжелика наконец расслышала, что говорит ей следователь, она простонала:

— Ой, сегодня? Но я сегодня, понимаете...

— Анжелика Андреевна, — сердился в трубке бабий голос следователя. — Сами, кажется, просили, чтобы я ваше алиби проверил? Давайте сегодня, иначе я этих официанток еще не скоро соберу.

— Да они меня не узнают! — вырвалось у нее.

Он несколько секунд молчал, что-то обдумывая. Потом сказал без особого любопытства:

— Видели, значит, узнают. Давайте, давайте! В шестнадцать тридцать жду вас у себя. Пропуск оставлю. Не опаздывайте!

Она попыталась скрыть следы побоев с помощью косметики, но помогло мало — скулы заметно припухли, нижняя губа была разбита и казалась какой-то кривой, а глаза... Глаза пострадали не меньше всего прочего, но синяки удалось замаскировать с помощью тонального крема и пудры. И все равно — едва она посмотрела в зеркало, сразу поняла: ребенку ясно, что ее избили. Официантки из «Ла Кантины» ее не узнают... Ведь она сама на себя не похожа!

Владимир Борисович, с неизменной дешевой сигаретой в зубах, приветствовал ее еще с порога:

— Здрасьте!.. Сперва вы меня уговаривали, теперь я вас уговариваю...

Тут он разглядел ее скулы, а затем и глаза — Анжелика сняла темные очки, в которых добиралась до управления. Глаза у нее, надо заметить, стали значительно меньше.

— Вот... — тихо сказала она, виновато глядя на следователя. — Я об этом вам и говорила по телефону... Вы-то меня узнали?

— А что случилось? — спросил он, быстро вынимая изо рта сигарету и разглядывая Анжелику с профессиональным любопытством. — Что, опять на вас хулиганы напали?

— Что значит — опять? — Она осторожно присела на стул, поморщилась — огромные синяки на бедрах разом заныли.

— А как же ваша знаменитая история с бриллиантами? — сощурился он.

— Так это когда было... — Она раздраженно передернула плечами и полезла в сумочку за сигаретой. — При чем здесь это! Сейчас все вообще необъяснимо, ведь меня не ограбили. И я не знаю, что это был за тип... Какой-то сумасшедший.

— Расскажите!

Когда она вкратце рассказала обо всем, что случилось накануне вечером (умолчала лишь о том, что ждала на Тверской свою спасительницу), он заметил:

— Все это вообще-то очень серьезно.

— Вы так считаете?

— Разумеется. Сами подумайте: мужа вашего кто-то убил, вас избили... И что, он вам никак не намекнул, за что бьет?

— Ни словом не намекнул... Да он вообще не слишком-то много разговаривал.

— Но все-таки что-то он говорил? Или все молча проделал?

— Я ничего не помню. Просто обалдела от страха, когда он мне рот зажал...

— М-м-м... А денег не требовал, нет? Может, что-то забрал из дома?

— Нет, нет! Я сама ничего понять не могу. Только это не грабитель. Скорее — сумасшедший, клинический псих... — Она криво усмехнулась. — А с виду... вроде бы нормальный.

— Следил он за вами? Не помните, не видали его в городе? — сыпал вопросами Владимир Борисович. — А кстати, куда вы ездили?

— В центр. Нет, я его не замечала раньше...

— Могли и не заметить.

— Могла... — вздохнула Анжелика. — Лучше бы я заметила, куда он от меня побежал...

— А кстати, — следователь закурил очередную сигарету, — на машине он был, нет?

— Откуда же мне знать? Я в окно не выглядывала... Я... — Она осеклась, уставившись на Владимира Борисовича диким взглядом. — Ой, кажется... Вы знаете, вчера днем кто-то звонил в мою дверь. Я была дома, да... Но не открыла, даже не спросила, кто звонит. Это был он!

— Откуда это вам известно? — Он смотрел на нее внимательно, но без всякого интереса.

Анжелика разозлилась: «Ничем его не проймешь! Ни кассетой, ни алиби, ни моими догадками, ни свидетелями в казино...» Ее давно уже не покидало странное и неприятное ощущение: казалось, что бы она ни делала, что бы ни говорила этому человеку — ничего не идет ей на пользу. Она его не понимала. И боялась.

— Я, правда, сама его не видела, но мне описала его одна девочка во дворе, — пояснила Анжелика, стараясь, в подражание следователю, держаться невозмутимо. — Я, конечно, испугалась, что кто-то звонил в мою дверь, и потому спросила девочку, не видала ли она кого-нибудь незнакомого у нашего подъезда. И она мне его описала! Точно! Я только теперь поняла... Он, знаете... — Анжелика не сдержалась и торопливо, взахлеб, выпалила: — Высокий, стриженый, плотный, глаза серые, нос прямой! В джинсах и в трикотажной рубашке... Если бы вы его нашли!..

— На видео его ваша свидетельница не записала?

Этот вопрос едва не довел Анжелику до истерики. Она хрустнула пальцами, опустила глаза и с ненавистью в голосе ответила:

— Нет. Но верить ей можно.

— Таких высоких, стриженых... знаете, сколько? — Следователь тоже разозлился. — Ничего ваше описание мне не даст.

— И искать вы его не собираетесь? — спросила она, сверкая заплывшими глазами. Ненависть к этому равнодушному человеку захлестнула ее; казалось, еще немного... и тогда... В такие минуты Анжелика и совершала поступки, о которых всю жизнь потом жалела. Она прошипела: — А блондинку вы тоже не будете искать? Очень вам помогла кассета? Много вам ее оригинальная внешность дала? Или мне самой прикажете ее найти? И парня тоже? И убийцу тоже?

Но следователь, как ни странно, не рассердился. Возможно, Анжелика случайно нашла верный тон. Возможно, его просто насмешил ее порыв. Во всяком случае, он вполне дружелюбно ответил:

— Я работаю. Но на мне сейчас знаете сколько дел? Двенадцать.

— И все убийства? — Ее голос сорвался на визг, она прижала ладонь к губам, закашлялась.

Владимир Борисович сморгнул коричневыми от никотина ресницами и потянулся к графину. Налил полстакана воды и протянул Анжелике. Она не стала пить, ей был противен и стакан, и засаленный желтоватый графин, и сам следователь — мерзкий прокуренный тип с бабьим голоском... Ее тошнило, болела губа, болела щека, ныли ноги. И хотелось расплакаться. Хотелось уйти.

— Не все убийства, — мягко улыбнулся Владимир Борисович. — Ладно, успокойтесь. Всех найдем. У нас раскрываемость дел почти девяносто процентов.

— Что?

— Я говорю, рано или поздно, но всех находим.

— Не было бы поздно... — проворчала она. — В другой раз он меня убьет. Что же мне теперь делать? Он знает мой адрес, может, еще заявится?!

— А вы ему не отпирайте, как в первый раз, — посоветовал следователь.

— А если он дверь взломает?

— Звоните в милицию.

— Господи... — с тоской в голосе протянула Анжелика, но комментировать совет не стала.

— Кроме того, — заметил следователь, — уж если он собирался проникнуть в вашу квартиру, зачем он вам ключи оставил? Мог с собой унести.

— Да, но, может, он их случайно уронил... — Анжелика понемногу успокаивалась.

Но следующий вопрос снова ударил ее по нервам.

— А кстати... — проговорил Владимир Борисович. — Что это вы ему дверь не открыли, когда он к вам днем звонил? Ждали неприятного гостя?

— Нет...

— А почему же не открыли?

— Я... боялась... — Анжелика едва сдерживалась, пыталась не вспылить, не нагрубить.

— А чего именно, если не секрет?

Она уставилась на кипы бумаг, громоздившиеся на столе. Делая вид, что разглядывает папки, окурки, дискеты, соображала, как ответить. Не могла же она заявить, что не открывала, потому что припомнила поведение своего мужа, когда ему в дверь звонили потенциальные убийцы — Саша и Лена... Не могла же она сказать, что эти звонки, на которые он не реагировал, раздаются у нее в ушах каждый раз, когда она слышит звонок в дверь — тот же самый звонок, в ту же самую дверь? Анжелика покачала головой:

— Не знаю. Я теперь всего боюсь.

— А... пришли?! — раздался голос у нее за спиной.

Она резко обернулась и увидела молодого парня в форме. Тот усмехнулся, рассмотрев ее разукрашенное лицо.

— Где они? — спросил Владимир Борисович.

— В семнадцатом, — ответил парень.

— Сейчас. — Следователь, несколько раз затянувшись, докурил сигарету, сунул ее в пепельницу и встал из-за стола. — Идемте, там ваши свидетели.

— Из клуба? — Сердце у нее подкатилось к горлу. Анжелика встала, не чуя под собой ног. Она чувствовала себя прескверно — как перед экзаменом, когда заранее известно, что экзаменатор тебя завалит и не спасут никакие знания, да и не знаешь ты ничего.

Семнадцатый кабинет они миновали и вошли в соседний. Обстановка там была убогая — облезлый диван, шаткий столик в углу, почему-то — трюмо. На трюмо лежал красный зонтик. На диване же сидела худая брюнетка лет тридцати пяти; она читала потрепанную книжку в пестрой обложке. Увидев Анжелику и Владимира Борисовича, брюнетка оживилась, кивнула:

— Давай скорей, Володь! Они пришли?

— Пришли, сейчас их приведут. — Следователь выглянул в коридор и махнул кому-то рукой: — Зови!

Анжелике велели сесть рядом с женщиной — сотрудницей милиции, как она себе уяснила. Та была в штатском, но ее лицо, глаза... все ее повадки казались донельзя казарменными. «Ну, если свидетелям предложат выбирать между двумя такими красавицами... — подумала Анжелика. — Они, наверное, выберут ее. Вид у меня уж больно похабный!»

В комнату вошли две девушки. Они вовсе не выглядели сонными и медлительными, и тем не менее Анжелика сразу признала в них официанток из «Ла Кантины». Девушки как по команде уставились на диван. Но на «казарменную» даму они даже не посмотрели. Их взгляды были обращены только на Анжелику. Одна из девушек даже подошла к ней поближе, чтобы получше рассмотреть. Анжелика чувствовала себя уже не на экзамене, а в зоопарке. Не хватало только, чтобы девушки начали кидать ей яблоки и печенье.

— Ну? — спросила одна из девушек.

— Да вот же... — Ее подружка указала на Анжелику. — Не помнишь разве?

— Да, — кивнула первая. — Да, да, помню.

— Она? Точно? — спросил Владимир Борисович, глядя то на свидетельниц, то на Анжелику. Та не знала, на каком она свете.

— Точно, точно, — бойко заговорила первая девушка. — Да, как раз в нашу смену эта девушка приходила. Я хорошо ее запомнила.

— Она дала мне на чай пятьдесят тысяч, — вставила другая. — Я хорошо помню.

Анжелика сидела ни жива ни мертва.

— А вы помните этих девушек? — обратился к ней следователь.

Анжелика молча кивнула. Одну из них она прекрасно помнила. Но могла поклясться, что ни одна из этих девиц не видела ее вечером четвертого мая! Обе они или лгали, или сошли с ума, или были кем-то подкуплены... Девушки тем временем с любопытством рассматривали ее синяки. Они явно сгорали от любопытства — что приключилось с их клиенткой? Но Владимир Борисович, похоже, не собирался им ничего объяснять. «Казарменная» дама взяла с дивана свою пеструю книжку, кивнула Владимиру Борисовичу и вышла, ни на кого не взглянув. Анжелика откашлялась — в горле стоял комок — и тихо сказала:

— Мне что-то нехорошо... Я могу идти?

— Можете, — кивнул Владимир Борисович и обратился к свидетельницам: — Пройдемте ко мне в кабинет, подпишете протокол. Анжелика Андреевна, пропуск вам! — напомнил он.

Анжелика встала и вышла в коридор следом за девицами. Одна из них обернулась и снова посмотрела ей в лицо. Посмотрела пристально и как будто недоуменно. Анжелика в испуге отпрянула. Ей почудилось, что девушка вот-вот заявит: «Я вас никогда не видела!» Но официантка молча отвернулась и зашагала по коридору, догоняя свою подругу.

Дома Анжелика сразу заперлась на все замки и плеснула себе полрюмки водки (чего в жизни не делала). Водка, оставшаяся от поминок, была не высшего качества — родственники покойного экономили на продуктах, — но пришлась очень кстати. Сивушный вкус и запах оглушили Анжелику, она долго кашляла, пока ей не удалось запить эту гадость водой из чайника. Потом бросилась к телефону и стала названивать Саше. Трубку сняла Лена.

— Да? — произнесла она каким-то странным, далеким голосом.

— О, тебя выпустили? — обрадовалась Анжелика. — Ну, как ты себя чувствуешь?

— Спасибо, неплохо, — ответила Лена, не меняя тона. — Тебе Сашу?

— Да. — Анжелика дождалась, когда трубку возьмет Саша, и затараторила: — Представь, все правда с «Ла Кантиной»! Сегодня они все подтвердили! Я чуть с ума не сошла! Да ты же ничего не знаешь! Я была у следователя!

— Слушай, — сказал он. — Ты можешь приехать?

— Зачем?

— Надо!

По его тону Анжелика поняла, что приехать действительно необходимо.

— Случилось еще что-то? — спросила она, невольно нахмурившись.

— Да нужна ты мне, нужна! — шипел Саша. — И скорее давай!

...Она появилась у Саши через час. И была поражена необычной тишиной. По телефону Сашин голос звучал так, что она подумала: в доме жуткий скандал. Но царила такая тишина, что казалось, кроме Саши, открывшего ей дверь, в квартире никого нет.

— Что случилось? — прошептала Анжелика, поднимая на него глаза.

Он запер дверь и тоже прошептал:

— Ленка уходит.

— Куда? Она же только вернулась!

— Куда-куда... Куда вы, бабы, уходите от мужей?! К маме!

— Да ну?! — Анжелика отстранила его и пробежала в единственную комнату.

Ей сразу же бросились в глаза две огромные черные сумки, набитые вещами. Одна сумка была уже застегнута, над второй сосредоточенно трудилась Лена. Когда она подняла голову и взглянула на вошедшую Анжелику, та поразилась. От Лены почти ничего не осталось. Легкая полнота, округлость щек, ясный взгляд — все это исчезло. Склонившейся над сумкой женщине можно было дать лет сорок пять, не меньше. Провалившиеся щеки, бледные сухие губы, сутулая спина... И совершенно мертвые глаза — без всякого выражения. Анжелика — она сначала думала окликнуть ее: «Рехнулась? Куда собралась?» — так и застыла на пороге. А Лена даже не кивнула ей. Опустила голову и снова стала запихивать в сумку оставшиеся вещи. Вошел Саша.

— Ты можешь все-таки объяснить, что задумала? — спросил он, повысив голос. — Ты будешь говорить, в конце концов?!

Лена тихо ответила:

— А ее зачем позвал? Связать меня хочешь, что ли? Ну давайте, попробуйте...

— Дура! — крикнул ее муж. — Господи, ну что ты говоришь! Все уже позади, никто нас пальцем не тронул! Ты хоть понимаешь, что у нас теперь есть деньги?! Теперь все пойдет по-другому!

— Только для тебя, — ответила Лена.

— Что это значит?!

— Ничего. Я буду работать в своем магазине. Я всегда хорошо зарабатывала. Жить буду с родителями. А ты играй в своем казино. С нею. — Она указала глазами на

Анжелику. — Но меня теперь оставь в покое. Я больше не могу вас видеть.

— Так ты серьезно уходишь? — прошептала Анжелика. — Но почему? Лен, почему ты травилась?

— Она не объяснила! — выкрикнул Саша. Он подбежал к жене, пнул ногой сумку, и вещи вывалились на пол. — Не объяснила и не желает объяснять! И записку она не оставила! Даже предсмертной записки она мне написать не пожелала! Вот как она меня презирает! Даже перед смертью пару слов пожалела!

Лена потянулась за вещами, собрала их и снова сунула в сумку. Двигалась она как автомат — размеренно, спокойно, с какой-то нечеловеческой ритмичностью. Анжелика с сочувствием в голосе спросила:

— Лен, но что-то же можно объяснить? Мы же тебя не держим, уходи, но хотя бы скажи, зачем ты это сделала, почему уходишь...

Лена издала странный звук, похожий на карканье, — так она смеялась.

— Тебе объяснить?! Тебе?! — Она с ненавистью смотрела на Анжелику. — А ты сперва мне объясни, кто это тебя так разукрасил?!

Тут и Саша наконец заметил, как странно выглядит его гостья. Но на фоне собственных семейных неурядиц неприятности Анжелики казались ему мелочью. Он все же спросил:

— Что случилось?

— Ничего. — Анжелика подошла к окну и, нахмурившись, уставилась на серое холодное небо. — От этого не умирают. И кстати... — обернулась она к Лене. — Ты что же, не знала, что две упаковки димедрола — детская доза? От них никто еще не умирал. Ты, наверное, решила нас припугнуть, набить себе цену? Не думала, что ты истеричка, да еще и дура к тому же. Для чего ты это сделала? Что за представление, можешь сказать?

Лена не отвечала. Она смотрела на Анжелику глазами раненого животного, готового тем не менее броситься и укусить своего мучителя. Анжелика с напором продолжала:

— Не можешь, значит? Ладно. Тогда я тебе кое-что объясню! И тебе, Саша! — повысила она голос. — После того как убили моего мужа, твоя жена лишилась рассудка. Надо быть такими доверчивыми тупицами, как мы с тобой, чтобы ничего не понять. Зато теперь мне все ясно. Это она-то собралась от тебя уходить?! В ее-то годы? С ее фигурой? С ее ослепительной красотой? — Анжелика издевательски расхохоталась. — Она бы никогда от тебя не ушла, если бы не Игорь! Понял?! Дошло наконец?!

Анжелика вытащила сигарету и закурила. Она смотрела на супругов бешеными, даже какими-то веселыми от бешенства глазами. Саша уставился на жену. Та держала в руках розовую кофту, прижимая ее к груди, словно грудного младенца. Потом аккуратно уложила кофту в сумку и вдруг уткнулась лицом в сложенные вещи и разрыдалась.

## Глава 10

— Что ты знаешь о парне, который меня избил? — Не в силах усидеть на месте, Анжелика кружила по комнате, посыпая пеплом грязный, затоптанный пол.

Саша сидел на краю дивана. Сидел, подпирая щеки кулаками, уставившись себе под ноги. Прошло полчаса, а он не произнес ни слова. Лена, напротив, перестала отмалчиваться. Она отвечала Анжелике — скупо, неохотно, резко, издевательски, но все же отвечала.

— О каком парне? — Лена чуть повернула голову в ее сторону. Она сидела в кресле у окна, поджав ноги и набросив на плечи розовую кофту. Ее бил озноб, глаза блестели, но она уже не выглядела покойницей, как в тот миг, когда Анжелика вошла в комнату и увидела ее.

— Не прикидывайся! — возмутилась Анжелика. — Почему ты спросила, кто меня разукрасил? Ты на что намекала?

— Ни на что. Мне стало интересно, кто мог избить такую ядовитую тварь, — ответила Лена.

Говорила она с таким спокойствием, что Анжелике захотелось завизжать и вцепиться ей в волосы. Она сама себя не узнавала, не узнавала бесстрастную, вежливую, всегда слегка надменную Лену. И перед этой женщиной она когда-то чуть ли не робела! Даже в тот день, когда нашла тело Игоря, совсем недавно... Она не узнавала и ее мужа — балагура, весельчака. Саша, казалось, мысленно отсутствовал, предоставляя женщинам самим решать все проблемы.

— Я — ядовитая тварь? — задохнулась Анжелика. — Ты мне это говоришь? Ты?! Да ты сама только что призналась, что была его любовницей три года! Господи, три года! Это ты тварь ядовитая! А ведь прикидывалась порядочной! А я, между прочим, никогда ему не изменяла! Да! А ты можешь сказать, что не изменяла Саше?

Тот вздрогнул, но промолчал. Лена поежилась, кутаясь в кофту, и заявила:

— А много радости ему было оттого, что ты не изменяла? Он же тебя не любил.

— Это он тебе так сказал?

— Да!

— В постели? — криво усмехнулась Анжелика. — В постели, милочка, он еще и не то мог сказать. Хочешь, скажу, как он меня называл? А? Давай сравним, что он нам говорил в такие минуты?!

Она блефовала — Игорь никогда ничего не говорил ей в «такие минуты». Но она попала в точку — Лена вся сжалась, разом утратив боевой задор, вспыхнувший в ней после того, как она призналась, что была любовницей Игоря. Призналась с гордостью, точно быть любовницей Игоря — великая честь. Зато теперь... Анжелика была уверена, что Игорь не изменил своим интимным привычкам и с этой женщиной. Он никогда ей ничего не говорил! Она доказала свое превосходство, поэтому теперь заговорила спокойнее. При этом ее душил смех — нечто подобное она уже испытала, когда узнала о связи своего мужа с соседкой, матерью Юры. Второе подобное открытие далось ей легче первого. Она уже успела свыкнуться с мыслью, что муж принадлежал не ей одной. Но и уязвлена она была больше, чем в первом случае. Может, мать Юры и могла вызвать ревность, но только не у нее. С Леной все обстояло по-иному. Эта женщина, так часто бывавшая в их доме, вызывавшая у Анжелики даже уважение, жена Саши, их сообщница, наконец... Последняя мысль не давала Анжелике покоя с той самой минуты, когда она услышала признание Лены. Саша, возможно, также больше думал об этом, чем о самой измене. Но ни он, ни Анжелика пока и словом не обмолвились об этом — словно сговорились. Лена взахлеб выкладывала подробности своего несчастливого романа, но о своем согласии убить Игоря не упоминала. И мало-помалу умолчание об этом становилось важнее тех слов, которые говорились вслух. Женщины говорили об измене, но за их словами угадывался иной смысл. И теперь, когда Лена съежилась от жестокого предложения Анжелики и воцарилась тишина, наконец-то подал голос Саша.

— Ну, хватит кудахтать. — Услышав это, женщины, которые в этот миг молчали, невольно переглянулись. — Потом обсудите, как вы с ним трахались. Хорошенькая компания! Ты — и мой братец!

Эти слова предназначались его жене, но та и бровью не повела. Видно было, что уязвить ее могла только Анжелика — соперница, хоть и бывшая жена, но все-таки жена... Саша со своей грубостью был скорее жалок. Говорил он, не поднимая на них глаз, у него даже голос изменился — он будто ослаб за те полчаса, пока молчал, слушая их перепалку.

— Я вообще об этом говорить не хочу, — продолжал он. — Я тебя, оказывается, не знал.

— Присоединяюсь, — вставила Анжелика. — В тихом омуте...

— Помолчи! — оборвал ее Саша. — Я не с тобой говорю!

— Да ради Бога. — Анжелика достала из сумки зеркальце и, подойдя к окну, внимательно осмотрела оба подбитых глаза. Они, похоже, начинали приходить в норму, по крайней мере, не казались уже такими маленькими. Но синяки по-прежнему были ужасные, не спасала даже пудра. Она повернулась и обронила через плечо: — Только если бы не я, Сашенька, никогда бы ты ничего о ней не узнал. Для этого нужен женский глаз. Ты бы все еще жалел свою бедную чувствительную женушку, которой так поплохело из-за смерти совершенно чужого человека... Вот какая она сердобольная, какая порядочная! Мы с тобой вдвоем ее не стоим! Да?! Это ты мне все время внушал? И про ее хваленые мозги тоже? Да, умна, ничего не скажешь! Здорово она нас провела!

— Помолчи, — снова сказал Саша, уже не так резко. — Уж не думаешь ли ты, что я тебе спасибо скажу, что все узнал?

— А ты бы предпочел ничего не знать? — изумилась Анжелика.

— Саша из таких, — заметила Лена. Она откровенно насмехалась, разглядывая своего помрачневшего мужа. — За эти годы ты сто раз мог меня поймать. А почему не сделал этого? Да не хотел. А может, — она усмехнулась, — может, ты давно все знал?

— Сука!

— Идиот.

Обменявшись любезностями, супруги замолчали. Анжелика плотнее прикрыла окно (чтобы до соседей ненароком не донеслись обрывки фраз) и снова закурила.

— Пусть твоя жена нам объяснит, чего ради согласилась его убить, — заявила Анжелика. — Раньше это было понятно, а теперь, прости, дико.

— Я ничего объяснять не буду, — отчеканила Лена. — Я ухожу.

— Да? Ну иди, — спокойно кивнул Саша. В его голосе прозвучало нечто такое, что удержало бы любого, во всяком случае, заставило бы насторожиться.

Но Лена не очень-то прислушивалась к голосу своего супруга. Она встала, застегнула кофту (нарочито медленно, словно бравируя своим спокойствием), потом нагнулась, чтобы поднять сумки... И ахнула — глухо, изумленно; Саша вскочил, схватил ее за плечи и так тряхнул, что ноги у Лены подкосились, она опустилась на колени. Ее обесцвеченные, свалявшиеся, непричесанные еще как следует после больницы волосы упали ей на глаза; она вскинула голову, пытаясь сохранять достоинство... Анжелика злорадно захихикала. Эта сцена напомнила ей вчерашнее унижение, и она всерьез посоветовала:

— Дай ты ей по морде, что стесняешься! Увидишь, начнет слушаться. Такие стервы все на один лад. Спорим, Игорь ее бил?

Может быть, Саша сначала и не собирался бить жену. Но упоминание о брате довело его до точки кипения. Удар вышел звонкий и, видимо, достаточно болезненный. Лена задохнулась и, закрыв глаза, стала хватать ртом воздух. Саша смотрел на нее в изумлении. Потом вдруг заторопился, стал поднимать жену с пола, подвел ее к дивану, усадил. Анжелика презрительно прокомментировала:

— А, конечно... Слабая женщина. Только что после больницы. Где валялась, отравившись по поводу смерти любовника.

— Ну и злая же ты стала... — услышала она в ответ от обманутого мужа.

— Да, станешь тут злая! — возмутилась Анжелика. — Ладно, можешь говорить что хочешь, пусть я стала злая и пусть стану еще хуже, но знаешь, Сашенька, что я тебе скажу? Тебе другой бабы и не нужно. Тебе нужна эта. Она будет тебе наставлять рога, как у оленя, а ты будешь валяться перед ней и просить прощения. Не стыдно?

— Лика, принеси лучше воды, — попросил он. — Ей плохо.

— Тошнит, — сдавленно проговорила Лена.

— Переизбыток яда. — Анжелика раздраженно выдохнула дым. — Гадючьего, а не димедрола. Ты бы, Ленка, сама себя за руку укусила, чем таблетки лопать. Мгновенная смерть.

Но воды она все же принесла. Пока Саша отхаживал жену, Анжелика за ним наблюдала, бросая на его жену презрительные взгляды. Наконец Лена стала дышать спокойнее, но выглядела все равно неважно. Саша нерешительно обратился к гостье:

— Слушай, мне неудобно тебя просить, но может, ты сейчас поедешь домой?

— Нет! — неожиданно крикнула Лена, распахнув глаза и подавшись вперед. — Не оставляй меня с ним! Он меня убьет!

— И будет прав, — усмехнулась Анжелика. — Нет, милые мои, я никуда сейчас не пойду. Тем более, что меня там могут ждать.

— Кто?

— Мой благодетель. — Она указала на свои синяки. — Я боюсь.

— Ночуй у нас! — Лена едва не вцепилась в нее. — Я тебя прошу!

— Да иди ты! — с возмущением ответила Анжелика. — Тебе место в дурдоме. Ты его боишься? Да он младенец по сравнению с тобой. Не видишь, что этот дурень тебя любит? Ох, меня уже саму тошнит от вас обоих... Скажешь ты наконец, чего ради решила Игоря убить? Он что — бросил тебя?

— Нет. — Лена отвела от себя руки мужа, села без его помощи и машинально пригладила волосы. Держалась она уже не так вызывающе, как вначале. Вид у нее был пришибленный, чуть ли не виноватый. Она могла бы вызвать жалость, но только не у Анжелики. Что до Саши — первый его порыв раскаяния уже прошел. Он молча смотрел на жену, ожидая ее ответа. Но она упорно молчала, разглядывая свои ногти с облезшим лаком, как будто ничего важнее и интереснее в эту минуту и быть не могло.

— Так что же? — настаивала Анжелика. — Как ты все это объяснишь? Ведь когда он предложил тебе принять участие в убийстве, ты согласилась почти сразу!

— Да. — И это было все, что она сказала.

Тут не вытерпел Саша:

— Ты что — хочешь, чтобы мы тебя приняли за сумасшедшую? Или хочешь выставить нас полными идиотами? Тебе придется объясниться!

— Давно бы так! — обрадовалась Анжелика. — Я не говорю, что надо было обязательно ее прибить, но цацкаться с ней хватит!

— Я могу вообще ничего вам не говорить. — Лена не отрывала взгляда от своих рук. — Я ничего вам объяснять не буду. Я могу пойти в милицию и там все рассказать.

— Что? Что ты расскажешь? — воскликнула Анжелика. — Мы сделали столько же, сколько и ты! Вот дурато! А меня вообще оправдали! Саш, я же затем тебе и звонила, чтобы рассказать! Сегодня у меня была очная ставка с официантками из «Ла Кантины»! Помнишь это сонное царство? И обе меня узнали!

— Серьезно? — оживился он. — Как же так? Я принимал все это за шутку...

— Эта женщина не шутила.

— Какая женщина?

Вопрос Лены остался без ответа. Анжелика поняла, что Саша так и не посвятил жену в подробности этого явившегося ниоткуда алиби. И самой ей тоже не хотелось ничего объяснять.

Лена встревожилась еще больше:

— Какая женщина? О чем вы говорите?

— Ну, кому-кому, а тебе мы уже ничего не говорим, — отрезала Анжелика. — Ты сперва сама расскажешь все, как было. Почему ты согласилась?

— А что я должна была делать? — фыркнула Лена. — Дай сигарету!

Саша протянул ей сигареты. Она с жадностью закурила. Ее впалые щеки проваливались еще больше при каждой затяжке. Исчезая в облаке голубоватого дыма, Лена быстро, с истеричными нотками в голосе заговорила:

— Вы мне сообщили такую новость! Обратились за советом! Так?! Что я должна была делать? Сказать, что сдам вас в милицию? За что? За слова? Вы бы испугались, если бы я так сказала. Может, отложили бы это дело... А потом? Потом бы все равно его убили! Только я бы ничего от вас не узнала. Вот я и согласилась. Да вы что?.. — Она указала сигаретой сначала на мужа, потом на Анжелику. — Вы что, в самом деле решили, что я бы вам помогла его убить?! Ну и смеялась же я, глядя на вас!

— Ты гляди, как она все рассчитала, — протянула Анжелика. — Не зря ты так хвалил ее блестящий ум! В конце концов она бы убила нас обоих вместо своего любимого Игоря!

Сигарета снова взметнулась вверх, указывая на Анжелику.

— Тебя я в тот момент хотела задушить собственными руками! — выкрикнула Лена. — Надо было слышать, как ты болтаешь о смерти Игоря!

— Я ни слова не говорила!

— Все обдумал я, — вмешался Саша. В этот момент он, казалось, стал прежним — ни усталости, ни растерянности. Глаза блестели, он настороженно смотрел на жену. — Тебе изменяет память.

— Это ненависть, — возразила Анжелика. — Она же ненавидит меня и сваливает на мою голову все, что подвернется. Она еще сейчас скажет, что я и убила Игоря.

— Нет. — Лена наконец перестала указывать сигаретой на своих собеседников. Затянувшись, она продолжала: — Вы оба оказались слишком глупы, чтобы все обдумать. Да ваш план провалился бы с первых шагов!

— Это почему?

— Так бы Игорь и дал тебе себя задушить! — Она с ненавистью смотрела на мужа. — Идиот! Он же сильнее тебя!

— С чего ты взяла?

— Знаю!

— Он никогда не казался мне спортсменом, — ухмыльнулась Анжелика. — Может, он тебя обнимал покрепче Саши?

— Молчи, дура! — цыкнула в ее сторону Лена. — Я знаю, что говорю! Я решила вам не мешать. Я сразу решила быть с вами, чтобы знать все ваши планы. Потому что могла предостеречь его. Я не хотела, чтобы вы напали на него внезапно. Я могла помочь ему.

— В чем помочь?

— В... — Она запнулась и не нашла ничего лучшего, чем повторить: — Помочь.

— Я тебя спрашиваю, в чем ты собиралась ему помогать?! — заорал ее муж. Он схватил Лену за плечо и прижал к спинке дивана. — Кукла! Проклятая кукла! Зачем ты меня туда водила?!

Анжелика зажала рот ладонью, как делала в детстве в момент внезапной догадки или испуга. Все молчали. Первой заговорила Лена — сказала лишь несколько коротких фраз, но им понадобилось время, чтобы понять их смысл.

— Чтобы он убил тебя! Он тебя, а не ты его!

Саша наконец убрал руку с плеча жены. Убрал осторожно, словно боялся, что она заметит это движение. Потом встал, отошел в угол комнаты и с задумчивым видом провел пальцем по экрану телевизора. Внимательно осмотрел палец, будто проверяя, много ли на нем пыли. Затем присел на стул — все так же осторожно. И скрипучий старый стул не издал ни звука. Анжелика, проследив за ним взглядом, отняла от губ ладонь и уставилась на Лену. Та — на нее. Если Анжелика сначала не очень-то поверила этому признанию, то теперь, увидев глаза Лены, поняла: все сказанное — правда. В глазах этих был какой-то мученический восторг, злорадное ожидание, страх, настороженность — Лена ждала реакции своих обманутых сообщников и была готова к ней. Казалось, она даже дышать от волнения перестала.

— Ты просчиталась, — сказала наконец Анжелика.

Лена не ответила. Зато очнулся Саша, до сих пор молча сидевший на своем стуле — как возле гроба с дорогим покойником.

— Что будем делать? — спросил он.

— Что? — обернулась к нему Анжелика.

— Что теперь делать? — повторил он невыразительным голосом. Глаза у него были опустошенные. Это признание жены далось ему труднее первого.

Анжелика начинала побаиваться — уже не за него, а за Лену. Его глаза ничего хорошего не обещали.

— Для начала — не сходить с ума, — посоветовала она, пытаясь взять себя в руки. Ей и самой спокойствие давалось нелегко. — Она же этого не сделала. Мы все хотели что-то сделать, но ничего не сделали. Одно другого стоит.

Лена тихонько рассмеялась.

— Слушайте!... — взмолилась Анжелика. — Или вы сейчас вдвоем сойдете с ума, или вцепитесь друг в друга! Я вас прошу, не надо! Я больше не могу, не могу! Пора забыть!

Что именно пора забыть — она не могла объяснить в двух словах. Но она так устала от всей этой истории, от мыслей об Игоре, о том рассвете, когда нашла его, устала от мыслей о всех нелепых приключениях, которые выпали ей позже... Так что теперь она согласилась бы даже попасть в автокатастрофу и заполучить хорошенькую амнезию, чтобы все забыть.

— Нужна она мне! — резко ответил Саша. — Я ее больше пальцем не трону. Гадина! Какая гадина! — кричал он, словно изумляясь и призывая кого-то в свидетели. — Надо же — что учудила! Значит, меня туда водили три раза подряд, чтобы укокошить? А кто бы это сделал? Он?

— Мы, — выпалила Лена.

— Ты бы помогала?

— С удовольствием!

— Молодец!

— А ты бы чего хотел?! Помогать убить его — дело хорошее, замечательное?! А помогать убить тебя — нехорошо?! Почему так?

— Я же вас просила! — взмолилась Анжелика, которой почудилось, что сейчас в ход пойдут кулаки. Но до этого все же не дошло — супруги остались на своих местах, продолжая издали обмениваться язвительными репликами:

— А меня что — тоже решили задушить?

— Я предложила проделать с тобой то же самое, что ты хотел сделать с ним!

— А, так это ты предложила меня убить? Ты, а не он? — поинтересовался Саша.

— Я! Ты мне надоел! Ты мне осточертел! — выкрикивала она в каком-то исступлении. — Да я тебя ненавижу! Давно! Слышишь, с того дня, как мы поженились, я жалела об этом!

— Могла за меня не выходить!

— Я тебя тогда не знала!

— Могла развестись!

— Только Игорь бы на тебе никогда не женился, — с мрачным видом заметила Анжелика. Эта перепалка начинала доставлять ей какое-то извращенное удовольствие. Светлых впечатлений в ее жизни осталось немного — надо было учиться извлекать удовольствие из темных. — Игорь мне всегда говорил, что никогда со мной не расстанется! Что бы там ни было! Он твердил мне это как заклинание!

— Да, он не собирался с тобой разводиться, — с напускным хладнокровием ответила Лена. — И не делал из этого тайны. Он был порядочный человек.

— Это почему?!

— Игорь ничего мне не обещал, — пояснила Лена. — Так чего ради я должна была бросать вот его? — Она указала сигаретой в сторону мужа. Затем раздавила окурок в пепельнице. — За кого мне было выходить замуж?

— Действительно, кому ты нужна? — поддакнула Анжелика. — Я удивляюсь, каких баб находил себе Игорь! Сперва эта Ада Дмитриевна, потом ты...

— Какая Ада Дмитриевна?!

— Соседка напротив. Ты что — не знаешь? Саша тебе не рассказал?

— При чем тут соседка? — пробормотала Лена. Она посмотрела на мужа, тот пожал плечами, а Анжелика злорадно улыбнулась:

— Как, это для тебя тайна? Саш, а эту тайну можно выдать?

— Да ради Бога.

— Ада Дмитриевна — наша милейшая соседка лет пятидесяти, крашеная, толстая, высоченная баба со скверным характером, — вдохновенно излагала Анжелика. — Так вот, она была любовницей нашего Игорька... Я говорю «нашего», видишь, я не так ревнива, как ты! Я забыла, Саша, долго она была его любовницей?

— Около года.

— Да, конечно, не так долго, как твоя жена, — усмехнулась Анжелика. Она взглянула на Лену. — Но, видно, в конце концов ты стала ему надоедать, вот он и завел новую красавицу... Что поделаешь! А в общем, я вижу, что он не искал счастья за синими морями, за дальними лесами, как добрые молодцы из сказок. Брал то, что поближе лежит. Соседку по площадке, жену брата...

Лена прервала ее вдохновенную речь. Она возмущенно выкрикнула:

— Да у него ничего не было с этой бабой!

— Откуда тебе знать?

— Да это глупо!

— У меня есть доказательства, что у него все было с этой бабой! — отрезала Анжелика. — Но ты, милая, столько натворила, что никаких доказательств я тебе больше предъявлять не буду. Ты же пообещала сходить в милицию? Хватит с тебя окурка сигареты. Оставь себе на память.

Она взглянула на Сашу и по его виду поняла: и о том, что Юра и Ада Дмитриевна курят «Данхилл», он жене не сообщал.

— При чем тут окурок? — продолжала возмущаться Лена. — Я эту женщину не знаю и знать не хочу! Но я знаю одно: у Игоря никогда ничего с ней не было! Откуда ты это взяла?

— Так я тебе и сказала, — со злорадной усмешкой ответила Анжелика. — Хватит тебе и того, что я это знаю. Знаю, слышишь?

— Вы оба с ума сошли, — проворчала Лена. Похоже, она не очень огорчилась. — Это вы специально придумали.

— Зачем нам придумывать? — Саша окончательно встряхнулся, расшевелился, даже стул под ним стал скрипеть — Саша раскачивался на нем по своей всегдашней привычке. — Чтобы тебя позлить? Ладно, Бог с ней, с соседкой. Меня другое интересует. Что ты ему рассказала?

— Все!

— Все? — недоверчиво переспросил он. — И про банковский счет тоже?

— Да.

— Почему же он не пошел в банк и не перевел все деньги только на себя? Счет как был общим, так и остался!

— Я не знаю почему... — вздохнула Лена. — Я ему говорила — надо немедленно переделать счет... Но он сказал, что потом этим займется.

— Странно... — протянула Анжелика. — Он всегда так трясся за свои денежки... А может, он не принимал всерьез наш план?

— Принимал, — отрезала Лена. — И даже не слишком удивился, когда все узнал.

— Ох, Боже мой. — Анжелика по старой привычке принялась покусывать нижнюю губу, но тут же взвыла от боли — она совсем забыла, что губа распухла. Вытащив из кармана платок, она прижала его к ранке и, опустив глаза, увидела кровь. Жалобно проговорила: — Все шишки на мою голову!

— На твою физиономию, ты хотела сказать? — осведомилась Лена.

— А ты, я вижу, уже пришла в себя? — огрызнулась Анжелика. — Если да — скажи, мы тебе еще добавим! Умница ты наша!

— Хватит! — вмешался Саша. — Я что-то ничего не понимаю с деньгами... Но ведь она, — он указал на Анжелику, — сняла деньги за три дня до его смерти... Если он знал, что мы готовим, может, он и про это знал?

— Да, — кивнула Лена. — И тогда он мне сказал, что, наверное, вы пойдете на все. И еще сказал, что ничего другого от вас не ждал.

— Тогда тем более непонятно. Почему он оставил в покое счет?!

— Мне тоже непонятно.

— А он знал, что после его смерти мы собираемся поделить все оставшиеся деньги?

— Он все знал! — с ненавистью в голосе подтвердила Лена. — И про Ликины долги, и про ее проигрыш, и про ее расписку под проценты, и про твои долги, и про твой совет его убить, и про деньги... Все это не слишком похоже на шутку! Он знал, он все знал с самого начала, с того дня, как вы рассказали об этом мне! Можете не сомневаться!

— Господи... — прошептала Анжелика. — И все эти дни мы жили вместе и он молчал! А мне казалось, все идет как обычно, он ни о чем не подозревает... По нему ничего не было заметно!

— Он всегда здорово умел притворяться, — заметил Саша.

— Он-то? — возмутилась его жена. — На себя посмотри!

— Я перед ним — ангел!

— Заткнись!

— Значит, он все знал, знал... — повторяла Анжелика, уставившись на свой окровавленный носовой платок. Приложив его в очередной раз к разбитой губе, она вдруг вскрикнула: — Но как же так! Значит, получается, он знал, что это именно вы звоните в дверь?!

— Конечно, — невозмутимо ответила Лена, обращаясь в основном к мужу. — Ведь я ему сообщила, что мы придем его убить.

— То есть меня убить! — кивнул Саша. — Вела меня на убой, как барана! Лапочка моя! И еще нервничала там, перед дверью, когда он не желал открывать! Какой я идиот!

— Вот именно, — тихо ответила Лена. — Он не открыл нам. До тебя хоть дошло или нет? Он не открыл ни в первый раз, ни во второй... В третий — мы сами открыли дверь. Я все эти три дня звонила ему, умоляла — не затягивать, иначе вы решитесь на все и обойдетесь без меня, а тогда мало ли что может случиться... Он или отмалчивался, или просил меня не беспокоиться — мол, сам разберется. Но чем больше вы его боялись, тем опаснее становились. И в третий раз я решила: мы с тобой откроем дверь сами, войдем, и тогда ему уже не отвертеться... Он не хотел тебя убивать! Он не мог на это решиться! Господи!

Лена скорчилась в углу дивана и заревела. Сквозь частые всхлипывания можно было разобрать: «такого подлеца», «я говорила», «какой-то гад», «и эта сука», «Игорь»... Анжелика не выдержала — встала, ушла на кухню и уставилась на гору немытой посуды в раковине. Потом отыскала три чистые чашки, поставила на плиту чайник и достала из шкафчика растворимый кофе. Руки у нее дрожали, не слушались. Банка с кофе с глухим стуком упала на пол. Пол был не плиточный, как у нее на кухне, и банка уцелела. Она нагнулась, чтобы подобрать ее, и увидела у самого своего лица ноги Саши. Он стоял, прислонившись плечом к косяку и заложив пальцы за пояс джинсов. Встретив ее взгляд, кивнул в сторону комнаты:

— Плачет, это надолго.

— Кофе будешь?

— Давай. Какой дурдом. — Высказав это суждение, он уселся за стол и подпер щеки кулаками.

Анжелика налила две чашки кофе, взяла из шкафчика сахарницу и уселась рядом с ним.

— А ей отнести? — спросила она.

— Ничего ей сейчас не надо.

— Как ты думаешь, она... — Анжелика подняла брови и показала пальцем на дверь.

— Уйдет? — понял Саша. — Никуда она не уйдет. Некуда ей идти.

— Как это? А мама?

— Есть и папа, и мама, конечно. Но она останется здесь.

— Откуда ты знаешь?

— Ты думаешь, я ей разрешу уйти после всего, что она тут рассказала?

— А как ты ее задержишь?

— Да уж как-нибудь, — ответил он и принялся за свой кофе.

А Анжелике почему-то вспомнились выкрики Лены: «Не оставляй меня с ним, он меня убьет!» И она подумала, что если Саша и не убьет жену после всего, что услышал, то изрядно отколотить все-таки может. Уж слишком решительный у него был вид. Она робко спросила:

— Слушай, Саш, а как теперь на нашем фоне смотрится Игорь?

— Никак не смотрится, — проворчал он, яростно дуя на кофе. — Ты что — тоже поражена его благородством?

— Н-ну... Вообще-то да, — призналась Анжелика. — Он так себя вел, что я просто... Ведь он мог пристукнуть меня сразу, как все узнал. Мог бы тебя убить. Мог наш счет закрыть. Да мало ли что он мог! Но ничего не сделал. А как держался в последние дни! Невероятно! Такое хладнокровие, такая выдержка... Не сказал мне ни одного резкого слова... Ни разу не сорвался! Ты бы так смог? Я бы на его месте... Не знаю, что бы я сделала! Ничего подобного от него не ожидала... У меня просто слов нет... Знаешь, я, кажется, впервые зауважала своего мужа! А ведь именно этого он добивался от меня столько лет!

— Ну, ты еще разревись, как Ленка! — выкрикнул он со злостью. — Да он бы и тебя убил, и меня, и ее заодно, если бы не струсил!

— Ты думаешь?

— Знаю! Эта корова ревет и думает, что потеряла самого благородного мужчину на свете! Ты-то хоть глупостей не говори!

— Я и не говорю, — еще больше оробела Анжелика. — Тебе лучше знать... Слушай, а это так страшно — когда тебе в дверь звонят и ты знаешь, что это пришли тебя убить!

— Еще бы.

— Я что-то подобное испытала...

— Что ты болтаешь? Когда? — И тут он снова уставился на ее лицо. — Слушай, а кто это тебя так? Что случилось?

— Ну наконец-то... — вздохнула Анжелика. — Я же за этим сюда и пришла. Ты, случайно, не знаешь такого парня — высокий, упитанный, глаза или серые, или голубые, волосы стрижены почти под «ноль», светлые, нос прямой?

Саша ей ответил почти то же самое, что следователь:

— Несколько десятков таких парней я точно знаю. Это он тебя так?

— Да.

— А за что?

— Если бы я знала! — И она рассказала ему обо всех последних событиях. Сцену избиения она описывала так, словно сама не очень верила своим словам. Закончив рассказ, спросила: — Надеюсь, ты мне веришь?

— И везет же тебе... — медленно проговорил он. — И ты его никогда не видела?

— Клянусь — никогда!

— Не клянись, я верю... Но все это мне ужасно не нравится.

— То же самое сказал и следователь, — припомнила Анжелика. — Он сказал, что это, может быть, из-за Игоря. Если бы знать, кто и за что его убил! Боже! А если меня избили из-за него?! А может, и еще раз изобьют? Или убьют?! Но я понятия не имею за что...

— А если это никак не связано с Игорем? — задумался Саша. — У тебя не было никаких... нехороших знакомств?

— Где мне их взять? Самое мое нехорошее знакомство было с тобой.

— Не остри! Я имею в виду казино. Может, кто-то клюнул на твои выигрыши? Решил за тобой проследить и ограбить?

— Да меня же не ограбили! И если кто-то решил поживиться с моих выигрышей... — Она горько усмехнулась. — По-моему, меня бы приколотили там к стене, в виде охотничьего трофея. Чтобы другим новичкам неповадно было.

— Да, выигрывала ты не часто... — согласился он. — А кроме казино?

— Да я нигде не бывала.

— Тоже верно. Нет, не могу понять... Он нормальный?

— В другой раз обязательно его спрошу, — криво усмехнулась Анжелика. — Но что мне сейчас делать?

— Не открывай ему дверь.

— Это я уже слышала! И при опасности вызывать милицию... Если помнишь, я и не открывала дверь, а он все равно меня избил.

— Может, Игорь ему был что-то должен, вот он и решил разобраться с его вдовой? — неуверенно предположил Саша.

— Чтобы Игорь был кому-то должен? Рехнулся? Он боялся долгов до смерти.

— Хотя денежки у него всегда водились... — продолжал размышлять Саша. — Нет, ничего не понимаю. И с этой твоей благодетельницей — тоже темный лес. Чего ради она тебя пригласила, если не пришла сама? Да еще требовала, чтобы ты явилась так точно... Сколько ты ее ждала?

— Долго! Сдается мне, она пошутила, — пожала плечами Анжелика. — Но вообще удивительно, что она не пошутила с «Ла Кантиной». Официантки стояли насмерть! Они всем, чем хочешь, клялись, что видели меня тогда, когда нужно! Здорово она их обработала.

— Знаешь что? — встрепенулся Саша. — Таких вещей, как с этими подкупленными официантками, из простой любезности не делают. Тем более вы с ней не знакомы. Ты ей зачем-то нужна!

Анжелика с минуту подумала над этим предположением и высказалась:

— В таком случае она выбрала подходящий момент.

— Что ты имеешь в виду?

— Я имею в виду, что я оказалась ей нужна именно в тот момент, когда мне позарез нужно было алиби! Иначе... Иначе я бы послала ее подальше, если бы она вздумала называть меня на «ты», даже не представившись!

— И она слишком много о тебе знает... — продолжал Саша. — Похоже, она знает о тебе вообще все. Во всяком случае, что касается следствия...

— А не знает ли она и того парня, который на меня напал? — вздохнула Анжелика. — Вот если она и это мне скажет, тогда я для нее сделаю все, что угодно.

— Ты смотри, ей такого не скажи! — предупредил он. — Мало ли чего она от тебя потребует!

— Денег?

— А почему нет? Ей, раз уж она такая всезнайка, наверное, известно и то, сколько ты унаследовала.

Анжелика затосковала.

— Скорей бы уж мне с ней познакомиться! Только боюсь, она мне не понравится... Уж очень напористая особа.

— И знаешь... — Саша, казалось, совсем не слушал собеседницу. — Знаешь, я совершенно уверен, что она — знакомая Игоря.

— Почему?

— Ведь пока его не убили, она тебе не звонила, верно?

— Никогда... А если...

Они молча смотрели друг на друга. Наконец он прошептал:

— Ты что — думаешь, она...

— Да, думаю, — тоже шепотом ответила Анжелика. — У нее, думаю, белые волосы.

— Та самая?

— А кто еще? Наверное, она или что-то забыла у него в тот вечер, когда приходила, или что-то от него узнала... Не знаю, она его убила или кто другой, но ей что-то известно, и она хочет мне это сообщить! Или меня шантажировать!

— Может, убить тебя?

— Что ты болтаешь?! — Анжелика покачала головой. — Миленький мой, чтобы убить человека, не обязательно приглашать его в уличное кафе, в центре города, где тебя видят сто тысяч прохожих! Могла бы позвать в укромное местечко. Я бы пошла, я любопытная.

— Может, ты и права, — согласился Саша. И вдруг замер, прислушиваясь к звукам в соседней комнате. — Что она там делает?

Всхлипывания, доносившиеся до того из комнаты, теперь затихли. Там послышался какой-то странный стук, и сразу потянуло сквозняком.

— Открывает окно, — пояснила Анжелика. И в испуге взглянула на Сашу. Тот вскочил и бросился в коридор. Она — следом за ним.

В комнате они увидели следующее: Лена, держась одной рукой за раму, усевшись на подоконник, по пояс высунулась из окна. Она не слышала, как они вбежали, не слышала, как Саша подскочил, и вскрикнула только тогда, когда он обхватил ее за талию и рванул на себя. Он чуть не упал со своей тяжелой ношей. Анжелика подбежала к ним и закрыла окно. Лена действительно уже не плакала. Но она вся дрожала, и лицо ее приобрело странный синеватый оттенок. Саша все еще держал ее за талию, и, видно, не зря: ноги у Лены были словно ватные и подгибались, едва он ослаблял хватку. Саша обернулся к Анжелике и сказал:

— Помоги же!

Вместе они усадили Лену в кресло, вместе выпрямились и застыли над ней. Оба не знали, что делать. Лена молчала и, казалось, пыталась сжать губы так крепко, чтобы от них и следа не осталось.

— Ты выброситься решила, что ли? — спросила наконец Анжелика.

— Попадешь в психушку! — пригрозил Саша. — Чего ты хочешь добиться?!

Лена не ответила.

— Знаешь, — пробормотала Анжелика, — мне, наверное, придется остаться и помочь тебе... За ней надо присматривать.

Лицо Лены постепенно приобретало нормальный цвет, если только цвет свежевыпавшего снега можно назвать нормальным применительно к человеческому лицу. Саша покачал головой:

— Я сам справлюсь. Тебе лучше уйти.

Лена шевельнула губами, но ничего не сказала. Она по-прежнему сидела с закрытыми глазами.

— Ты уверен, что справишься? — с тревогой в голосе спросила Анжелика. — Может, лучше вызвать врача?

— Психиатра на дом? Ты с ума сошла.

— А ей нужен психиатр?

— Позже будут все врачи, какие угодно, — отрезал он. — Но пока идет следствие, никаких психиатров. Неизвестно, что из нее вытянет психиатр и как посмотрит на это следователь. И вообще, это несостоявшееся самоубийство еще доставит нам хлопот, вот увидишь. За нее обязательно возьмутся!

Анжелика хотела что-то возразить, но передумала. Протянув руку, она пощупала запястье Лены, надеясь найти пульс. Та открыла глаза. В них был страх, ничего, кроме страха. Бессмысленный, измученный, загнанный взгляд. Анжелика еще раз погладила ее запястье. Затем наклонившись к ее уху, прошептала:

— Не стоит, честное слово, не стоит. Если все из-за Игоря, то не стоит...

— Я боюсь, — сказала Лена, и голос у нее был тоже неузнаваемый — какой-то детский, умоляющий.

— Чего ты боишься?

— Я не хочу здесь оставаться...

— Но из-за этого не стоит выбрасываться в окно, — сказала Анжелика.

— Я боюсь.

— Лена... — Анжелика подняла голову и увидела, что Саша тоже напряженно вглядывается в глаза своей жены. Они обменялись взглядами и отошли к дверям. Саша прошептал:

— Окончательно сошла с ума.

— Ты так думаешь?

— Вижу. Я этого боялся.

— Но что делать?!

— Сейчас ничего.

— А как же ты с ней, один...

— Я же нигде не работаю, слава Богу. Буду сидеть рядом с ней, ничего... Потом, может, устрою на лечение...

— Но как это с ней случилось? Почему? Она всегда была нормальней нас обоих, вместе взятых. И я ведь тоже во всем этом участвовала, но с ума пока не сошла...

— Непонятно? — Он покрутил пальцем у виска и вытащил Анжелику в коридор. — Она, кажется, в самом деле его любила. Вот не думал, что она может кого-то любить.

— Но тебя она любила, когда выходила замуж?

— Кто тебе сказал?

— Не любила?

— Нет. Представь себе, она меня заранее предупредила, что не любит страстной любовью, но зато симпатизирует... или что-то в этом роде. И я, дурень, списал все на ее сдержанность и не стал обращать на это внимания. Не думал я, что она вообще способна на пылкие чувства. Да мне они и не требовались. Я, дурак, один старался за двоих. В общем-то мы ведь неплохо жили.

— А что ты теперь будешь с ней делать?

— Съем ее! Что буду делать... Сперва вылечу, потом разведусь. Или сперва разведусь, а лечить ее будет кто-то другой.

— Советую второй вариант... — Анжелика заглянула в комнату. — Ничего, сидит тихо. Но на нормального человека, конечно, уже не похожа.

— Иди, мне легче будет одному. — Он почти подталкивал ее к выходу.

Из комнаты донесся шорох, они, заглянув туда, увидели, что Лена пытается встать. Саша вошел в комнату и обернулся к Анжелике:

— Дверь за собой просто захлопни, я не могу оставлять ее одну.

Анжелика испуганно посмотрела на свое отражение в зеркале, висевшем на стене в прихожей. Достала из сумочки расческу, провела ею несколько раз по длинным черным локонам, заглянула в пудреницу, тщательно припудрила синяки. При тусклом освещении она выглядела не так уж скверно. В комнате раздавалось что-то очень похожее на борьбу; судя по всему, Саша куда-то тащил жену, к дивану, вероятно, а та изо всех сил упиралась. Анжелика вспомнила, как совсем недавно подбивала его ударить Лену. Снова глянув в зеркало, она словно впервые увидела свое лицо. В какой-то миг все черты ее расплылись, исказились, стали чужими... Она вытерла платком глаза, одернула кофточку и захлопнула за собой входную дверь.

## Глава 11

Когда начало темнеть, ее белая юбка стала особенно бросаться в глаза. Белая сумочка болталась у бедра, белые туфли сверкали над серым сухим асфальтом, а белые волосы развевались на ветру. Но шелковый свитер цвета крови утратил яркость, а красные губы в сумерках стали темнее. Глаза же — те вообще превратились в глубокие темные провалы. На нее оглядывались, но ни один уличный приставала не решился ей ничего сказать — уж очень самоуверенный у нее был вид, уж очень быстро она шла, будто видела впереди какую-то цель и стремилась только к ней — на все прочее ей было наплевать.

У Маши действительно была цель. Странная цель, неясная, блуждающая — казалось, рассмотреть ее так же трудно, как определить в сумерках цвет Машиных глаз; но она все же видела ее, она стремилась к ней. Эта цель не имела названия, но зато имела пол — то была женщина лет двадцати пяти, стройная, среднего роста, с волосами до плеч (как у самой Маши, только черными-черными). Лицо у брюнетки было довольно приятное, да, приятное, если не считать выражения глаз — эти светлые глаза всегда настороже. Походка — неуверенная, нога за ногу, как будто обладательница этих ног всегда о чем-то задумывалась и почти не смотрела, куда идет. В сущности, ничего загадочного тут не было. У этой женщины имелся муж (еще недавно!), и этот муж любил ее (почти наверняка, стоило только увидеть их вдвоем!) и дарил ей драгоценности (два кольца и бриллиантовые сережки). Вспомнив об этом, Маша стиснула зубы и пошла еще быстрее (уж у нее-то ноги не заплетались, как у той, другой!). Ничего загадочного, но... «Или я просто чего-то не поняла, — говорила себе Маша, — или Игорь сумасшедший. Да, сумасшедший». И тут же сама себе отвечала: «Был сумасшедший, дуреха, был... Он умер, запомни, и не смей думать о нем как о живом! И оставь в покое и его, и его жену, оставь их всех в покое!»

Она резко остановилась. Сумка, летевшая вслед за ней на длинном ремешке, догнала ее и хлопнула по бедру. Перед нею высился многоэтажный серый дом, сталинской застройки, с уродливыми башенками на крыше, с лепниной по карнизу... Мрачная каменная громада закрывала все небо, когда она запрокинула голову, глядя на знакомые окна в седьмом этаже. Одно из этих окон было освещено. Маша не знала, что это за комната, зато была уверена: она не опоздала, не ошиблась, пришла вовремя. Нужно только подождать. Брюнетка выйдет.

Она появилась через час. Маша ждала ее, сидя на сломанной лавочке, в тени двух высоких деревьев, породу которых она уже не могла определить в темноте. А ведь разбиралась в деревьях — в детстве отец возил ее на охоту, на Тобол. Река, запах реки, лес, запах леса. Высоченные деревья вокруг, и у каждого дерева есть имя, и отец рядом — большой и надежный, и мать у костра, обирающая ладонью комаров со своей полной загорелой шеи. Ее тихие жалобы, смех отца, его голос: «Пошли, Машук, посмотрим нашу лодку». И они смотрели лодку, резиновую лодку, уже надутую, которая так чудесно пахла — резиной, резиновым клеем, резиновыми сапогами отца, рекой, рыбой, которая еще водилась в реке. Зачем теперь об этом думать?

Женщина вышла из подъезда и быстро направилась прямо к лавочке. Она прошла мимо, слегка задев взглядом сидящую в тени Машу. На женщине были туфли без каблука, на мягкой подошве, и ее шагов не было слышно. Зато каблуки Маши так застучали, когда она, поднявшись, пошла следом. Маша нахмурилась — не догадалась обуться иначе, но что теперь толку сожалеть об этом? Цель была близка, и руки у нее холодели — от волнения, от страха, от радости. «Да, от радости! — сказала она себе. — И я рада, что скоро все кончится, потому что, если не выяснится, что происходит, я сама сойду с ума, как Игорь, будь он проклят, да, проклят!»

Женщина, за которой она шла, прибавила шагу. Свернув на набережную, прошла еще метров двадцать и остановилась возле белой машины; марку Маша определить не смогла — не разбиралась в машинах, а такую вообще видела в первый раз. «Неужели сядет и уедет? — спросила себя Маша, замедляя шаг, чтобы не столкнуться с женщиной. — Такого еще не было. Три раза я ходила за ней, и никогда она не садилась в машину. Чья это машина? Она не садится, не отпирает ее, стоит рядом и роется в сумке... Может, еще повезет, может, и дальше она пойдет пешком?»

Женщина вытащила из сумки сигареты, раскрыла пачку, заглянула в нее, словно сомневаясь, курить или нет, и передумала — сунула пачку в сумку. Затем повернула голову в сторону Маши и, похоже, заметила ее. Быстро отвернувшись, женщина пошла дальше. К машине она даже не прикоснулась. Маше приходилось осторожничать — она ее заметила и теперь знала, что за ней следят. Даже походка у нее изменилась — она шла увереннее, быстрее, ее голубой плащ раздувался парусом — так она спешила. Но ни разу не обернулась, только, когда тянула на себя тяжелую дверь станции метро, глянула через плечо и снова заметила слежку. Маша прокляла себя за неосторожность, но все же вошла в метро вслед за женщиной.

В метро та повела себя так, что сомнений не осталось — она хотела уйти от преследования. Проехав одну станцию (Маша ехала в соседнем вагоне), женщина вдруг выскочила на следующей, выскочила в последний момент, когда уже закрывались двери. Маша едва успела сделать то же самое — ну просто чудом успела! Но тут же об этом пожалела — народу на станции было мало, и хотя она, конечно, хорошо видела свою «подопечную», но и та ее прекрасно видела. Теперь она стояла неподвижно, чуть расставив ноги както по-мальчишечьи, стояла и смотрела прямо на Машу. Хорошенько рассмотрев ее (Маша чувствовала себя словно в кабинете у рентгенолога), женщина отвернулась и быстро зашагала к эскалатору, ведущему вниз, к переходу на другую станцию. Маша помедлила, прежде чем двинулась следом, и, конечно, потом пришлось бежать по переходу, догоняя мелькающую вдалеке фигурку в голубом плаще — ведь не дай Бог уедет... но та не уехала, даже, казалось, ждала Машу, и в ее позе было что-то... насмешливое и угрожающее. Маша задумалась — не совершает ли она ошибку? И вдруг вспомнила нечто очень далекое, знакомое и далекое — лицо матери, все красное при свете костра. Вспомнила смех отца, плеск огромной рыбины в реке... И крик незнакомой птицы — та так странно кричала где-то над рекой, что мороз пробирал, хотя у огня было хорошо, тепло. И еще вспомнились звезды. Огромные, мохнатые, голубые звезды, голубые, как этот плащ, голубые, как эти глаза, мохнатые, как ресницы у этой женщины, которая стояла неподвижно, ожидая ее. И эти воспоминания так не вязались со всем происходящим, что Маша назвала себя дурой, сентиментальной идиоткой, которая все погубит, уже все погубила — никогда ей уже не удастся незаметно проследить за ней, а ведь все только начинало проясняться... «Что со мной? — одернула себя Маша, но все же сделала еще несколько шагов по платформе. — Зачем я так лезу ей на глаза? Глупо, так нельзя, но она уже видит меня, она выучила меня наизусть, сейчас подойдет и спросит, в чем дело, по какому праву я преследую ее...»

Женщина отвернулась и стала смотреть на электронные часы. Поезд ушел совсем недавно, и народу на платформе было маловато. Маша стояла у красной мраморной арки, чувствуя себя полной идиоткой. Женщина больше не обращала на нее внимания. «Приняла за сумасшедшую... — думала Маша. — И она права. Но сперва я все выясню, все выясню. Я хочу понять, я должна понять. Что со мной сегодня?»

На миг у нее в глазах потемнело, она увидела реку, темную стену леса... Помотала головой, провела пальцами по груди, обтянутой красным шелком. «Это от волнения. Так нельзя. Поворачивай обратно. Сейчас ты придешь домой, Иван напился в зюзю, ты уложишь его спать, сядешь на кухне и будешь плакать над стаканом чаю. Ты несчастная дуреха, которая не сумела ничего отстоять для себя, ничего не смогла понять...» Мысль о доме взбесила ее. Никакого дома, кроме этого, у нее уже не было. Отец, мать, река, лес — пустые слова, стертые воспоминания, их не оживишь, даже если разоришься на билет до Кустаная. Вот ее жизнь — платформа, на которой начинает скапливаться народ, электронное табло, женщина в голубом плаще, ее мальчишеская небрежная походка — теперь она шла по платформе, постепенно удаляясь от Маши. Маша пошла следом.

Подошел поезд, и женщина села в него. Входя в вагон, она снова обернулась и сразу отыскала Машу своими прозрачными глазами. Смотрела без раздражения, без злобы, без испуга — просто отмечала для себя тот факт, что за ней следят. Она не боялась! Маша села в другой вагон — машинально, не думая о том, что делает. В голове стучало лишь одно: «Она не боится, значит, не виновата. Не боится — значит, не виновата. Не виновата. Но кто же виноват?! Кто из нас сошел с ума? Я?! Она?! У нее глаза маньячки. Она не боится, она меня видела, но не испугалась — напугала меня. Хороша же я, если испугалась взгляда девчонки! Да, она девчонка, девчонка! — повторяла про себя Маша. — Когда это случилось со мной, когда мой мир перевернулся, ей было двенадцать—тринадцать лет, а мне — двадцать три! Кому я хочу отомстить? Ребенку? При чем тут она? Надо оставить ее в покое, если я не хочу потом пожалеть об этом... Она была ребенком, да, а я была провинциальной влюбленной дурой, с которой любовник сыграл шутку, смысл которой понимал он один. Но я тоже хочу понять! Я не смогу жить дальше, если не пойму! Он умер. Умер, — твердила Маша как заклинание, потому что лишь в этом была уверена на все сто. — Умер, и надо оставить это дело. Уйти. Сейчас же. Выйти из вагона, убежать, и пусть эта девчонка в голубом плаще едет дальше одна, пусть едет, куда хочет, пусть становится старше, пусть ей будет тридцать пять лет, как мне, пусть у нее не останется сердца, как у меня, пусть катится к чертовой матери!

Мне нет до нее дела. Она не должна меня интересовать! Но я умру, если не пойму, что же произошло. Господи, я хочу, хочу понять!»

Маша не считала остановок, не слушала доносившийся из репродуктора голос, объявлявший станции, — она видела в соседнем вагоне голубой плащ, и больше для нее ничего не существовало. Лишь спустя некоторое время она поняла, на какой линии находится и какая станция приближается — минута за минутой. Она не ошиблась. Услышала знакомое название — слишком знакомое, сколько раз она выходила здесь в свои двадцать три года. Выходила и всегда держала его за руку. Руки у Игоря были теплые. А ее собственные руки сейчас замерзли, и она потирала ладонью о ладонь, чтобы согреться. Женщина в голубом плаще вышла не оглядываясь. Направилась к эскалатору, ведущему наверх. Маша пошла следом. В голове у нее все путалось, она не ожидала такого поворота событий и в очередной раз назвала себя сумасшедшей. «Ну, ты видишь? — сказала она себе. — Все проясняется. Ты хоть видишь, куда она приехала? Прекрати за ней следить. Уезжай».

Но голубой плащ мелькал уже на верхних ступенях эскалатора, и Маша, чтобы не потерять его из виду, стала подниматься, опираясь холодной рукой о резиновый поручень. Она не упустила голубой плащ — увидела его наверху, у стеклянных дверей. На улице было совсем темно. Ноги у Маши устали — туфли немного жали в носках, они были совсем новые, да еще эти каблуки... А женщина впереди шла так легко, словно издевалась над ней. Она больше не оглядывалась, ни разу не оглянулась. Маша начинала отставать, болела правая нога, она ее стерла. И тут голубой плащ метнулся и надулся парусом — женщина побежала. Она летела, словно бежала стометровку, бежала запрокинув голову, быстро и четко работая локтями, с силой выбрасывая вперед ноги... Маша остолбенела — это было нечто странное... Бежать следом? Абсурд. И зачем бежать? Она и так знала, куда приехала женщина, куда она привела ее. «И все же, — подумала Маша, — почему она не оторвалась от меня в метро? Там ей было бы куда легче, хотя бы в том переходе... Зачем она привела меня сюда, почти к себе домой? Или ей наплевать? Но она же не знает, сколько я всего знаю о ней. Она же не знает, что мне известен ее дом. Она должна меня бояться. Она не должна была вести меня сюда. Ни черта она обо мне не знает, зато я знаю, знаю!»

Голубой плащ исчез в одном из дворов, но Маша понимала — это уловка, чтобы сбить ее с толку. Этой женщине был нужен совсем другой двор, поэтому Маша не торопясь пошла прямо туда. Идти было недалеко. Вот он — знакомый дом. Обыкновенный серый «хрущевский» дом в пять этажей. Деревья в убогом палисаднике, свет фонарей на асфальте, исчерченном классиками. Маша остановилась у нужного подъезда, подняла голову, отыскала взглядом окна на пятом этаже. Окно кухни светилось. Женщина была уже там. Следовало уйти отсюда. Или же решиться и зайти в подъезд? Правая туфля жала невыносимо, Маша с трудом ступала на эту ногу. Она с минуту стояла, глядя на светящееся окно, потом медленно подошла к подъезду и потянула на себя дверь.

На пятом этаже было две двери. Ей пришлось ухватиться за перила — и виновата в этом была не стертая нога. Она чувствовала: еще немного — и огромная волна накроет ее, соленая волна, а ведь она так давно не плакала. Маша спросила себе: как давно? И ответила почти сразу: «Двенадцать лет». С тех самых пор, как она бросилась бежать вниз по этой самой лестнице, из этой самой квартиры, перед дверью которой она сейчас стояла, — тогда она заливалась слезами, ревела от стыда, боли и ужаса. Она до сих пор чувствовала на себе взгляд той женщины и взгляд Игоря — взгляды матери и сына. Они стояли и смотрели на нее, когда она приподнялась с дивана, шаря рукой по своей обнаженной груди, пытаясь застегнуть оторванные пуговицы на блузке, открывая рот, чтобы что-то сказать, но слова тоже оторвались, рассыпались, как пуговки от блузки, и попробуй-ка найди их, когда на тебя так смотрят... А потом было общежитие, и был Иван, и запах перегара на кухне, и грязное постельное белье, и мутное зеркало в ванной по утрам, когда она собиралась на работу, и любовники — пять или шесть, один за другим, что в общем-то не много для молодой женщины, потерявшей сердце. Но она больше не плакала — с чего ей было плакать?

Маша протянула руку и нажала кнопку звонка. Она ждала так долго, что у нее в конце концов появилась мысль: эта женщина не откроет, она решила, что ее все-таки выследили. В таком случае, какой смысл звонить? Какой смысл делать все, что она делала до сих пор? Но за дверью вдруг раздался голос — испуганный и тихий:

— Кто там?

Маша не знала, что ответить — не приготовилась отвечать, поэтому молчала дольше, чем следовало. Голос — еще тише — повторил:

— Кто? Я... милицию вызову!

— Зачем? — спросила Маша.

За дверью воцарилась тишина. После длительной паузы голос спросил:

— Вы кто?

— Может, все-таки откроете?

— Нет, я не собираюсь открывать, — истерически зазвенел голос. — Вы там не одна?

— Одна.

— Говорите громче!

— Вы меня что — плохо слышите? — Маша говорила все так же тихо. — Если я буду орать, сбегутся соседи. Вы этого хотите?

За дверью помолчали, потом сказали:

— А вы точно одна?

— Точно одна. Да откройте же, я хочу с вами поговорить.

— Я вас не знаю!

— А я вас знаю. Откроете вы или нет?

Она явно допустила ошибку — женщина за дверью испугалась:

— Я не собираюсь пускать вас в дом! Я милицию вызову!

— Жаль, — ответила Маша. — Что вы к милиции-то прицепились? Ладно, давайте вызывайте, если вы такая смелая.

— А чего мне бояться? — зазвенел голос.

— Сами знаете чего.

За дверью снова замолчали. Потом послышался шорох, и голос сказал:

— Подойдите к глазку, я хочу вас разглядеть. Я вас не вижу.

Маша послушно встала перед глазком и простояла так добрую минуту, как на выставке. Наконец услыхала:

— Я вам не открою!

На сей раз в голосе звучал смертельный страх. Маша насмешливо улыбнулась и заметила:

— А в метро вы казались смелее.

За дверью молчали. И тут Маша поняла: женщина не шутит, она в самом деле готова вызвать милицию. Но глазок оставался темным — на нее все еще смотрели. Маша подошла к двери вплотную и тихо, но очень внушительно проговорила:

— Я же вам ничего не сделаю, хотя, конечно, могла бы. Я вот сама думаю, как бы вы мне в ответ чего не сделали.

— Зачем вы пришли?

— Поговорить.

— А при чем тут метро?

— Я же следила за вами, и вы меня видели. Зачем притворяться?

— Вы за мной следили?!

— Слушайте, — рассердилась Маша, — это глупо. Вы смотрели мне прямо в лицо! И я вам тоже! Мы хорошо видели друг друга, вы все время оглядывались. А потом вы от меня убежали.

— Я от вас... что?

— Убежали!

За дверью послышался отчетливый вздох, и голос с сомнением произнес:

— Вы что — сумасшедшая?

— Не валяйте дурака! — резко ответила Маша. — Я не больше сумасшедшая, чем вы! И откроете вы мне, в конце-то концов?!

— А вы одна?

— Ой, как вы мне надоели... Одна, одна! Что сделать, чтобы вы поверили?

— Отойдите от двери, — попросил голос.

— В смысле?

— Стойте у соседней двери.

Маша сделала несколько шагов назад, не требуя больше объяснений. Женщина за дверью была так напугана чем-то, что спорить с ней было бесполезно — так она никогда бы не открыла. Защелкали замки, дверь чуть приоткрылась, и в щель стремительно высунулась темноволосая растрепанная голова. Голова покрутилась во все стороны, обозревая лестницу, площадку, Машу, и исчезла. Затем дверь приоткрылась пошире. Маша поняла, что это приглашение, и быстро переступила порог. Ей уже осточертело торчать на площадке, на радость соседям.

В прихожей горел свет, и на кухне горел свет, и в большой комнате горел свет. И в этом сиянии перед Машей застыла невысокая девушка в холщовых шортах, в растянутой майке и босиком. Девушка сложила ладони лодочкой и по-детски, растерянно, прижимала их к лицу, глядя на Машу расширившимися светлыми глазами.

— Я дверь закрою? — спросила Маша.

Девушка кивнула. Маша закрыла за собой дверь, а когда повернулась, девушка уже исчезла. В большой комнате что-то звякнуло, что-то стеклянное. Маша замешкалась, ее не покидало ощущение, что она допускает какую-то ошибку. Девушка смотрела на нее испуганно, но дело было не в этом. Она смотрела на нее... как на привидение, явно ожидая самого худшего, но все же впустила в квартиру. И взгляд у нее был какой-то затравленный. Маша ощупала голубой плащ на вешалке и громко спросила:

— Вы где?

— Здесь, — тихо ответили из комнаты.

Маша прошла туда и увидела хозяйку квартиры — та в замешательстве металась по комнате, то хватая со стола пустую бутылку из-под водки, то задергивая штору, то снова прижимая к лицу ладони. Увидев Машу, она застыла, как загипнотизированный удавом кролик. Но и Маша замерла у порога. Она смотрела на девушку, а та смотрела на нее. Наконец Маша сказала:

— Уберите вы руки, ради Бога, уберите руки от лица!

Девушка послушно убрала руки. Маша шумно вздохнула, вглядываясь в ее лицо. Сделала шаг в ее сторону, и девушка в испуге метнулась к окну. Она глянула на гостью, как смотрит на собаку кошка, собирающаяся взобраться на дерево.

— Что это с вами? — пробормотала Маша.

— Что? — сиплым голосом спросила девушка.

— С лицом у вас что? Когда вы успели?

— Я? — Девушка провела пальцами по своему избитому лицу и пробормотала: — Вчера.

— Что — вчера?

— Вчера, вчера вечером...

— Что вы такое болтаете?

Маша уже не стеснялась — подскочила к девушке, схватила ее голову обеими руками и повернула лицо к свету. Она была гораздо выше, так что девушка смотрела на нее снизу вверх — смотрела растерянно, с мольбой в глазах. И эта покорность испугала Машу даже больше, чем следы побоев на лице хозяйки.

— Вы мне что-нибудь объясните? — прошептала девушка, не сводя с нее глаз.

Маша не ответила. Она продолжала изучать это лицо. Избитое — да! Припухшее — да! Но не в этом дело!

Просто это было другое лицо! Глаза голубовато-серые, но это не те глаза! Маленькие, чуть припухшие губы — но не те! Такой же цвет волос, такая же прическа, такой же овал лица — все, все такое же, но другое!

— Зачем вы меня так держите? — Девушка даже не пыталась освободиться, она стояла вытянувшись в струнку и вся дрожала.

Маша отняла руки от ее лица, но взгляда не отрывала. Наконец несколько раз сморгнула, словно пытаясь избавиться от оптического обмана, и выдавила:

— А вы кто такая?

— Я — кто?! — воскликнула девушка. — Это вы — кто такая?!

— Вы что — живете здесь? — продолжала Маша, не обращая внимания на ее вопрос.

— Конечно.

— Это что — ваша квартира?

— Если мой муж умер и квартира была его, то теперь она, наверное, моя, — растерянно отвечала девушка.

— А Игорь был ваш муж?

— Слушайте, что за глупые вопросы?!

Девушка рассердилась, и на миг Маша даже вздрогнула и подумала: не ошиблась ли? Но тень, набежавшая на лицо девушки, быстро исчезла, и оно стало прежним — знакомым и незнакомым одновременно. В ушах у нее блестели бриллиантовые сережки.

— Конечно, он был мой муж, — уже не так сердито, скорее озадаченно проговорила девушка и продолжала уже с некоторым вызовом: — Меня зовут Анжелика, по мужу я Прохорова, его-то фамилию вы знаете или нет? А девичья моя фамилия Стасюк. Этого вы, наверное, не знаете. Мне двадцать пять лет, образование среднее, профессии никакой не имею, люблю блэкджек. И я не сумасшедшая, ни капельки, уверяю вас.

— А я и не говорю, что вы сумасшедшая, — Маша не сводила с хозяйки глаз, все больше убеждаясь, что не ошиблась, — перед ней была другая девушка. Она даже казалась моложе, чем та, наверное, из-за другого макияжа, а может, из-за выражения глаз. У той глаза были настороженные, но при этом не испуганные — странное выражение, внушающее тревогу. Так смотрят, когда хотят ударить и ждут удобного момента. А эта девушка смотрела по-другому. Она вообще была другая, не говоря уже о синяках на лице.

— Нет, вы меня принимаете за сумасшедшую, если говорите, что следили за мной в метро и я вас видела и убежала от вас.

— Вы меня не видели, — согласилась Маша. От этого открытия ей не стало легче, напротив, она еще больше досадовала на себя. Та, в голубом плаще, — куда она убежала? Куда она пропала? Почему она направлялась именно сюда?

— Да, не видела, — подтвердила девушка. — Вы, может, и следили за мной, но я вас не видела. Живьем, во всяком случае.

— Это как? А где вы меня видели мертвой? — Маша почувствовала, что усмехается против своей воли. Девушка была какая-то смешная, а может, казалась такой по контрасту с той, другой. — Слушайте, а давно вы надевали свой голубой плащ?

— Сто лет назад, — быстро ответила хозяйка. — Я вас видела не мертвой, я вас видела на кассете.

— На чем?

— На видеокассете.

— Я же не актриса.

— Ну вот, вы опять меня за сумасшедшую принимаете? — Девушка потянулась к пачке сигарет, лежавшей на столе, раскрыла ее и протянула гостье: — Курите? Хотите?

— У меня свои, — ответила Маша и достала «Данхилл».

Увидев зеленую пачку, девушка вздрогнула и вся напряглась; лицо ее снова окаменело и стало другим — точнее, знакомым, хорошо знакомым Маше. Ей показалось, что она сходит с ума — эта девушка была одновременно и той, другой!

— Анжелика, — неуверенно проговорила Маша, — вы мне правду говорите?

Девушка закурила, но по-прежнему не отводила глаз от зеленой пачки.

— Я вам вообще только правду говорю.

— Я спросила про метро... Нет, о Боже! У вас же синяки!

— А при чем тут мои синяки? — Девушка осторожно выпускала дым из разбитых, припухших губ. — Ничего не понимаю. Вы хотели со мной поговорить?

— Да, да... — Маша растерянно озиралась. — Только вот теперь и не знаю...

— Я тоже ничего не знаю, — вздохнула девушка. — Вы же не убьете меня, нет?

— А вы меня?

Девушка не улыбнулась, только пожала плечами, считая вопрос излишним.

— Знаете, лучше садитесь. Вот сюда. — Она показала гостье на кресло. — Кофе будете? Или еще чего-нибудь? Правда, кажется, ничего больше нет.

Маша села и отказалась от всего, кроме кофе. Уже исчезая в коридоре, девушка вдруг обернулась и сказала:

— А я вас действительно видела на кассете. Вы что, совершенно не помните, кто и когда вас снимал? Не заметили?

— Нет...

— Ясно, — кивнула девушка. — Я бы тоже на вашем месте не запомнила. Я вам кое-что расскажу, только вы на меня не сердитесь. — И исчезла на кухне.

Пока она варила кофе, Маша оглядывала комнату. С того дня, когда она здесь в последний раз побывала, кое-что изменилось, да и не удивительно — ведь хозяин умер. Стало больше беспорядка, повсюду валялись вещи, с подлокотника кресла свешивался белый кружевной лифчик, в углу лежала красная туфля на низком каблуке, пепельница была забита скрюченными окурками. Маша только стала выискивать местечко, куда бы приткнуть свою собственную сигарету, как на пороге появилась Анжелика с маленьким подносом, на котором дымились две чашки. Там же стояла чистая пепельница.

— Извините. — Она поставила на стол пепельницу, и Маша сунула туда окурок. Он зашипел в лужице воды на дне. — Извините, у меня тут бардак, но я же не знала, что вы придете. Как во сне. А как вас зовут?

— Маша.

Анжелика искоса взглянула на гостью и на миг снова стала похожа на ту, другую. У Маши голова пошла кругом. Она вдруг спросила:

— Анжелика, а у вас сестры нет?

— Сестры? Нет, нету. А что такое? — спросила она с беспокойством.

— Нет, ничего.

Анжелика уселась в другое кресло и взяла с подноса свою чашку. Маша к кофе не притронулась. Только теперь до нее начинало доходить, насколько щекотливым будет разговор. «Я шла к женщине, о которой знала хоть что-то, а оказалась в гостях у совсем другой, о которой не знаю совсем ничего... — размышляла она, разглядывая свои наманикюренные ногти. — Глупо. Лучше бы уйти...» Но Маша и сама понимала, что уйти не сможет, не сможет остановить себя, как не могла она остановиться с того самого дня, когда Иван спьяну проболтался.

— Маша, а о чем вы хотели со мной поговорить? — спросила Анжелика, отставив в сторону свою чашку. — Почему вы молчите? Может, мне первой вам все рассказать?

— Что — все?

— Ну, есть что... Или я делаю ошибку? — спросила она будто у самой себя. — Не знаю, ничего не знаю. Но если вы ко мне пришли, значит, ничего не боитесь? Я имею в виду милицию.

Маша неопределенно пожала плечами. Анжелика пояснила:

— Я хочу сказать, не вы же его убили?

— Не я, — подтвердила Маша.

— А я думала, что вы! — выпалила Анжелика. — Я бы и сейчас так думала, но зачем же вы тогда сюда пришли? Меня убить, что ли?..

Она вдруг коротко и звонко рассмеялась, но, поймав на себе недоуменный взгляд гостьи, смущенно пояснила:

— Я нервничаю, со мной столько всего случилось, что сразу не расскажешь. Но вы же не убить меня пришли?

— Нет.

— Ладно. Но если вы все-таки явились за этим, тогда сразу вам скажу — вы и так под подозрением. За это я и хотела попросить прощения.

— Как так?

— Помните, как вы с Игорем в апреле ездили на дачу к его приятелю?

Маша перестала разглядывать свои ногти и подняла голову:

— Это он вам рассказал?

— Приятель, а не Игорь, — сказала Анжелика. — Игорь мне о вас вообще ни слова не говорил. А приятель записал ваше выступление на кассету и прокрутил кассету при всех нас.

— При ком? Какое выступление? Я же ничего не сделала! — Маша испугалась, и Анжелика привстала, чтобы похлопать ее по плечу, но тут же отдернула руку, нарвавшись на неприязненный взгляд. И, смутившись, пояснила:

— Да, вы молчали, но выступал он... И говорил такое, чего нормальная женщина забыть не может, даже если любит... А вы что — его любите?

— Я?!

— Ой, ну все. — Анжелика сунула в рот сигарету и в задумчивости задымила, глядя в потолок. — Какие глупости. Я просто решила, что вы очередная его любовница. Я уже нашла двух. А насчет вас и не сомневалась, потому что эти две против вас — просто страшные рожи. Так что простите за вопрос... Но меня на самом деле не очень волнует, были вы его любовницей или нет. Я, можно сказать, уже привыкла.

Маша не переставала удивляться, глядя на эту девицу. И чем больше она удивлялась, тем меньше ее опасалась. Наконец она сказала:

— Ладно, не буду делать секрета из того, что когда-то я его любила. И была его любовницей. Правда, недолго. Год.

— Вы говорите — когда-то? — заинтересовалась Анжелика.

— Да, очень давно. Вы тогда еще были ребенком.

— Да не может быть!

— Почему? — удивилась Маша. — У вас же была значительная разница в возрасте. Не думаете же вы, что он достался вам девственником?!

— Никогда так не думала... Да я вообще об этом не думала.

— Вы что — никогда его не ревновали к прошлому? — поинтересовалась Маша.

— Я его вообще ни к чему не ревновала.

— Да? Какая редкость. — Маша говорила с грустью в голосе — с грустью, которую ей не удавалось скрыть. — Если уж быть точной, то вам тогда было лет тринадцать. А мне двадцать три. И ему тоже соответственно. Так что ревновать было бы глупо...

— Так давно? — недоверчиво протянула Анжелика. — И что, вы расстались?

— Да, как видите.

— Ничего я не вижу, — возразила Анжелика. — А зачем вы опять к нему пришли?

— Я двенадцать лет ничего о нем не знала, — отрезала Маша. — И знать не хотела, поверьте! И вообще... Ну, об этом не стоит. И если я снова захотела его увидеть, то не ради того, чтобы с ним переспать, уж вы меня простите.

Анжелика слушала затаив дыхание; она даже забыла, что в руке у нее зажженная сигарета. Только когда столбик пепла упал на ее голое колено, она вздрогнула, стряхнула пепел и спросила:

— А зачем же?

— Мне надо было кое-что у него узнать.

— А что именно?

— Да не убивала я его, не убивала, что вы на меня так уставились?! — выкрикнула Маша, потому что девушка действительно смотрела на нее каким-то странным взглядом. Попутно Маша пыталась вспомнить, что именно Игорь орал ей на той мерзкой вечеринке, на даче. Ничего хорошего она вспомнить не могла. И эта девица, конечно, думает, что она убила Игоря из мести... Потому что видела эту вечеринку в видеозаписи.

— Послушайте... — Маша попыталась взять себя в руки. — Послушайте, я хочу узнать, кассета у вас?

— Кассета? Ах да. То есть нет. Она у следователя.

— Почему?!

— Ну, потому что вы приходили к Игорю накануне его смерти, и вас никто не знает, и на даче он вас оскорбил, вот почему, — выпалила девушка, не переводя дыхания. — И я решила, что кассете самое место у следователя, за это теперь и прошу прощения. А вы, значит, Игоря не трогали?

— Да нет же. Этого мне не хватало!

— Тогда советую вам объявиться у следователя и так прямо и сказать.

— И не подумаю! — отрезала Маша.

— Почему?

— Да потому что я, конечно, очень подхожу на роль убийцы. У меня были причины. И возможности. Думаете, я об этом не задумывалась? Только и думала, что мне теперь делать.

— А вы давно узнали, что он погиб?

— Да сразу.

— Вы сюда звонили?

— Нет, это мне позвонили, то есть моему мужу, но...

Анжелика подождала продолжения, но увидев, что гостья вдруг взялась за остывший кофе, осторожно спросила:

— А кто ваш муж? Кто ему звонил? Он друг Игоря, да?

— Он его отец, — фыркнула Маша в свою чашку.

Анжелика замерла, повторив свой излюбленный жест — сложила ладони лодочкой у лица. Некоторое время Маша спокойно (во всяком случае, внешне) пила свой кофе, потом поставила чашку на поднос и с вызовом в голосе пояснила:

— Да, я вышла замуж за отца Игоря, когда потеряла его самого. Вот такая веселая история.

— А... как же его мать?

— Развод, — коротко ответила Маша.

— А я и не знала... — в изумлении протянула Анжелика. И вдруг пришла в величайшее возбуждение: — Но послушайте! Как же так?! Вы, значит, были девушкой Игоря? Целый год? Вы сюда приходили? И потом вышли замуж за его отца?!

— Ну да.

— А... Слушайте, а почему же тогда Саша вас не узнал?!

— Какой такой Саша?

— Его брат!

— А где он должен был меня узнать?

— Да на кассете! Он же вас видел на кассете! Он что — соврал?! Он же вас и раньше видел?!

— Никогда, — невозмутимо ответила Маша. — В жизни он меня не видел, а я его. Когда я сошлась с Игорем, он уже был в армии. А когда мы расстались, он еще оттуда не вернулся. Ну а потом... Вы сами должны понять — он не захотел со мной знакомиться.

— Но хоть фотоографии-то ваши он должен был видеть?

— Какие фотографии? Свадебные? — криво усмехнулась Маша. — Вы полагаете, что мои фотографии стали бы держать в этом доме?

Анжелика, не спуская с гостьи глаз, потянулась за очередной сигаретой. Маша продолжала:

— О смерти Игоря моему мужу действительно сообщил Саша. И еще он сообщил кое-что своему отцу. А именно: если он, его отец, появится на похоронах, Саша закатит ему скандал и выкинет из этого дома, как когда-то его выкинул Игорь.

— А нам он сказал, что отец не придет, потому что работает... — прошептала потрясенная Анжелика. — Какая сволочь...

— Почему сволочь? Он просто его ненавидит. Отца, я имею в виду. Ну и меня. И если бы он узнал меня на кассете, не сомневайтесь — сразу бы сказал, что именно я убила Игоря.

— Дикая история, — подытожила Анжелика. — Знаете, а они все от меня скрывали. Ни Игорь, ни Саша никогда не говорили о своем отце. Будто его и не было. Только и знаю о нем, что их мать с ним развелась, потому что он пил. Правда он пьет?

— С того самого дня не просыхает.

— А... А почему вы с Игорем расстались? Зачем же вы за алкоголика замуж вышли?

— Так получилось.

— Да, у меня тоже «так получилось», — вздохнула Анжелика. — Только с Игорем. Теперь, когда его нет, я все больше понимаю, что жила Бог знает с кем! Только Бог и знает, а я его не знала. Но что об этом думать, правда?

— Да вот, кажется, придется подумать, — возразила Маша.

— Зачем?

— Знаете, пока я не вошла сюда и не увидела вас, я думала только о себе и о своей судьбе. Да, все запутывалось на глазах, я думала, что схожу с ума, и все равно хотела докопаться, узнать, почему все это случилось двенадцать лет назад. Зачем Игорь поступил так со мной. А теперь я понимаю, что со мной-то давно покончено и речь идет уже не обо мне. О вас, Анжелика. И если для меня все кончилось браком с пропойцей, то чем все кончится для вас... Понятия не имею.

— Что-то я вас не понимаю, — призналась Анжелика. — О чем вы говорите?

— Видите ли, — медленно продолжала Маша, — с того самого дня, как со мной это случилось, мне казалось, что дело нечисто. Но я тогда об этом не очень-то задумывалась. У меня была одна цель — как-то выжить и все забыть.

— Что забыть?

— Придется рассказать, хотя я и надеялась обойтись без этого, — вздохнула Маша. — Когда мне было двадцать два года, мы вместе с Игорем учились в строительном институте.

— Я не знала, что он закончил строительный институт!

— Да вы вообще ничего о нем не знали, — отмахнулась Маша. — Мы с ним познакомились. И мне даже казалось, что я ему нравлюсь. А может, так оно и было. Стали встречаться, ну, обычная история. Я влюбилась. В сущности, даже теперь стыдиться мне нечего — он был парень хоть куда. Да и я... Короче, все шло к тому, чтобы мы поженились, даже несмотря на мое происхождение.

— На что?

— Я же не москвичка, я из глухой провинции, из Кустаная.

— Кустанай... Кустанай... — пробормотала Анжелика. — Это на Урале?

— Это в Казахстане, так что теперь там вообще заграница. А как относятся родители московских женихов к невестам из Кустаная, вам, наверное, неизвестно. Вы же москвичка?

— Да, я...

— Но дело расстроилось не из-за этого, уверяю вас, — перебила Маша. Она говорила так, словно издевалась сама над собой, и видно было, что рассказ дается ей с трудом. — Я стала бывать в гостях у Игоря, приходила сюда, в эту квартиру. Вот в этой вот комнате жили его родители, а в маленькой — он и его младший брат. Но брат только что ушел в армию, так что комнатка принадлежала Игорю. Мы сидели там часами, будто бы занимались, а чем мы занимались — ясно. Стоило только потом взглянуть на мои распухшие губы. Ну и все прочее тоже было. — Маша усмехнулась и потянулась за сигаретой. Закурив, продолжала: — Не буду расписывать нашу любовную историю. Все шло как обычно — его родители ко мне привыкали, все больше и больше. Я уже мыла посуду после ужина, болтала с его мамой на кухне о трудностях с продуктами и о прочих милых вещах. Я им нравилась, в смысле родителям. Игорь еще не говорил им, что мы поженимся, но между собой мы это уже решили. Правда, имелось одно «но»... Квартирный вопрос. В эту халупку и так уже набились четверо, а если бы еще прибавилась и я... А там и дети. Но его мать говорила, что если мы поженимся, то она подаст заявление на расширение жилплощади. Помучились бы, постояли в очереди и в конце концов... Да и учились мы в строительном, а когда закончили бы — получили бы на работе какие-нибудь льготы... Так что расстались мы с ним не из-за этого. Если бы из-за этого, я бы сейчас не сидела перед вами с таким глупым видом.

Анжелика собралась было запротестовать, но Маша ее остановила:

— Перестаньте, лучше послушайте. Прошел почти год, как мы с ним сошлись... Я все ждала, когда же он скажет: «Пойдем в ЗАГС, подадим заявление». Не то чтобы мне надоело ждать... Я его любила и видела, что он тоже... Нет, ничего я не видела, но думала так. Во всяком случае, у него никого больше не было. Он смотрел только на меня, ходил только со мной, и я не понимала, почему он тянет... Думала, из-за квартиры... Ведь пока его брат был в армии, мы все же могли как-то жить в этой халупке, но ведь через год он должен был вернуться. И что тогда? Куда его девать? На кухню? На балкон? Я не торопила Игоря, считала, что не имею на это права. Сколько раз я проклинала своих родителей, что они родили меня не в Москве, а в Кустанае! Теперь-то я понимаю, конечно, что упрекала их несправедливо. Каждый устраивает свою жизнь как может. И как я устроила в конце концов свою? — Она сунула недокуренную сигарету в пепельницу и снова заговорила: — Потом я стала замечать в Игоре какие-то перемены. Он казался задумчивым...

— Он всегда был задумчивым! — перебила Анжелика. — Более задумчивого человека я в жизни своей не видала!

— Тогда он таким не был. Он стал задумчивым при мне, то есть на моих глазах, но я в этом была не виновата. Вернее, я тогда думала, что виновата, и опять все списывала на квартирный вопрос. Думала: он переживает, что нам негде будет жить, и расстраивалась, но ничего ему не говорила. Зачем говорить, если не можешь ничем помочь? Он уже был не так внимателен ко мне, и губы у меня опухали все реже и реже... Часто мы просто сидели у него в комнатке — и даже не рядом. Я на диванчике, он — у окна. Если я спрашивала его, не хочет ли он меня поцеловать (вот такая я еще была дура!), он отвечал, что у него дурное настроение. Если я спрашивала, почему у него дурное настроение, он говорил, что сам не знает. А если я предлагала пойти в кино или погулять, говорил, что лучше ляжет спать. А это, сами понимаете, могло означать только одно: мне надо уходить. Не может же он спать на том же диванчике, где сижу я? Это был просто вежливый способ сказать: «Убирайся!» Наконец я совсем заволновалась — такие явные были перемены. Я уже почти не бывала у него. Он провожал меня после института до общаги и шел домой один. А может, не домой, откуда мне было знать? Я его не выслеживала, а надо было! Теперь бы я уже все знала. Я не могу сказать, как вы, что я его не ревновала, нет! Я его ревновала, но к кому? К пустому месту. И не похоже было, что у него кто-то появился, я бы почувствовала. Я просто стала ему надоедать. А потом он и провожать меня перестал. И на лекции ходил все реже. А это что-то да значит! Игорь был такой аккуратист...

— Верно. Эта его черта меня всегда раздражала, — кивнула Анжелика. И тут же перехватила взгляд Маши — та смотрела на лифчик, висевший на подлокотнике. Анжелика скомкала его и сунула на книжную полку, за часы, попутно заметив: — Я, знаете, никогда бы не закатила скандал из-за того, что расческа в ванной лежит не справа, а слева, или что паста из тюбика выдавлена неравномерно, или что полотенце упало на пол... А его все это бесило. И тем не менее он со мной не развелся. Загадка природы!

— Анжелика, милая, — вздохнула Маша, — уверяю вас, у меня все всегда лежит на нужном месте, и паста из тюбика выдавлена так, как надо, и все полотенца висят на хорошо прибитых крючках... И тем не менее меня он бросил. И мне даже кажется теперь, что наши с вами «загадки природы» имеют одну и ту же отгадку.

— Да? Не понимаю...

— Сейчас попытаемся понять вместе, — пообещала Маша. — Так вот, после месяца такого резкого охлаждения он вдруг первый сделал шаг к сближению — пригласил меня к себе домой. Я должна была прийти к назначенному часу и дождаться Игоря в его комнате. Мне не хотелось идти. Я хорошо помню тот день... Я не знала, как он объяснил своим родителям, почему я перестала у них бывать, и как они меня теперь встретят... Самое ужасное, Анжелика, что мне очень нравилась его мать. Она была такая веселая, умная, милая женщина... Мы с ней часто разговаривали на такие темы, на которые я до того только с собственной матерью говорила. Но я пришла сюда. К назначенному времени. Боже ты мой, до чего здорово он все это разыграл! — Она тряхнула своими белыми волосами — отчаянно, почти весело. — Дома оказался только его отец. Я сразу увидела, что он выпил. Такое за ним и раньше водилось. Мне не хотелось с ним говорить, я очень расстроилась. Но он первый начал разговор. Говорили мы с ним о чем-то ужасно дурацком, о фильме, что ли, каком-то... А потом он вдруг понес такую чепуху, что я даже не поняла, о чем это он. Так вот... прежде чем я сообразила, что о фильме речь уже не идет, он стал заваливать меня на диван. Короче, когда я увидела на пороге комнаты Игоря с его мамой, блузки на мне почти что не было, юбка задралась до самого подбородка, и все прочее тоже было хоть куда.

— И что вы сделали?! — ахнула Анжелика.

— Что сделала? Для начала я выползла из-под старого идиота, который тоже слова выдавить не мог, а потом схватила в охапку туфли и кинулась бежать, стукаясь головой обо все стены. Больше я здесь не появлялась.

— Как?! Но почему?!

— Что — почему?

— Но надо же было все им объяснить! — воскликнула Анжелика.

— Кому — им?

— Игорю, его маме...

— Его мама моих объяснений слушать не стала бы. Ей все уже объяснили. — Маша отрывисто хохотнула. — И это сделал ее милый сыночек, ненаглядный Игорь. Он один понимал, что происходит. Все прочие только плясали под его дудку.

— Не понимаю?

— Чего тут не понимать? Это он все подстроил. Да, да, не смотрите на меня такими ужасными глазами! Его папаша никогда бы на меня не полез, если бы он не посоветовал ему сделать это. Представьте, Игорь его убедил, что я в него влюблена. Ну а что Игорь объяснил маме... Да разве надо было что-то объяснять? А если бы несчастный пьяница, я отца имею в виду, попытался это сделать, она бы его вышвырнула... Ведь он лежал на мне, лежал, без всяких преувеличений. Какие уж тут объяснения! Короче, мы с ним оба оказались хороши. Что бы мы ни говорили — поверили бы Игорю, а не нам. А потом Иван — так зовут моего мужа — нашел меня в общаге, мы стали снимать квартиру... Затем умерла его мать и оставила ему в наследство кооперативную халупку на окраине. Теперь мы живем там. Как живем — не спрашивайте, все равно не поймете.

— Но зачем Игорь это сделал?!

— Ему надо было избавиться разом от отца и от меня. Избавиться вообще от всех. Все ему мешали.

— Но почему?

— У него имелась веская причина, чтобы остаться одному.

— Когда мы с ним встретились, он уже был один... — пробормотала изумленная Анжелика. — Он выселил в другую квартиру больную мать и брата... Только зачем же он тогда женился на мне?

— Вот это меня как раз интересует больше всего! На себя я уже рукой махнула.

— Да? — с глупым видом спросила Анжелика. — Мне показалось... Может, я тоже была наивной дурочкой, то есть...

— Да не извиняйтесь вы за свое «тоже»! — вздохнула Маша. — Я-то дурочкой точно была. Так что вам показалось?

— Мне показалось, он в меня влюбился с первого взгляда.

— Неужели? А как это случилось?

— Да он меня, можно сказать, нашел... Как подкидыша, на набережной. Я стояла там с ободранными коленками и вдруг увидела, что на меня уставился молодой человек. И смотрел он так, будто увидел бесценное сокровище.

— Бесценное сокровище?

— Вроде того... — смутилась Анжелика. — А потом стал ухаживать, а потом женился...

— Когда это было? Сколько вам было лет?

— Семнадцать... Поженились, как только мне исполнилось восемнадцать. День в день. Мне казалось... Что я ему нужна...

— Не понимаю! — воскликнула Маша. — Не понимаю, почему он женился именно на вас!

— Ну, я все-таки была недурна собой... Наверное, я ему понравилась?

— Не сомневаюсь, но у него же... — Маша захлебнулась от избытка чувств. Она молча уставилась на собеседницу.

Анжелика поежилась:

— Что вы на меня так смотрите?

— Знаете, — теперь Маша говорила спокойнее, — когда Иван во всем мне признался, я сразу захотела выяснить с Игорем отношения. И настояла на встрече. Но он не стал со мной объясняться, а вместо этого привез меня на дачу к своему приятелю и там оскорбил при всех. Он надеялся, что я после этого отстану, но просчитался. Я следила за ним. И за две недели смогла навести кое-какие справки. Я ворошила его прошлое, я встречалась с людьми, о которых он давно забыл. Сперва результаты были не Бог весть какие, но потом кое-что появилось. Да, кое-что. Я не собиралась оставлять его в покое и узнавала о нем все больше и больше. Не знаю, кто бы еще смог столько узнать. Я любила его когда-то, и это придавало мне сил. Я хотела понять, почему, по какой причине можно разбить чужую жизнь. Мне хотелось даже, чтобы эта причина была поосновательней, чтобы было не так обидно... В тот вечер, третьего мая, я пришла сюда, чтобы выложить ему все, что узнала, и потребовать объяснений. Но он... Он был не в себе. Мы не проговорили и пяти минут. В конце концов он просто выставил меня за дверь. Вытолкал в спину, я не преувеличиваю. Он чего-то боялся. А через два дня его младший брат позвонил Ивану и сказал... — Маша вдруг стала задыхаться, потом проговорила каким-то странным сдавленным голосом: — Я не понимаю, как это вышло. Я знала, что он женился, но никогда не видела его жену, не видела вас. Я думала, что дело не в вас, ведь он женился куда позже, на несколько лет позже всей этой грязной истории... Я не знала, как вы выглядите. Но зато я выследила другую...

— Другую?

— Так можете вы мне объяснить, — Маша даже привстала от волнения, — можете вы мне объяснить, как вышло, что вы с ней на одно лицо?!

## Глава 12

— Простите... — пробормотала Анжелика, немного помолчав. — У нас получается как в какой-то рекламе бронированных дверей. Там сказано: «Проще проломить стену». Вот и вы лучше бы ломали стену, чем таким образом что-то мне объяснять. Я вообще не поняла, о чем речь. Может, еще кофе?

— Вы меня за сумасшедшую принимаете?

— Да нет, я просто подумала, может, это я такая тупая... — протянула Анжелика. — С одной сумасшедшей я сегодня уже виделась.

Маша не отреагировала на это сообщение. Она сидела упершись локтями в расставленные колени, уткнувшись лицом в ладони и молчала. Наконец, не поднимая головы, сказала:

— Но не сошла же я с ума? Я ее видела только что. Она побежала... куда-то сюда.

— Куда — сюда? — опасливо глядя на гостью, поинтересовалась Анжелика. Маша, сначала нравившаяся ей все больше и больше, теперь теряла завоеванные позиции. Анжелика уже начинала подумывать, как бы выставить из квартиры эту сумасшедшую даму, предварительно узнав ее домашний адрес, чтобы сообщить следователю, но тут Маша снова заговорила:

— Поймите, я следила сперва только за ним, а потом и за его любовницей. Я не знаю, как ее зовут. Этого никто не знает. Но зато я узнала, где она живет. Мне удалось выследить их обоих...

— А еще одна откуда?

— Я говорю об Игоре, я видела их вместе... — пояснила Маша. — Тогда, в конце апреля, после того как он свозил меня на ту дачу и оскорбил при всех, я стала следить за ним. Я не могла это так оставить. Я расспрашивала его прежних приятелей по институту. Один кое-что припомнил, вспомнил об одной девушке и даже описал в общих чертах ее внешность. Он видел Игоря с этой девушкой, как-то случайно... Но у

Игоря тогда была только одна девушка, так я думала. Но если имелась и вторая, значит, из-за нее все и произошло. Много ума не требовалось, чтобы догадаться. Я хотела спросить Игоря, неужели она была так хороша, что понадобилось так меня унижать перед его матерью, устраивать эту дикую сцену... Я только это хотела спросить — и вдруг увидела его с нею. У меня в глазах потемнело. Двенадцать лет прошло, а он ее не бросил! А чтобы бросить меня, хватило одного года... Игорь подвел ее к машине, они вместе в нее сели и поехали, а мне удалось поймать тачку и выследить, куда они отправились. Он высадил ее у одного дома на набережной, она вошла в подъезд и несколько часов не появлялась. Я торчала во дворе, на лавке. Я поняла, что это дом, где она живет, но я не знала, какие окна — ее.

— А почему вас все это интересовало? — Анжелика с грустным видом допила остатки кофе. — Я вот никогда не мучилась вопросом, где живут его любовницы.

— Если бы он бросил вас из-за этой любовницы, вы бы мучились этим вопросом.

— Неужели?

— А, ну конечно... — усмехнулась Маша. — Вы же его не любили, я забыла.

Анжелика не стала спорить и без особого интереса спросила:

— И что, узнали вы, какая у нее квартира?

— Да, — глухо проговорила Маша. — Хотя о чем это я? Не в этом дело.

Она вдруг начала нервничать. Полезла в сумку, заглянула в кошелек и положила его на место. Глаза ее еще больше потемнели. Когда Маша подняла голову, в этих глазах невозможно было различить зрачок.

— В чем дело? — спросила Анжелика.

— Ни в чем. Я просто проверила, хватит ли денег на такси.

— Если не хватает, я вам займу, — предложила Анжелика.

— Нет, не стоит. Я не поеду на метро, — как бы самой себе сказала Маша. — Зачем она сюда приехала? Она же тут не живет.

— Та женщина?

— Да, да, та женщина. Его любовница. Похожая на вас как две капли воды, если не очень приглядываться! Из-за которой он меня бросил, выгнал отца, потом мать и брата. И вас бы выгнал!

— Чушь собачья, — ласково улыбнулась гостье Анжелика. — Проще проломить стену.

— Заткнитесь вы со своей стеной! — неожиданно заорала Маша.

Анжелика вобрала в легкие побольше воздуха и отодвинулась вместе с креслом подальше от стола. В безопасности она себя не почувствовала. И с тоской подумала, что ей все-таки следовало вызвать милицию в тот миг, когда блондинка с видеокассеты появилась перед глазком двери.

— Мне страшно, — твердила Маша. — Я дура, я полная кретинка.

— Ну что вы, — нерешительно возразила Анжелика, хотя с последним утверждением была полностью согласна. — Вы просто волнуетесь. Честно говоря, я тоже волнуюсь. До сих пор я вам верила. Но с тех пор, как вы твердите про эти... две капли воды, которые друг на друга похожи, мне немного не по себе. Что вы имеете в виду?

— То самое я и имею в виду.

— Вы хотите сказать, что его любовница, за которой вы так долго следили, похожа на меня?

— Мало сказать — похожа. Первые пять минут после того, как я вас увидела, я все еще сомневалась — может, думаю, это она.

— Глупости.

— Да, глупости, — кивнула Маша. — Я чувствую себя идиоткой. Вы мне не верите, а она где-то неподалеку.

— Почему вы так думаете?

— Я же вам говорю: сегодня я снова следила за ней. А до этого следила три раза, и она меня не замечала. Но сегодня мне немного не повезло. Эта тварь почувствовала меня спиной, что ли?.. Она меня увидела. Она водила меня за нос. Доехала на метро до вашей станции, вышла и пошла к вашему дому. А потом пустилась бежать, и я не смогла ее догнать. Я решила, что она хотела оторваться от меня и спрятаться в квартире Игоря. Ведь неподалеку его дом. Куда еще она могла бежать?

— А вы не подумали, что в этой квартире нахожусь я — его жена? — удивилась Анжелика. — С какой стати любовница побежит к жене? Бывает, конечно, что любовница и жена — старые школьные подруги, но это не тот случай.

— Я бы на вашем месте не шутила. Она что-то задумала.

— Ну хорошо, — сдалась Анжелика. — Хорошо. Ответьте мне в таком случае на один вопрос. Какие у вас духи?

— Что?!

— Духи у вас какие?

— «Фамм де Пари», — ответила изумленная Маша. — При чем тут духи?

— А почему я запаха не чувствую? — недоверчиво спросила Анжелика.

— Он быстро выветривается, это туалетная вода.

— А есть у вас духи «Экскламэйшн», от Коти?

— Нет... При чем тут это?

— Не знаю, — вздохнула Анжелика. — Вы говорите, что Игорь возил эту женщину в своей машине? В своей новой синей «вольво»?

— Да.

— Так вот, я в этой машине никогда не ездила. Не посчастливилось мне. Но при этом сиденье рядом с водительским насквозь пропитано моими духами. Это место обычно занимает жена или любовница. В этой машине ездили вы.

— Один раз!

— Но если вы не пользуетесь этими духами... Значит, ими пользуется та, другая. А если у нее те же духи, что у меня... — Анжелика с мученическим видом закатила глаза и спросила: — Может, она действительно на меня похожа? А что вы говорили про мой голубой плащ?

— На ней был такой же.

— Вы хотите сказать...

— Да, да, дошло наконец! Ваши плащи — они как из одного магазина. Я даже думаю, что они на самом деле из одного магазина.

— Я свой купила в ГУМе.

— Она свой тоже, наверное.

— Но чего ради она одевается, как я? — удивилась Анжелика. — И если не Игорь подарил ей такие же духи, как у меня, то это вообще... какая-то мистика. А если она еще и похожа на меня...

— У нее такая же прическа, — объяснила Маша. — Такая же походка. Такая же точно фигура. И ваше лицо. Нет, не совсем ваше, но в общем... Глаза у вас не такие — и не только по цвету. Да и общее выражение не то. У вас другой взгляд. Чем больше я на вас смотрю, тем меньше вы мне кажетесь похожей на нее. Но сперва я чуть с ума не сошла...

— Странные вкусы у Игоря... — поморщилась Анжелика. — Чего ради ему две одинаковые бабы? Мало было меня одной?

— Тогда уж скорее мало ему было ее одной. Вы появились позже.

— Вы хотите сказать, что номер второй — это я, а не она?!

— Я же вам сто раз говорила — он из-за нее меня бросил! Он тогда учился в институте! Это было двенадцать лет назад, черт возьми! Чем вы меня слушаете?! Сколько вы за ним замужем? Попробуйте подсчитать...

Анжелика недоуменно посмотрела на нее и покачала головой:

— Не понимаю... Он что — идиот? Когда мужчина заводит любовницу, он делает это потому, что жена надоела. А когда женится — то только потому, что ему осточертела любовница. Так я всегда считала и думала, что не ошибаюсь... Но выбрать жену, похожую на любовницу... Он спятил. Неужели так ее любил, что хотел иметь два экземпляра? А почему же он тогда на ней не женился, если она была первой? Она что — замужем?

— По моим сведениям — нет.

— Двенадцать лет беспросветной любви, вы говорите? — Анжелика пыталась шутить, но на душе у нее было нехорошо. Она не стала бы называть это чувство ревностью — скорее здесь примешивалось оскорбленное самолюбие. Она бы куда легче перенесла все эти новости, если бы ей не пытались втолковать, что существовала какая-то женщина, похожая на нее. Единственной и неповторимой она себя никогда не считала, но тем не менее... — Как все это не похоже на Игоря! За двенадцать лет он мог камень на себе женить. Эта женщина его не любила, что ли?

— Откуда мне знать?

— Но, во всяком случае, замуж она за него не вышла, хотя времени имела предостаточно... Могла сто раз «подумать», как выражаются в таких случаях невесты... — задумчиво проговорила Анжелика. — Я прихожу к одному выводу: она не хотела выходить за него. Хотя это и кажется невероятным.

— Почему? — ощетинилась Маша. — Как раз очень даже вероятно.

— Вы, кажется, говорили, что видели их вместе. Она ведь не выглядела влюбленной по уши?

— Нет, не сказала бы.

— А он?

— Он выглядел примерно так, как выглядит влюбленный по уши.

— Хотелось бы посмотреть на него... — вздохнула Анжелика. — А еще лучше — на нее... Чудеса! Я начинаю вам верить, к сожалению. Хотя предпочла бы все-таки остаться в единственном экземпляре. Знаете, все это могло выглядеть так: он давно в нее влюблен, она с ним спит, но замуж не выходит, сколько ни проси.

И вот он встречает меня, наивную дурочку, и женится назло ей. Представляю, в каком она была бешенстве! Любовник нашел точно такую же женушку, как она... Я бы ему горло перегрызла.

— Завидую вашему веселью, — нахмурилась Маша. — Не знаю, как у них там обстояло дело с пламенной любовью, но, во всяком случае, в то время, когда он ее встретил, пожениться они никак не могли. Никак.

— Почему?

— Ей не было даже шестнадцати лет.

— О!.. — даже с некоторым уважением в голосе протянула Анжелика. — С ума сойти! Выходит, он обольстил малолетнюю? Или совратил? Как это называется? Кажется, за такое даже статью дают?!

— Я думаю, что тогда ей было столько же, сколько и вам, — сухо проговорила Маша. — Наверное, вы с нею ровесницы. Во всяком случае, тот человек, от которого я узнала о ее существовании, был уверен, что видел Игоря с какой-то его племянницей или младшей сестричкой.

— Рехнуться можно! Но все-таки... Нет, а почему же, когда она подросла и он мог на ней жениться, он выбрал меня?

— Хотела бы я это знать.

— А ее он не бросил? Вы ничего не путаете? Они остались любовниками?

— Да.

— Простите, а почему вы вообще решили, что они были любовниками? — встрепенулась Анжелика. — Может, они просто общались? Хотя дружба здоровенного парня с сопливой девчонкой выглядит нелепо... Но я не представляю, что Игорь польстился бы на малолетнюю! Тринадцать лет! Ни в какие ворота не лезет! Вы так уверены, что они уже тогда...

— Да. — Маша вытряхнула из пачки последнюю сигарету. — Иначе почему он меня бросил? Из-за обыкновенной дружбы?

Анжелика кивнула и задумалась. Аргументов для возражений она не находила. Глядя, как Маша прикуривает, спросила:

— Это вы обронили сигарету возле трупа?

Маша замерла с зажигалкой в руке.

— Что?! Ну и скачут же у вас мысли! При чем тут сигарета?

— Я нашла такую же точно сигарету возле трупа Игоря. Это не вы ее потеряли?

— Я не видела его трупа!

— Понимаю. Но вы же тут были?

— Когда?

— Когда?.. — задумалась Анжелика. — Да, что-то не то. Вы были тут вечером третьего мая? А убили его вечером четвертого. Не могла же сигарета проваляться тут целые сутки?

— А почему нет?

— Он бы такого беспорядка не потерпел. Ладно, курите, не обращайте на меня внимания. Просто эта сигарета мне много крови испортила. Хотя на фоне последних новостей об Игоре все блекнет. У меня просто в голове не укладывается... Давайте все-таки кофе. Есть парочка шоколадок.

Когда они снова устроились друг против друга с дымящимися чашками, Анжелика заметила, что гостья ушла в себя. Она смотрела в свою чашку, помешивая кофе, но не притрагивалась к нему, не поднимала глаз. Шоколадки медленно подтаивали на горячих блюдцах. В пепельнице дымилась «недобитая» сигарета. Часы показывали половину первого. Ночь выдалась совсем летняя — теплая и тихая, и в приоткрытом окне о чем-то шептались кленовые листья.

— Ну и что мне теперь делать? — спросила Анжелика, нарушив наконец молчание.

Маша едва заметно пожала плечами, покачала головой. Потом поставила на стол свою чашку, из которой так и не сделала ни глотка, и нервно затушила тлевшую сигарету.

— Ничего.

— Как «ничего»? — удивилась Анжелика. — Зачем же вы тогда все это рассказали?

— Я и не собиралась сегодня вам ничего рассказывать. Я шла сюда, чтобы увидеть ту, другую. Теперь и до меня доходит, как это было глупо. С чего бы это любовнице бежать прятаться от меня у законной жены? Но я не думала об этом — я просто шла за ней следом, и все. А когда увидела вас, надо было как-то объяснить свое появление. И вам, и себе самой. Как я могу давать вам советы?

— Вы считаете, я должна что-то предпринять? — упорствовала Анжелика.

Маша пожала плечами.

— Но, в сущности, какая мне разница — была у него еще одна любовница или нет? — со вздохом продолжала Анжелика. — Это, конечно, меня не радует, но уже ничего не поделаешь.

— Вы были у следователя? — неожиданно спросила Маша. — Я правильно вас поняла?

— Да. Много раз.

— У него есть предположения, кто это сделал?

— Кажется, сперва он думал, что это я.

— Да? Хотя я тоже думала, что, может, Игоря убила его жена...

— Странно вы все думали, — поежилась Анжелика. — Он в жизни мне ничего дурного не сделал. Один раз дал пощечину. И был совершенно прав. Я бы сама себя исхлестала, если бы была умнее.

— Я думала, его жена узнала об этой девице и поэтому... Ну а увидев вас, я поняла, что вы не могли его убить, — каким-то невыразительным голосом проговорила Маша.

— Я внушаю вам доверие?

— Да, что-то вроде этого.

— Значит, по-вашему, я не могла бы сделать ему ничего плохого? — спросила Анжелика.

— Думаю, нет.

Анжелика отхлебнула из своей чашки. «Вот был бы номер, если бы я рассказала про наш план... — подумала она. — Хороша банда! Безобидное существо вроде меня, бездельник Саша и его свихнувшаяся женушка! Каких бы мы дел натворили, если бы кто-то нас не опередил! Но до чего же кстати это случилось... Будто по заказу. Игорь знал. Он все знал». Эта мысль, поразившая ее во время выяснения отношений с Леной, снова засела у нее в мозгу, заслоняя все другие. «Он все знал. Он нас ждал. Он не отпирал сознательно, он ждал своих убийц. Почему же он открыл ей?!»

— Послушайте, а Игорь впустил вас в квартиру без возражений? — спросила Анжелика.

— Когда?

— Третьего мая.

— Без возражений. Я позвонила ему и спросила, не может ли он встретиться со мной еще раз. Намекнула, что есть вещи, о которых ему было бы интересно побеседовать. Ведь в апреле я еще ничего не знала, пришла к нему с пустыми руками, если можно так сказать. А в мае у меня уже имелись кое-какие сведения о нем и этой девице.

— Вы хотели его шантажировать?

— Чем? — удивилась Маша. — Совращением малолетних? Но эта девка давно уже взрослая. Или вы думаете, я хотела разрушить вашу семью и сообщить вам о ней? Думаете, я хотела от него денег за свое молчание?

— Нет-нет, — замялась Анжелика. — Но в таком случае, почему вы решили с ним встретиться? Вы ведь уже знали, что он вас бросил из-за этой девицы. Вы ведь хотели узнать, почему все это случилось. Зачем же нужен был еще один разговор?

— Да так... — вяло ответила Маша. — Вам это трудно понять.

— Я глупая?

— Нет, вы слишком счастливая.

— Я?! — ахнула Анжелика. Но, встретив взгляд темных неподвижных глаз, осеклась.

У этой нарядной красивой женщины, сидевшей напротив, Анжелика могла найти только один недостаток: казалось, что ей достались по ошибке не ее глаза. К этому лицу и этим волосам подошли бы синие или голубые глаза и, уж конечно, в них просто обязана была присутствовать какая-то живая искра, пусть глуповатая, но веселая. Наконец Анжелика спросила:

— Ну и поговорили вы с ним?

— Не успела.

— Он вас сразу выставил, вы сказали?

— Да.

— Зачем же он согласился с вами увидеться, если не собирался выслушать?

— У меня сложилось впечатление, что его планы внезапно изменились. Когда я говорила с ним по телефону, он, конечно, злился, но все же сказал, что хочет увидеться с глазу на глаз и обстоятельно все обсудить. Видимо, я его достала. А когда я пришла, он заявил, что у него совершенно нет времени, и выставил меня чуть ли не пинком под зад.

— Странно.

— Мне кажется, он чего-то боялся.

— Да это не новость, — обронила Анжелика. Заметив вопросительный взгляд собеседницы, выругалась про себя и пояснила: — Кто-то же его убил, верно? Хотя и не в тот вечер. Наверное, ему угрожали.

— А ему действительно угрожали, вы не знаете?

— Знала бы — убийцу уже нашли бы.

— Что у вас с лицом? — неожиданно спросила Маша. — Сколько я тут сижу, столько хочу узнать. Можно полюбопытствовать?

— Да мне и самой любопытно... — проворчала Анжелика.

— Как это?

— Меня избил один парень, а за что и кто он такой — не знаю. Может, вы его, случайно, знаете? — Анжелика в который уже раз описала внешность своего мучителя, но Маша покачала головой:

— Таких парней слишком много. Если у него нет особых примет, будут искать сто лет.

— Я просто плохо описываю, — расстроилась Анжелика. — У него приметное лицо, но у меня не получается передать... А искать его не будут. Кому он нужен? Я рассказала следователю, так он меня на смех поднял. Сказал, правда, что это может быть связано с убийством моего мужа, но искать по таким приметам отказался.

— Он не имел права!

— У него какие-то свои права, я в них ничего не понимаю.

— Да, скверная история, — протянула Маша.

И тут в дверь позвонили. Анжелика вцепилась побелевшими пальцами в подлокотники кресла. Маша повернула голову к двери в коридор, потом перевела взгляд на хозяйку и шепотом спросила:

— Вы ждете кого-то?

— Нет...

Обе женщины замерли в ожидании, но звонок не повторился. Наконец Анжелика шевельнулась и только открыла рот, чтобы выразить свою радость, как откуда-то из-за окна раздался тихий зов:

— Лика?

— Что такое? — Маша вскочила и подошла к окну.

Анжелика открыла балконную дверь и вышла на балкон. Из окна соседней квартиры высунулась знакомая белобрысая голова:

— Ты почему не отпираешь?

— А ты на меня внимательно посмотри — и поймешь, — отрезала Анжелика.

Юра помолчал, разглядывая ее в слабом свете, падавшем из комнаты на балкон, и нерешительно проговорил:

— У тебя вроде бы что-то в лице изменилось?

— Что-то... — проворчала Анжелика. — Знаешь, ты все-таки зайди.

— Ага, сейчас.

Юра исчез в своей комнате, а Анжелика вернулась к столу. Маша в испуге схватила ее за рукав майки и прошептала:

— Кого вы позвали?! Зачем?!

— Не бойтесь, это мой сосед. Он безобидный.

Прежде чем Маша успела что-то возразить (а возразить ей, видимо, хотелось), в дверь снова позвонили, и Анжелика бросилась отпирать. Впустив гостя, она тихо сказала:

— А тут для тебя сюрприз.

— Что с тобой? — испугался Юра, разглядев синяки. — Кто это тебя?

— Не буду врать, что упала и расшиблась, — ответила Анжелика. — Сюрприз не у меня на лице, а в комнате. Помнишь свою роковую блондинку?

— Юра?! — На пороге комнаты появилась Маша. Она подскочила к Юре и воскликнула: — Ничуть не изменился!

— Вы знаете друг друга? — спросила ошеломленная Анжелика.

— Я-то его знаю, — рассмеялась Маша. Было видно, что она искренне обрадовалась, чего совсем нельзя было сказать о Юре. Он выглядел донельзя глупо — глаза еще больше выкатились из орбит, а щеки и даже шея быстро покрывались пятнистым румянцем. Маша с улыбкой тронула его за плечо: — Ты до сих пор тут обитаешь?

— Подождите-ка, — вмешалась Анжелика. — Я чего-то не понимаю. Ты, Юра, знаком с Машей?

Тот потупился и кивнул.

— Но ты же видел ее на кассете? — В голосе Анжелики послышалась угроза.

Он снова кивнул и окончательно сник. Было очевидно: он очень жалеет, что ему в голову пришла мысль навестить свою соседку. Маша удивленно смотрела то на него, то на Анжелику. Наконец спросила:

— Он меня видел на кассете? Ну и что?

— Он вас не опознал! — возмущенно воскликнула Анжелика.

— Не опознал?

— Я думала, что он был в армии с Сашей, если не опознал вас. — Анжелика прошла в комнату, гости последовали за ней, не сводя друг с друга изумленных взглядов. Анжелика плюхнулась в кресло и продолжала: — Если они ровесники, то и в армию их должны были взять вместе, так?

— Меня мать отмазала, — наконец подал голос Юра. Он откашлялся и виновато добавил: — По состоянию здоровья.

— А он был здоров как бык, — вмешалась Маша. — Но мать его слишком любила, чтобы отпустить на два года. И связи у нее были, так ведь?

— Значит, Саша вас все-таки не знал? Этому можно верить? — спросила Анжелика.

— Конечно!

— А Юра знал?

— Разумеется. Мы с ним очень мило общались. Он часто тут бывал, верно, Юр? — Маша, казалось, помолодела лет на пятнадцать. Анжелика удивлялась — как такие в общем-то неприятные воспоминания могут подействовать на женщину столь целительным образом. Но целительный эффект сошел на нет, как только она проговорила: — Юра много общался с Иваном. Они оба скучали по Саше и вспоминали его.

Тут Юра до бровей залился густой краской. Маша замолчала.

— Так почему же ты не узнал Машу на кассете? — Анжелика не собиралась оставлять его в покое. — Ты же ее сразу узнал!

— Я...

— Слушай, а что это за комедия с неизвестной блондинкой? — продолжала Анжелика. — Ты ведь тогда пришел рассказать о блондинке в белом плаще, которая явилась к Игорю? Какая же она неизвестная? Зачем ты мне врал? Я же тебя за язык не тянула?

— Да это все мать! — выпалил Юра.

— При чем тут твоя мать?

— Ой, я тебя прошу, не надо... — в испуге пробормотал он, уловив в тоне Анжелики нарастающую агрессию. — Потом объясню.

— Тайны? — спросила Маша. — А как поживает твоя мама?

— Здорова, — коротко ответил Юра и выразительно посмотрел на Анжелику.

Та возмущенно фыркнула. Она поняла, что Юре не хочется обсуждать при посторонних отношения своей матери с Игорем. А если бы разговор о матери продолжался, неизбежно заговорили бы и об этих отношениях.

— Ладно, — сказала Анжелика. — С меня хватит.

— Сто лет тебя не видела, — продолжала Маша, обращаясь к смущенному парню.

Анжелика, с трудом удержавшись от очередного вопроса, встала и вышла на кухню. Открыла окно, облокотилась на подоконник и уставилась вниз, разглядывая классики на асфальте. Розовые и зеленые меловые линии четко выделялись под светом фонаря. Голова у нее гудела от всех впечатлений этого дня, ноги подкашивались. Она бы много отдала за то, чтобы во всем разобраться, и еще больше — чтобы забыть обо всем и лечь спать. Из комнаты доносились голоса, и она с раздражением прислушивалась, повторяя про себя: «Выметайтесь! Не дом, а проходной двор!» Глаза у нее начинали слипаться, она клевала носом. Внезапно потянуло сквозняком. Анжелика обернулась. Юра заглянул в кухню:

— Я ее немного провожу, потом вернусь...

— Можешь не возвращаться, врун несчастный.

— Я все объясню!

— Не надо. — Она отлепилась от окна и поплелась в коридор. Маша стояла у двери, перекинув через плечо ремешок своей белой сумки. — Уходите?

— Да, уже очень поздно.

— Как хотите... — Анжелику одолевала зевота, и гостеприимный тон давался ей с трудом. — Мы еще увидимся?

— Если будет что сказать друг другу...

Юра, явно боявшийся продолжения разговора, тронул Машу за рукав:

— Пойдем, надо поймать машину.

Анжелика заперла за ними дверь, тщательно проверила замки и прошла на кухню — закрыть окно. Она задержалась у окна на минуту, чтобы посмотреть, как ее гости выйдут из подъезда. Вскоре по асфальту застучали Машины каблуки, ее белые волосы сверкнули в свете фонаря, блеснул замочек на сумке. Юра шел рядом. Он не взял ее под руку, хотя по всему было видно, что ему очень бы этого хотелось. Они о чем-то говорили, но до Анжелики их слова долетали как неразборчивое бормотание. Вскоре парочка скрылась в тени. Она уже собиралась закрыть окно, как вдруг неподалеку от фонаря ей почудилось какое-то движение. Она вглядывалась в темноту. Там, в тени деревьев, кто-то бесшумно двигался, направляясь следом за ее гостями. Анжелика ничего толком не могла разглядеть, ее глаза улавливали только само движение. Потом глаза стали слезиться, и она уже начала сомневаться, что хоть что-то увидела. Она поняла, что устала, очень устала, никогда так не уставала. И закрыла на ночь окно.

## Глава 13

«Мои враги — телефон и входная дверь, — поняла наутро Анжелика. — Оттуда, из внешнего мира, приходят опасности и безумие. А значит, надо сделать так, чтобы этот телефон молчал и эта дверь не открывалась. Надо переехать отсюда». Она поняла это так же отчетливо, как и то, что, если останется здесь еще ненадолго, — сойдет с ума. Вчерашний разговор с Машей казался каким-то тягостным и бессмысленным враньем. Визит Юры это чувство только усугубил. Его обещание все объяснить не успокоило ее. Возникал впрос: куда переезжать? К матери? Ее передернуло при одной мысли об этом. Но больше у нее никого не было. Наконец она сказала себе, что стала богатой, хотя бы ненадолго, вполне может снять другую квартиру, пока вся эта история не закончится. А может, вообще продаст эту квартиру и купит новую, в другом районе Москвы. А может... Тут Анжелика невольно улыбнулась — настолько привлекательной показалась эта мысль. Замки Луары. Вранье, которое они с Сашей придумали для следователя, неожиданно может стать явью! Она богата и останется богатой еще несколько лет, если не станет больше посещать «Александр Блок». А этого она больше делать не будет — ни при каких обстоятельствах.

Эта идея так ее воодушевила, что она выбралась из постели и отправилась в большую комнату звонить Саше.

— Я тебе не нужна в городе Москве? — спросила она.

— Что?! — в испуге воскликнул Саша.

— Я хочу уехать.

— Куда?

— В замки на Луаре, — отчеканила Анжелика. — Как и хотели мы с Игорем.

Саша, не оценив юмора, запротестовал:

— Никто тебя туда не пустит. Идет следствие. Забыла?

— Ну кончится же оно когда-нибудь? — упавшим голосом спросила Анжелика.

Она действительно напрочь забыла о следствии. Алиби, так неожиданно подтвержденное официантками «Ла Кантины», казалось ей гарантией того, что следователь теперь оставит ее в покое.

— Пока оно не кончится, отстань от меня со своими фантазиями!

— Ты не в духе? — Анжелика сразу почувствовала, как тяжесть всех последних дней опять навалилась ей на плечи и придавила ее. Замки на Луаре исчезли в тумане.

— Представь, да. Ты бы тоже была не в духе, если бы всю ночь просидела рядом с сумасшедшей. Я ее не привязал, а зря. Хотя бы выспался.

— Она тебя слышит?

— Она меня даже видит.

— Зачем же ты говоришь при ней такое? — забеспокоилась Анжелика.

— Она не реагирует. Может, вообще ничего не слышит.

— Как это?

— Я сижу в комнате, а она лежит на диване, — раздраженно ответил Саша. — Если я с ней заговариваю, она не отвечает. Так что я не собираюсь принимать ее во внимание.

— Она спокойна?

— Вполне.

— Больше не пыталась?..

— Выброситься в окно? Нет. А что это ты взбрыкнула и засобиралась во Францию? Ты же дальше Мытищ в жизни не ездила.

— Идиот! — обиделась Анжелика. — Это ты нигде не был, а я была в Крыму.

— С папой, мамой? А кстати, на какие деньги ты собралась ехать?

— Как это — на какие? А счет? Там осталась половина.

— Десять тысяч?

— Ну да. Мне бы хватило и на Францию, и на жизнь...

— А мне нет.

— А ты тут при чем? — запальчиво спросила Анжелика. — Знаешь, я достаточно тебе переплатила! Больше ничего не дам.

— Дашь как миленькая. Я как раз на днях хотел сходить с тобой в банк.

— Можешь сходить туда один и потереться носом об дверь! — взвизгнула она. — Больше тебе там нечего делать!

— Истеричка, — заявил Саша. — Хватит с меня ваших бабских истерик! Пойдем вместе и все поделим пополам! Ишь, какая стала самостоятельная! С чего бы это?

— Ты меня научил самостоятельности. — Анжелику трясло от бешенства. — О, ты всему меня научил! И в карты играть, и врать, и еще кое-чему... Странно еще, что ты со мной не переспал!

— Заткнись. Не переспал — значит, не хотелось, — ответил он, уже успокоившись. — Если тебе плохо, сходи в кабак и напейся. Но одна не пей, это опасно. Или найди любовника.

— Обойдусь без твоих советов!

— Не обойдешься. Слишком рано ты стала считать себя свободной.

— Я свободна!

— Это тебе только кажется. Пока Лена в таком состоянии, мы с тобой не свободны. Я должен убедиться, что она будет молчать.

— Так убей ее! — взорвалась Анжелика. — Тогда она точно замолчит!

— Дура! Какая же ты дура!.. — застонал Саша. — Какие вы бабы все дуры... Я так от вас обеих устал. Нашла время скандалить. И вообще, мне нужна твоя помощь, а не истерики.

— Что?

— Помощь, дуреха. Слушай внимательно, если не хочешь оказаться за решеткой. Я не могу ее оставить одну, сама понимаешь. Она может позвонить следователю или еще что-нибудь натворит. Она нас заложит, если ей что-то стукнет в голову. Неизвестно, на что она теперь способна. Думаешь, легко контролировать сумасшедшую?

— Она же тихая.

— Я думаю, это ненадолго. И вообще, она может притворяться.

— Какая помощь тебе нужна?

— Продукты. Принеси нам продукты. И приготовь обед. Я даже не могу выйти из комнаты. Даже писаю за полминуты, чтобы не оставлять ее без присмотра. И дверь в туалет не закрываю.

— Может, тебе лучше принести ночной горшок? — съехидничала Анжелика. — Тут неподалеку продаются просто чудесненькие, в виде дракончиков, и специально для мальчиков. Я должна готовить вам обед? А больше ничего не нужно?!

— Если будет нужно, я скажу. Давай, давай, приезжай. И захвати денег.

— У тебя есть деньги!

— У меня их нет.

— Куда ты их дел?!

— Положил в банк.

— Рехнулся?

— Почему рехнулся?

— Следователь может проверить твое финансовое положение, — забеспокоилась Анжелика. — И если он обнаружит, что у тебя завелись денежки, то сразу догадается, чьи они.

— Какая ты умница. Этот банк он никогда не сможет найти — тем более проверить. А вот если бы я держал дома заначку, было бы куда хуже.

— Что за банк? — заинтересовалась Анжелика.

— Приезжай, расскажу. И купи побольше жратвы, я больше не вынесу. Дома один кефир. И то прокисший.

Она бросила трубку и пошла умываться. В ванной всплакнула от злости и успокоилась, только ополоснув лицо холодной водой. То ли синяки стали не такие яркие, как вчера, то ли она просто к ним привыкла, но ей показалось, что выглядит она уже получше. Зато на душе появился такой огромный «синяк», что любая мысль причиняла боль. И ничем этот «синяк» не замажешь. «В какой момент все пошло кувырком? — спрашивала себя Анжелика, глядя в зеркало и нанося на лицо тональный крем. — Когда ворвался в квартиру этот парень? Когда пришла Маша? Когда мне врал этот придурок Юра? Лягушка вшивая...» Ей стало смешно, когда она попыталась представить вшивую лягушку, но веселья ее хватило ненадолго. «Или все испортилось еще раньше? Когда Саша заговорил об убийстве? Когда я в первый раз проигралась? Когда Игорь остановил машину рядом со мной — там, на набережной...» На миг она будто увидела все это со стороны — девчонка, поднимающая юбку, чтобы рассмотреть свою ногу выше колена, красная машина, припаркованная к бровке тротуара, ветер над серой рекой, желтые деревья за оградой парка, мужчина, который подходит и спрашивает, не надо ли чем помочь. И его глаза, в которых девчонка видит живой интерес к себе — не интересной никому на свете, даже собственному отцу.

— Всю жизнь я покупаюсь на такую дешевку, — пробормотала Анжелика, глядя на себя в зеркало. Она припудрилась и принялась подводить глаза. Во время этого процесса «умная» Анжелика отчитывала «глупую»: — Идиотка, пора тебе поумнеть. Ты попалась с Игорем. Он тебя не любил. Он любил ту, другую. Если он и остановил свою машину рядом с тобой, то, наверное, только потому, что ты ему напомнила ее. А может, он даже нас перепутал? — Она открыла коробочку с румянами. — Ему было забавно видеть девчонку, которая так похожа на его любовницу. Но чего ради он стал ухаживать за мной? Зачем женился? Может, у меня характер лучше? Может, я вообще умнее и красивее? Или просто хотел ее позлить?

Анжелика вытащила из косметички помаду и осторожно провела ею по своим распухшим губам. Нижняя губа уже не болела, на ее внутренней стороне остался белый рубчик — след от ранки.

— Я все это могу понять, — сказала вслух Анжелика. — Но какого черта она носит такой же голубой плащ, как у меня, и душится теми же духами? Зачем ей это? Или ему это было надо? Боже, да кому угодно, только не мне.

Тут в голове у нее зазвучали два голоса одновременно. Обе Анжелики — «сильная» и «слабая», «умная» и не очень — ссорились и ругались друг с другом, как две соперницы из-за одного мужчины. Она застыла с помадой в руке, уставившись на свое отражение — бледная, перепудренная, с недокрашенными коричневыми губами. В конце концов из этого гвалта в голове, будто текст телеграммы из аппарата, выползла одна фраза: «Это она мне звонила насчет моего алиби».

— Боже! — воскликнула Анжелика, когда в голове у нее чуть поутихло. — Боже, это была она!

Анжелика бросила помаду на полочку, даже не позаботившись закрыть ее колпачком. Помада покатилась, упала в раковину и переломилась. Анжелика равнодушно отнеслась к судьбе косметического изделия. Она выскочила из ванной с одним лишь желанием — побыстрее чего-нибудь выпить. Нашлись остатки водки, и она выпила все, что смогла «выдоить» из бутылки — примерно с четверть стакана. Затем, отдуваясь, нашаривая сигареты, опустилась на стул у кухонного стола. Чиркнула зажигалкой.

«Я же думала, что мне насчет алиби звонила Маша... Но чего ради она стала бы мне звонить? Еще я думала, что это была чья-то неумная шутка. Но шутка, во-первых, оказалась умной, а во-вторых — кто так шутит? Да, это была она. Официанток никто не подкупал. Они действительно меня узнали! Меня, то есть ее. Маша говорит, мы похожи как две капли воды. Может, она и преувеличивает, но мы похожи, теперь я понимаю, что она не соврала! Она тоже не стала бы так глупо шутить. Такого не придумаешь. Она не сумасшедшая. И я не сумасшедшая. И официантки не сумасшедшие! Если бы следователю пришло в голову расспросить их, во что была одета та «я», которая сидела четвертого мая в «Ла Кантине», тогда бы все выплыло наружу... Я в тот вечер была в своем голубом плаще, на мне были брюки, белая рубашка... И меня кто-нибудь да видел. Хотя бы мои свидетели в казино. А в чем была та, другая, о которой вспомнили официантки? В том же, в чем и я? Сомнительно. Так не ходят в дорогие клубы. И вообще, она же не может всегда одеваться в точности как я! Но следователю и в голову не пришло спросить об этом. Или пришло? Нет, тогда бы мое алиби рухнуло. Я же не успела бы переодеться перед казино, за какие-то пять минут. А значит, мое алиби полетело бы к чертовой матери. Я сама не смогла бы ему сказать, как была одета в клубе. Я этого не знала! Почему она мне об этом не сказала? Странно. Почему она вдруг решила позаботиться обо мне?.. Ничего не понимаю. Я ведь не знала ее совсем. А вот она меня, наверное, немного знала со слов Игоря. Но она же должна была меня ненавидеть! Она была его любовницей Бог знает сколько времени, с двенадцати лет! Такое бесследно не проходит. Когда он на мне женился, а ее отодвинул в сторонку в качестве простой любовницы, она должна была мне глаза выцарапать! А как она себя вела? Идеально. Любовницы звонят женам, выясняют с ними отношения, пытаются встретиться и разобраться... Жены проделывают то же самое. Но мы с ней никогда не встречались. А Игорь погиб при невыясненных обстоятельствах. Так, черт возьми, откуда могла взяться ее симпатия ко мне, да еще такая, чтобы она сделала мне алиби?!»

Анжелика глубоко затянулась сигаретой. Встала и приоткрыла окно. Она чувствовала себя так, будто стояла в проходе несущегося на всех парах скорого поезда. Ее покачивало. Она резко села и зарылась лицом в ладони. Внезапно перед глазами у нее появился настоящий поезд. Купейный вагон. Поездка в Крым с родителями в возрасте восьми лет. Папа говорит: «Не стой возле открытого окна, тебя продует». Мама в купе раздирает на части жареную курицу, которая уже начинает попахивать. Ее зовут есть, но слишком жарко, и есть не хочется. Она становится на приступочку и высовывается в окно, как только родители уходят в купе обедать. В лицо ей бьет струя горячего воздуха, она щурится, чувствуя, как загибаются ресницы. Затем высовывает из окна руку, и руку начинает отбрасывать в сторону ветром. Резкий запах незнакомых трав щекочет ноздри, руку жгут прямые солнечные лучи. Ее снова зовут есть, и она отходит от окна. В вагоне очень душно и пахнет несвежей снедью, которую в этот час разворачивают во всех купе. В их купе опущена кожаная коричневая штора — мать страдает от жары. На ней потрепанные красные тапочки, ситцевый халат. Отец усаживает свою любимую Лику рядом с собой и дает ей помидор. Потом приглаживает ее прямые черные волосы и говорит, что они горячие — значит, Лика все-таки не слушалась и высовывалась в окно. Она ест приятно прохладный пресный помидор и испытывает что-то очень похожее на счастье.

— Господи, — пробормотала Анжелика, поднимая голову и открывая глаза. — Почему же я теперь одинока, как собака? Что это за жизнь такая? Я не хочу так жить. Я не могу так жить! Зачем я его встретила, зачем он меня подобрал?! Я не хочу его помнить, не хочу его знать! И о ней тоже не хочу ничего знать! Если она его убила, я пожму ей руку, но я никогда не хочу ее видеть! Ничего не хочу! Все это ненастоящее! У меня с семнадцати лет все ненастоящее! Все, все!

Она плакала, снова уткнувшись в стол, и больше не пыталась сдержать слезы. Сигарета давно потухла, водочные пары постепенно выветривались из головы, в окно врывался ласковый весенний ветерок. Ее уже не пошатывало, она больше не видела поезда, не видела отца, не думала, не вспоминала. Просто старалась выплакать все накопившиеся слезы. Через полчаса она снова умылась холодной водой и вытащила из раковины изуродованную помаду.

«Надо быть экономней, — сказала она себе. — Денег у меня нет, как дал мне понять дорогой Саша. В конце концов, я ведь не убивала своего мужа, так за что же давать мне деньги? А интересно, она знает, что мы хотели его убить? Ведь он знал — благодаря Лене. Рассказал он ей или нет? Если да — я прекрасный объект для шантажа с ее стороны. Зачем она устроила мне алиби? Зачем ей это, если она его убила? Меня бы, может, посадили, а она осталась бы в стороне... Может, денег захотела? И кто же, черт возьми, его убил?! Если бы это сделали мы с Сашей, у нас теперь не было бы никаких проблем. Было бы одно из двух:

или мы бы уже сидели за решеткой из-за какого-нибудь просчета в нашем плане, или спокойно спали бы по ночам, чего теперь и в помине нет. Меня мучают кошмары, его — безумная жена. Жаль, что мы этого не сделали! Маша его не убивала. Не знаю почему, но я ей верю, хотя она всего лишь сказала, что не делала этого. Доказательств у нее нет. Его могла убить любовница. По какой угодно причине. Его мог убить тот парень, который избил меня. Тоже по любой причине. Но какая бы ни была причина, кто бы его ни убил, я хочу покоя, я хочу безопасности. Я хочу нормальной жизни. Я больше не могу так жить!»

Она заново накрасилась, сунула в сумку деньги и натянула джинсы и легкий свитерок. После смерти мужа Анжелика вновь вернулась к тому стилю одежды, который ей нравился до встречи с ним. Ей вспомнились его требования, его вкусы: классические костюмы, спокойные цвета, украшения, строгая прическа... И она вдруг подумала: не по его ли инициативе в ее гардеробе появился голубой плащ? Попыталась припомнить — и в конце концов пришла к выводу: он указывал ей только стиль, в соответствии с которым ей следовало одеваться. Сам он в магазины ходил крайне редко. Вещи ей не покупал, ограничиваясь тем, что выдавал на них деньги. Ее покупки не критиковал. «Странно, — сказала она себе. — Если он хотел, чтобы мы с той девушкой одевались одинаково, ему же надо было как-то за мной следить? А он этого не делал. Как же так получилось, что у нас одинаковые плащи? Может, он указывал ей, а не мне? Может, он ее делал под меня, а не меня под нее? Утешение, но слабое... Во всяком случае, это унизительно для нас обеих. Почему она это терпела? Я-то вообще не имела понятия, что происходит, когда он мне говорил «тебе идет синий цвет» или еще что-то в том же роде. Но она?»

Анжелика тщательно заперла входную дверь и побежала вниз по лестнице, прихватывая рукой перила, чтобы не поскользнуться и не загреметь, как случалось множество раз. Во дворе она не увидела свою знакомую девочку и даже немного расстроилась. Впервые она пожалела, что почти не общалась с соседями по дому. Столько прожила здесь и ничего ни о ком не знала. А что соседи знают о ней? Ее же все равно что нет. Многие, конечно, даже понятия не имеют, как ее зовут. Зато об убийстве судачат вовсю. Ей вдруг захотелось рассказать обо всем именно той веснушчатой девчонке с русыми волосами до пояса, которая никак не могла научиться играть в классики. И от этой мысли ей стало грустно и смешно — никогда и никому она не собиралась рассказывать всей правды. Анжелика быстро шла к метро, пытаясь на ходу вспомнить, как же зовут ту девочку? Она ведь назвала ей свое имя. И рассказала, что видела того парня, который избил Анжелику... Девочка стояла в сторонке, глазея на классики, сунув руки в карманы куртки, такая же одинокая, неприкаянная, какой была когда-то сама Анжелика — в ту пору, когда все звали ее просто Ликой. Как же ее зовут? Оля? Наташа?

«Света!» — вспомнила Анжелика и тут же остановилась. Чтобы выйти к метро, надо было пройти мимо продуктового магазина на углу улицы. Но сейчас она и шагу бы не сделала в ту сторону. Рядом с магазином, неподалеку от телефонного автомата, стоял парень. Высокий, плотный, коротко остриженный, в черных джинсах и бежевом свитере. Она с первого взгляда узнала это лицо.

Парень, видимо, тоже ее узнал, потому что тронулся с места и пошел прямо к ней, как-то неуверенно разглядывая ее. Анжелика замерла, потом вдруг сообразила, что стоять так и ждать чего-то — глупо. Бросилась в сторону и побежала. Мимо промелькнул пешеходный переход, светофор с красным глазком, зеркальная витрина, ее облаяла чья-то собачка, рвущаяся с поводка... Она ничего не замечала, даже не оглядывалась, потому что знала: если собьется дыхание, то она уже не убежит. Ей показалось, что она слышит за спиной топот ног. Но во что обут парень? Если он в кроссовках, то этот топот — всего лишь плод ее воображения. А если он в тяжелых ботинках...

Бег никогда не был ее любимым видом спорта. В какой-то миг, когда ей показалось, что она бежит так быстро, как никогда в жизни, она вдруг перестала чувствовать под ногами асфальт. А в следующее мгновение поняла, что падает. Падая, она пыталась прижать к груди сумку с деньгами, подстраховаться. Однако сумку ей не удалось удержать — она отлетела в сторону. Анжелика упала на колени и ободрала до крови руки. И почему-то вдруг подумалось, что она выглядит сейчас ужасно глупо. Кто-то из прохожих ахнул, глядя на ее эффектное падение. Кто-то в испуге отскочил в сторону. Снова залаяла собака, на сей раз — другая, немецкая овчарка. Анжелика подобрала сумку и стала подниматься. Ей помогли это сделать — кто-то подошел сзади и поддержал ее под локоть. Она обернулась и увидела его. Светлые глаза. Русая щетина на щеках. Приоткрытый от изумления рот. Анжелика молча попыталась вырваться. На них смотрели прохожие. Парень ее не отпускал; он в смущении бормотал что-то невнятное. Она с трудом разобрала: «Подождите, я все объясню...»

— Пусти! — выдавила она, сопя от возмущения и снова пытаясь освободиться.

— Да подожди... — Парень все-таки убрал руки, и Анжелика, крепко прижав к груди сумку, сразу отскочила от него на несколько шагов. Он попытался приблизиться, и она, уже громче, спросила:

— Обнаглел? Ты, придурок! — Голос у нее сорвался от страха, и она стала озираться в поисках помощи. Стоило ей только закричать — и помощь, конечно, пришла бы немедленно.

Анжелика заметила, что многих заинтересовала упавшая девушка и подскочивший к ней парень, который этой девушке явно не понравился. Одним из таких «заинтересовавшихся» оказался накачанный детина, владелец облаявшей Анжелику овчарки. Детина гулял с собачкой, но, увидев эту сценку, гулять перестал и теперь стоял неподалеку, глядя в их сторону. Овчарка также глядела на них с большим и, несомненно, «хищным» интересом.

— Мало тебе... — Она отошла еще дальше, а парень снова сделал шаг следом. — Что ты ко мне привязался?! Я милицию сейчас позову!

— Да слушай, я же все объясню... — Он вдруг снова оказался рядом и снова взял ее под локоть. — Ты не бойся, я тебя не обижу.

— Пошел ты!

— Как ты расшиблась... — заметил он, глядя на ее джинсы. — Это что — кровь?

Она тоже посмотрела на свои джинсы. Наклонилась и отряхнула колени:

— Это грязь. А кровь была, когда ты меня избил. У тебя наглости хватает еще за мной следить?! Что я тебе сделала-то?!

Ее голос срывался на истерический визг, и парень явно не знал, как заставить ее говорить потише. Детина с овчаркой встрепенулся, но с места все же не двинулся.

— Слушай, — сказал парень. — Пошли посидим где-нибудь. Я, ей-богу, не хотел.

— Да пошел ты! — повторила Анжелика, не проявляя чудес фантазии.

— Слушай, ну я же все тебе объясню. Я прошу прощения за тот случай. Я просто ошибся.

— Ни хрена себе! Ошибся он! Ты меня чуть калекой не сделал! И вообще, бандитские замашки... — Она вырвалась и пошла в сторону метро. Он не отставал, приговаривая на ходу:

— Слушай, ну надо же поговорить... Слушай, я полным дураком себя чувствую... Я тебе сейчас все объясню...

Овчарка с явным разочарованием залаяла им вслед. Они уже почти подошли к станции, как вдруг парень метнулся куда-то в сторону. Она предпочла не смотреть, куда он исчез, и прибавила шагу. К метро вела невысокая бетонная лесенка. Она поставила ногу на первую ступеньку и оглянулась, чтобы проверить, не следует ли он за ней. Сердце ее бешено колотилось, мысли в голове путались. И запутались еще больше, когда она снова его увидела. Вернее, сначала увидела Букет. Букет с большой буквы. Он держал в руках десятка три роз в хрустящем целлофане с бантами и витыми ленточками. Догнав Анжелику возле лесенки, парень сунул ей цветы:

— Вот.

— Это... мне? — спросила изумленная Анжелика, одной рукой прижимая к груди его подношение, а другой — непроизвольно поправляя волосы, хотя кокетничать с этим подонком вовсе не собиралась.

— Тебе. Вместо «извини». И я что хочешь для тебя сделаю, только ты меня выслушай!

Анжелика рассмотрела розы и с некоторым сожалением протянула их обратно:

— Забери.

— Ну почему?

Парень так расстроился, что она чуть было не смягчилась. Но воспоминание о том, как он гонял ее по коридору, подхлестывая ударами по лицу, особому дружелюбию не способствовало. Она протянула ему розы:

— Забери свой веник.

Он не притронулся к цветам. Вытащил из нагрудного кармана сигареты и протянул ей. Анжелика машинально отметила, что он курит «Кэмел». С того дня, когда она нашла возле трупа мужа сигарету, вопрос о том, кто что курит, не переставал ее волновать.

— Не буду, — с вызовом ответила она.

Он закурил, глянул по сторонам и вдруг сказал:

— Гляди, вроде там какой-то ресторанчик? Видишь, красный козырек?

— Ну и что.

— Может, зайдем? — предложил он, словно не замечая ее гневного тона.

Анжелика возмутилась:

— Ну ты, придурок! Ты что воображаешь?! Купил мне веник, и я растаяла?! Да я тебя в любой момент могу милиции сдать!

— Что ж не сдала?

— Да пошел ты!

Она снова попыталась всучить ему букет, но он одну руку убрал за спину, а в другой держал сигарету. Анжелику затрясло от злости. Она бросила цветы на землю, чем привлекла всеобщее внимание. Все спешившие в этот час к метро имели возможность любоваться романтичной сценой: девушка в грязных джинсах, со слегка замазанными синяками на лице, отказывается принимать ухаживания чистенького, откормленного, весьма приятного с виду парня. На Анжелику смотрели с неодобрением.

— Подними букет! — сказала она, все еще содрогаясь от гнева.

Парень послушно наклонился и сделал то, что она требовала. Но когда он протянул ей свой дар, она мотнула головой.

— Ну что еще? — расстроился он.

— А теперь сунь его себе сам знаешь куда! — фыркнула Анжелика и рванула вверх по лестнице.

В следующее мгновение ее сзади схватили за свитер — и она упала прямо в знакомые объятия. Знакомые — потому что точно так же он держал ее на лестнице, подталкивая к квартире, чтобы избить, и у нее возникло то же ощущение — казалось, ее прижали к шкафу средних размеров. Анжелика отчаянно взвизгнула, но парень ее не отпустил. Стащив Анжелику со ступенек, он снова вручил ей букет и придержал цветы, чтобы Анжелика их опять не бросила. Она тяжело дышала, глядя ему в глаза. И вдруг увидела, что эти глаза смеются.

— Слушай, ты всегда так добиваешься своего? — спросила она, обнаружив, что он убрал руку и она уже держит букет по собственной воле.

— Всегда, — невозмутимо ответил парень. — Пошли пообедаем?

До самого красного козырька они не промолвили ни слова. Но когда подошли к ресторанчику и обнаружили, что он так и называется «Красный козырек», оба невольно улыбнулись.

— Кормят-то хоть прилично? — спросил он, поворачиваясь к Анжелике.

— Не знаю.

— Не бывала тут?

— Нет.

— Тогда пошли проверим.

Они уселись за маленький круглый столик, покрытый красной клетчатой скатертью. Официант, надо лбом которого красовался красный козырек, зажег для них маленькую настольную лампу, пальнув из кремневого пистолета в крохотный стеклянный абажурчик. В центре абажурчика загорелся язычок пламени. Анжелика, оценив лампу по достоинству, заметила:

— А тут интересно.

Ее кавалер заказал полный обед. Она не протестовала, продолжая разглядывать его — не таясь, открыто. Хрустящий и шелестящий букет она положила на соседний столик.

— Ну, так будешь ты мне что-то объяснять или просто хотел поесть под красным козырьком? — спросила она, когда перед ними поставили вино и холодные закуски.

— Как тебя зовут? — спросил он, дождавшись, когда официант разольет вино и отойдет.

— Анжелика.

— А меня Женя.

— Ну и что? — Она взяла свой бокал. Вино придало ей бодрости, по крайней мере, все происходящее перестало казаться таким нелепым, как раньше.

— Да ничего. Надо же было представиться.

— А что ты сразу этого не сделал, если такой вежливый?

— Ты ведь не хотела меня слушать.

— Нет, еще раньше. Когда ты меня избил!

Он выложил на стол свои сигареты. Она потянулась к ним и взяла одну. Женя дал ей прикурить, чиркнув зажигалкой. Потом сказал:

— Тогда ты меня и подавно не стала бы слушать. Ну... и я обалдел.

— Я тоже, представь себе, — поморщилась Анжелика. — Уж обалдела так обалдела! А ты почему обалдел?

— Да, понимаешь... Я перепутал...

Она промолчала только потому, что не знала, что ответить. Иначе бы завизжала и, пожалуй, отплатила бы ему той же монетой — разукрасила синяками. Он продолжал:

— Глупо, конечно. Ужасно глупо. Но мне нужна была не ты, а другая.

— Здорово! Кому же мне передать твои подарки? — спросила она, указывая пальцем на свои синяки.

— Твоей сестре.

— Кому?!

— Сестре твоей. Сестра у тебя есть?

— Нет, — отрезала Анжелика, чувствуя странный жар в желудке. И ни вино, ни закуски «Красного козырька» тут были ни при чем. — Хочешь сказать, что хотел избить мою сестру?!

— Да ты не бойся... — Он совсем растерялся, заметив ее реакцию. — Я теперь и ее не трону. Клянусь, даже пальцем не трону! Ты только передай ей, чтобы она со мной встретилась.

— Да нет у меня сестры!

— Врешь?

— Пошел ты! — Анжелика потянулась к соседнему столику, чтобы забрать букет и удалиться, но вдруг поняла, что это было бы глупо. Если уходить, так без его подарка. Но и уйти без подарка она не смогла — он протянул руку и прижал ее пальцы к скатерти, убедительно повторяя одно и то же:

— Успокойся! Успокойся! Ради Бога, куда ты собралась?!

— Подальше от тебя! — выпалила она, оставаясь, однако, на месте.

— У тебя правда нет сестры?

— Да никого у меня нет! И двоюродной сестры тоже нет! И троюродной племянницы!

Он вполголоса выругался, и, как ни странно, это ее успокоило. Она больше не пыталась вскочить со своего стула, и он убрал руку с ее ладони. Тут им принесли жаркое — баранину с томатами. И снова они молчали, пока не ушел официант. Первым заговорил Женя:

— Ешь.

— Не хочу. — Анжелика порывистым движением сунула в пепельницу сигарету. — А что, та, которую ты хотел избить, похожа на меня?

— Не отличишь.

— Тогда я знаю, кто это.

— Кто?!

— Любовница моего покойного мужа, — выдала Анжелика, с усмешкой наблюдая за Женей — его круглое лицо заметно вытянулось, а голубые глаза приобрели глуповатое выражение. Наконец он сказал:

— С ума сойти. Ты шутишь?

— Какие могут быть шутки? Только вчера я узнала, что она на меня очень похожа. Не ты первый обманулся. Нас запросто можно спутать.

Анжелика принялась за баранину. Уничтожив одним махом полтарелки, она подняла глаза и увидела, что Женя ничего не ест.

— Вкусно, — сообщила она. — Язык проглотишь. Ешь, пока горячее.

Его тонкие брови взлетели на лоб. Он осторожно спросил:

— Ты не пошутила, ты действительно ее знаешь?

— Ну как тебе сказать... — Анжелика с сожалением посмотрела в свою тарелку, от которой приходилось отрываться, чтобы отвечать на вопросы. Жаркое привело ее в прекрасное настроение. Ничего вкуснее она в последнее время не ела. — Я не знаю, как ее зовут, но одна женщина знает, где она живет. А что она тебе сделала?

— Подкинула подляну, — выразительно произнес он. — Ладно, ешь. — И он принялся опустошать бутылку. Потом подозвал официанта и заказал еще одну. Зажав в руке бокал, он спросил Анжелику, уже расправлявшуюся с последними кусками мяса: — А та женщина, она может сообщить тебе ее адрес?

— Наверное, да. — Анжелика отодвинула тарелку и тоже взяла бокал. — Значит, ты решил, что подляну тебе подкинула я?

— Ну да. Слушай, ты меня простила?

— Не знаю, — не без кокетства ответила Анжелика. — Когда синяки заживут, посмотрим.

— Знаешь, — доверительно проговорил Женя, — когда я увидел, что ты — не она, я так испугался!

— Ты это когда увидел?

— Да сразу, когда ты на свет попала. В комнате... — смутившись, пояснил он.

— Я поняла, что тебя что-то напугало, но тогда же я не знала, что у меня есть двойник. Теперь бы сразу догадалась.

— А как так вышло, что вы одинаковые?

— Откуда мне знать? А мы действительно совершенно одинаковые? Или все-таки есть разница? Вот ты же все-таки понял, что я — не она. Так в чем отличие? Оно же есть, верно?

— Трудно сказать, — вздохнул Женя. — Когда приглядишься, сразу видно.

— Надо было сперва приглядеться, а потом меня бить, — сказала она, пристально глядя в его тарелку. — Будешь есть?

Он взялся за жаркое, потом опомнился:

— Тебе еще чего-нибудь взять?

— Я бы у них взяла рецепт... — затосковала Анжелика. — Знаешь, ты мне сперва ужасно не понравился. Но за такое жаркое что угодно можно простить! Нет, добавки не надо, а то джинсы расстегнутся.

— А ты молодец, — пробормотал он. — Таких девушек, как ты, еще поискать. Другая бы точно сдала меня ментам.

— Да, я редкость, — согласилась она. — Хотя и существую почему-то в двух экземплярах. Ошибка природы...

— Да не похожи вы! — утешал ее Женя. — Только с первого взгляда.

— Она под меня косит, — сообщила Анжелика, наблюдая, как он ест.

Женя отправлял в рот кусок за куском, явно не ощущая вкус жаркого. Бесшумный официант с красным козырьком поменял им пепельницу, подлил вина в бокалы и опять исчез.

— Погоди!.. — Женя вдруг замер с поднятой над тарелкой вилкой. — Я мимо ушей пропустил... Что ты сказала о твоем покойном муже?

— Что он умер.

— Давно?

— Четвертого мая вечером.

— А что с ним случилось? — спросил он, пытаясь изобразить сочувствие.

— Убили.

Женя положил вилку и уставился на собеседницу, ожидая то ли продолжения шутки, то ли каких-то объяснений. Она молчала, вертя в руках бокал. Потом поставила его на стол и закурила.

— Кто убил — нашли? — спросил он, вытаскивая из пачки сигарету.

— Нет пока. Сперва думали, что я. Но у меня железное алиби.

— Ясно... А она что — его любовница?

— Да.

— И ты знала об этом?

— Ни о чем я не знала, пока его не убили. А потом сразу столько всего узнала, что мне до самой пенсии хватит. Давно бы с ним развелась, если бы побольше о нем знала. Даже не задумалась бы.

— Слушай, тебе неприятно, наверно, об этом говорить... А можно узнать, у них с твоим мужем серьезно было или так?

— Во всяком случае, много лет, — с грустью ответила Анжелика. — Знаешь, мне действительно неохота о ней говорить. Если она тебе чем-то досадила, я узнаю для тебя ее адрес. Делай с ней что хочешь. А вообще даже думать о ней не хочется.

— Лик, ты не сердись... — в замешательстве произнес Женя.

— За что?

— Да все за то же. Я себя таким идиотом чувствую, когда на тебя смотрю.

— Так не смотри. — Она уткнулась в свой бокал, попутно соображая, хорошо ли ей удалось замазать синяки. Придя к выводу, что синяки все равно не скроешь, Анжелика подняла голову и сказала: — А что она тебе сделала, если не секрет?

— Квартиру грабанула.

— Да ты что?! — ахнула Анжелика. — Ты уверен?

— Еще бы. Знаешь... — Он глянул по сторонам, перегнулся через стол и быстро тихо заговорил: — Я не хотел в милицию заявлять. И вообще, люблю сам во всем разбираться. Я-то думал, выследил ее. Сейчас, думаю, немного припугну, потом потребую, чтобы все вернула. А это оказалась ты.

— А что она украла? — Анжелика тоже перешла на шепот.

— Да много чего. Главное — как нагло! Понимаешь, ко мне как-то пришли друзья. Неожиданно пришли, я их не ждал. Заявились с выпивкой, с закуской. У меня, в общем, настроения не было гулять, но их же не выкинешь, верно? — Женя откинулся на спинку стула и с жадностью затянулся сигаретой. — Тем более живу один. Ну, они сразу все перепились, просто в умат, начались танцы. Эту девку я вообще никогда не видел, мне кто-то сказал, что она с Ильей пришла, но потом оказалось — он ее тоже не знает. Где подцепили —

никто не помнит. Они шатались по всяким кафешкам, по клубам...

— А в «Ла Кантине» были? — чуть ли не закричала Анжелика.

— Где?

— Это клуб такой.

— Не знаю. Да они сами не помнят, где были. Десять лбов с девчонками... — Женя раздраженно передернул плечами. — Так вот... Я вышел на кухню. Гуляли все в дальней комнате. Смотрю — в маленькой комнате кто-то есть. Дверь приоткрыта была. Я заглядываю и вижу: она там. Одна. Знаешь, мне сразу что-то не понравилось. Я ее спрашиваю: какие проблемы? Что ищем? А она смеется, говорит, голова у нее болит, хотела прилечь на диванчике. Я пошел за таблетками в другую комнату, принес ей. Она выпила, а потом вообще ничего интересного не было. Они все ушли через полчаса, я их выставил. Мне же на работу рано вставать. Сам почти не пил. И понимаешь — на другой день квартиру грабанули! Я потом посмотрел — она у меня ключи сперла из пиджака. Пиджак у меня в комнате висел, на спинке стула, в кармане лежали запасные ключи. А вторые ключи у меня в прихожей, в сумке. Стал думать, кто спер? Дверь не взламывали, открыли нормально, ключами.

— Явно она.

— Конечно она! — обрадовался Женя, как будто согласие Анжелики в какой-то мере снимало с него вину перед ней. — Я сразу все понял. Так нагло, что слов нет! Стал всех расспрашивать, кто она такая. И выяснил, что ее вообще никто не знал. Даже как звать, не помнят. Один говорит — Катя, другой — Лена. Короче, кошмар. В милицию, что ли, заявлять? Не знаю... — Он помотал головой. — Не хочу с ними связываться. Сам бы разобрался, что я — на девчонку буду милицию натравливать?

— Может, ты и прав... — с сомнением в голосе пробормотала Анжелика. — А избить девчонку — это как?

— Слушай, но я же не знал, что это не она! — возмутился Женя. — Я просто хотел ее жизни поучить. Ведь наглость какая!

— Ладно, может, ей парочка синяков не помешала бы. А как ты меня нашел?

— Я тебя в ГУМе увидел.

— В ГУМе? Когда я там была?

— Ну, в тот день, утром...

— А! Я пудру покупала! — вспомнила Анжелика. — А ты что там делал?

— Да ботинки покупал... Ты понимаешь, я тебя вдруг увидел на галерее, через витрину. Бросил эти долбаные ботинки, бросился за тобой бежать. Хотел сперва тебя прижать, сразу разобраться, потом думаю: может, ты не одна, может, тебя кто-то ждет в машине. Мало ли что? Я решил: если ты воровка, то у тебя и знакомые могут быть такие же. Короче, решил тебя выследить.

— И выследил?

— До самой квартиры. Я потом стал тебе в дверь звонить, но ты не открыла.

— И ты опять за мной мотался?

— Да, съездил за тобой на Тверскую. Что ты там делала, кстати? Я понять не мог.

— Дурью маялась, — с мрачным видом ответила Анжелика. — Ну а как тебе в голову пришло захватить меня на лестнице? Знаешь, как я испугалась?! Ты что — профессиональный киллер?

— Да ладно тебе, — смутился Женя. — Я просто подумал: если ты никому не открываешь — не могу же я двери ломать? Ну и решил, что лучше всего сделать так, чтобы с тобой в квартиру войти. Ну а там... Короче, ужас.

Вторая бутылка быстро опустела. Анжелика сидела, подпирая голову ладонью, и смотрела на Женю. Женя, закончив свой рассказ, уткнулся в тарелку и поддел вилкой остывший кусок мяса. Где-то на заднем плане маячил официант, украшенный красным козырьком; ему явно хотелось получить заказ на третью бутылку. Женя поднял голову и попросил:

— Дай свой телефон.

Она записала номер в его записную книжку. Он сунул ее в нагрудный карман и посмотрел на часы. Анжелика поняла, что и ей пора идти.

— Я тебе вечером позвоню, — пообещал Женя. — Узнаешь мне ее адрес?

— Постараюсь, — растерялась Анжелика; она вдруг сообразила, что не знает, как найти Машу. — Я постараюсь. Звони.

— Если сама увидишь эту бабу, лучше ничего ей про меня не говори, ладно?

— Я с ней не собираюсь разговаривать.

— И все равно — не нарывайся. То, что у тебя еще и мужа убили, мне не нравится.

— Думаешь, она?

— Ничего я не думаю. А квартиру не ограбили?

— Все, что пропало, — ответила Анжелика, потянувшись к соседнему столику за своим букетом, — это малахитовая дрянь для часов, за которую я бы и пяти тысяч не дала. А больше ничего не пропало.

## Глава 14

— Ты что такая красная? — с явным неодобрением спросил Саша, когда она появилась на пороге его квартиры. — И где ты пропадала?!

— В магазинах... — Она бросила на пол два раздувшихся пакета с порванными ручками. — Вот. Хватит на месяц, наверное.

Саша подхватил пакеты и потащил их в комнату. Анжелика последовала за ним, робко и нерешительно. Сумасшедшие всегда ее пугали, даже в книгах или в кино, в реальности же она никогда их не встречала. Она хотела увидеть Лену и вместе с тем боялась ее. Но то, что она увидела, разом прогнало страх и наполнило ее жалостью — перед ней лежала неподвижная фигурка, скрючившаяся под мятой простыней.

— Ты три часа ходила по магазинам? — проворчал Саша, опуская пакеты на пол и быстро оглядывая фигурку на постели. — Могла бы и поторопиться, я же тебя просил.

— Не могла.

— Почему это?

— Попадала в перерывы... — Анжелика говорила тихо, боясь привлечь внимание Лены. Потом кивнула на нее и прошептала, вопросительно округлив глаза: — Спит?

Саша не ответил. Он залез в первый пакет, вытащил оттуда французский батон и ободрал с него целлофановую обертку. Потом достал баночку гусиного паштета, открыл крышку, потянув за колечко, и принялся отрывать куски батона и макать их в паштет. Запив этот варварский обед минеральной водой, он наконец соизволил ответить:

— Откуда я знаю? Может, и спит.

— Давно она так лежит?

— С тех пор как ты ушла.

— Со вчерашнего вечера?! — испугалась Анжелика. — Но она же, наверное, есть хочет?

— А ты ее спроси.

Анжелика нерешительно посмотрела в спину Лене. Подошла и медленно склонилась над нею. Лена лежала неподвижно, так неподвижно, что могло показаться, будто она разбита параличом или спит глубоким сном. Но глаза ее были открыты. Сухие и воспаленные, они смотрели в стену. Но вряд ли она видела рисунок на обоях.

— Лен... — тихо позвала Анжелика. Она повторила ее имя несколько раз, но ответа не последовало. Лена попрежнему сверлила взглядом обои.

— Бесполезно! — Саша, снова забулькав минеральной водой, замер с открытым ртом. — Бесполезно, — сказал он, отдуваясь. — Ни с кем не желает говорить. Презирает.

— Лена, — снова позвала Анжелика, не обращая внимания на Сашины комментарии. — Ты как себя чувствуешь? Может, поешь чего-нибудь?

У Лены даже ресницы не дрогнули. Анжелика смотрела на эти короткие белесые ресницы и отмечала почему-то, что впервые видит их ненакрашенными. Она не узнавала это лицо, лицо без косметики, не узнавала свалявшихся от подушки волос; но больше всего ее пугал воспаленный взгляд, устремленный в стену.

— Лен, тебе нужно хотя бы попить, — робко проговорила Анжелика, протягивая руку и дотрагиваясь до ее плеча. — Хотя бы чаю. Хочешь чаю?

— Оставь ее в покое. — Саша снова принялся рыться в пакетах.

Анжелика в гневе обернулась:

— Она больна! Не понимаешь?!

— Чего тут не понимать. Я первый тебе это сказал, — невозмутимо ответил Саша.

— Так ведь ей надо помочь!

— Ну и помогай. С меня хватит.

— Слушай, но она с голоду умрет, если пролежит так еще сутки!

— Ничего подобного. Без еды можно прожить месяц как минимум.

— По тебе не видно. — Она с ненавистью смотрела на раздувшиеся Сашины щеки. Щеки чуть подрагивали, челюсти едва шевелились — жевать всухомятку было трудно. Он снова присосался к бутылке, и уровень воды уменьшился на глазах почти наполовину. — Как ты не подавишься?! Она хотя бы пила что-нибудь?

— Нет. — Он поставил бутылку на пол и спросил: — А сигареты принесла?

— С какой стати?

— Я же просил сигареты!

— Ничего ты не просил. Возьми! — Она достала из сумки пачку и кинула ему. Он с наслаждением закурил. Сигарета привела Сашу в великолепное расположение духа, и он заметил:

— Да ладно тебе. Если она захочет, то и поест, и попьет.

— Она же больна! Может, ей не хочется есть и пить! Надо ее заставить! Она даже не моргает!

— Серьезно?

— Да ты что — смеешься?!

Тон у него действительно был издевательский. Анжелика в бешенстве указала на Лену:

— Может, она... вообще... умерла?!

— Не ори, соседи услышат.

— Ей врач нужен!

— Не пори чепухи. Какой сейчас врач?

— Но она не моргает! Ты хоть понимаешь, что это такое? Может, у нее этот, как его — паралич?! Нормальный человек может не есть и даже не пить какое-то время, но моргать-то должен! У нее же красные, совершенно красные глаза!

— Ну так подергай ее за ресницы, чтобы она моргала, — разозлился Саша.

Анжелика, пораженная его тоном и словами, остолбенела, не нашла, что ответить. А Саша спокойно продолжал:

— Она тебе палец откусит, вот чего ты добьешься. — Он подозвал Анжелику жестом, и она нехотя приблизилась. — Садись. Расскажи, какие новости. Что ты придумала с замками Луары?

— Мне надоело здесь.

— А этот тип, который тебя избил? Он больше не появлялся?

— А что, на мне видны свежие синяки? — Анжелика твердо решила ничего не рассказывать о Жене. Но почему приняла такое решение — сама не знала. До сих пор она не скрывала ничего от Саши — своего сообщника, родственника, главного советчика во всех бедах. Но теперь она поняла, что ей надоело выслушивать его советы, его предостережения.

— А звонки подозрительные были?

— Нет. Но вчера у меня были гости.

И она подробно рассказала ему о визите Маши. Он слушал ее напряженно, не перебивая, только время от времени поглядывал на жену. Та лежала все так же неподвижно, и трудно было поверить, что она не спит. Наконец, когда Анжелика замолчала, он сказал:

— Эта твоя Маша — она не двинутая?

— Нет. А вот скажи на милость, почему ты мне ничего о ней не рассказывал? Я же тоже член вашей семьи. Мог бы что-то рассказать.

— Да я даже о ней не думал, — ответил Саша. — И потом, прости, но ты не такой уж член нашей семьи. Ты же не кровная родственница, а когда все это случилось, вообще была соплюхой. Член семьи, скажешь тоже! Ушла, пришла, вышла замуж, овдовела. Да и семьи давно нет. Остался один я.

— Но ведь она вышла замуж за твоего отца, разве нет?

— Ну и что? Это ее проблемы и проблемы моего отца. И не говори мне, что они оба невинно пострадали. Эта Маша — та еще штучка. Она всегда пыталась выгородить себя и нашего папашу.

— Значит, ты не веришь, что Игорь подстроил всю эту сцену?

— Нет.

— Почему?

— Потому что бессмысленно, — отрезал Саша.

— Как «бессмысленно»? А ваша тесная квартирка? Игорю было тесно, и он не хотел жениться на провинциалке без своего жилья. А она слишком его любила, иначе он не мог от нее отвязаться. И еще отец ему мешал. Вот он и решил разом устранить перенаселенность.

— Чушь собачья, — заявил Саша. — Бабские глупости.

— Думаешь, она наврала?

— Конечно.

— А как же твой отец? Он же действительно послушался Игоря, когда стал к ней приставать? Ему-то зачем врать?

— Ну и дура ты, прости меня, конечно. — Он закурил очередную сигарету и потер покрасневшие от бессонницы глаза тыльной стороной ладони. За эту ночь он, казалось, еще больше похудел и потемнел лицом. — Как это — зачем ему врать? Да он весь в дерьме из-за этой истории. Ведь ему как-то надо было оправдаться перед нами. Вот он все и придумал, а Маша подхватила и раздула до небес. Оба — невинные жертвы. Да ты сама подумай, на чем все это основывается? На бреде алкоголика?! И хватило же у нее наглости преподнести тебе такую чепуху...

— Но послушай...

— Это ты меня послушай! — резко перебил Саша. — Папаша пьет так давно, что у него теперь вместо мозгов спирт суррогатный. Я бы на твоем месте не стал верить ни ему, ни ей. А может, тебе просто скучно жить без сплетен?

— Мне не скучно, при моей-то жизни! — возмутилась Анжелика. — Но неужели ты думаешь, что все это — вранье от начала до конца?

— Да, вранье.

— Но почему твой отец стал к ней вдруг приставать? Ведь до этого целый год смотрел на нее спокойно. Причина-то была?

— Откуда я знаю, что за причина там была? Папаша, может, давно ее хотел, а потом не вытерпел. Тем более, по легенде-то, он был в тот вечер поддатый. Так что все логично. Завалил и стал трахать.

— Ну и что тут логичного?! — воскликнула Анжелика. — Все равно — отцы не поступают так с невестами своих сыновей.

— Много ты знаешь про отцов, невест и сыновей, — усмехнулся Саша. — Сама еще цыпленок, а туда же — рассуждает.

— Ладно, хватит! — вспылила Анжелика. Она терпеть не могла, когда кто-то называл ее «малявкой», «цыпленком» или «дурочкой». — Я, кажется, не сама все это придумала! И я ей верю!

— Ну и на здоровье, только меня оставь в покое, — с какой-то ленцой в голосе ответил Саша.

— А твоя мама что по этому поводу говорила?

— Мама вообще никогда об этом не говорила. С того дня, как отец от нас ушел, она даже не вспоминала о нем.

— И ты веришь, что не вспоминала?

— Конечно.

— А я думаю, она только об этом и вспоминала, — вздохнула Анжелика. — Слушай, но все-таки почему мне никогда никто не рассказывал об этом? Ведь не ты один знал всю эту историю? Это же настоящий скандал... До меня должны были дойти хоть какие-то... слухи...

— Мы никому об этом не говорили. — Он пожал плечами. — Ни родственникам, ни тем более соседям, никому на свете. Знали только те, кто участвовал. Когда я пришел из армии, я сам долго ничего не мог понять. Отец исчез — а почему, куда? Потом Игорь меня просветил, когда я стал истерики устраивать. А потом я и сам молчал как рыба. Никому неохота копаться в дерьме.

— А ты потом видел отца? — спросила Анжелика.

— Раза два-три передавал ему деньги от Игоря.

— Деньги?

— Да, он же пил. А эта его прошмандовка иногда теряла работу.

— Игорь их поддерживал? — спросила Анжелика, потрясенная этой новостью, добавлявшей совершенно неожиданные штрихи к портрету мужа.

— Иногда, — ответил Саша. — Знаешь, он вообще-то не отказывал в деньгах, если его просили. Но надо было хорошо попросить. Нет, он в общем-то был неплохой...

— Ну ты даешь! Недавно ты готов был его убить! А теперь что-то новенькое...

— Все потому, что он умер, — пояснил Саша. — А в принципе — мне на него наплевать. Не хочу думать о нем.

— А Машу ты видел когда-нибудь?

— Никогда.

— И фотографий ее в доме не было?

— Сдурела, что ли?

— И никто тебе не описывал, как она выглядит? — Анжелика напряженно ждала ответа.

Но Саша покачал головой:

— Нет. А кто бы мне ее стал описывать? Игорь в пьяном виде? Мама? Смеешься?

Анжелика перевела дух. «Значит, он не врал, когда не узнал ее на кассете... — подумала она. — Но зато он не знает, что Юра ее видел и даже был знаком... Здорово тот играл, когда мы смотрели кассету! Друг детства! Сосед! Ох, придется ему все объяснить!»

— Слушай, а что ты скажешь о любовнице Игоря? — спросила она, прикуривая сигарету.

— Тоже враки, с начала и до конца, — уверенно ответил Саша. — У него были бабы. Да вон одна лежит. — Он кивнул в сторону постели. — Но чтобы малолетка? Никогда не слыхал.

— А он ее скрывал ото всех.

— А чего ради? Под суд боялся загреметь? Глупости. Если он до сих пор с ней крутит, ему уже нечего бояться.

— Ну, может, со мной разводиться не хотел...

— Ой, ну хватит! — разозлился Саша. — Тебе самой не смешно? Да еще она, значит, похожа на тебя! Этой Маше место в дурдоме!

— Ладно, я сама со всем этим разберусь, — отрезала Анжелика. — Только дай мне адрес Маши.

— В смысле — адрес отца? — Он разом утратил весь свой запал. Немного помолчав, спросил: — Ты что — хочешь туда сходить?!

— Да.

— Зачем?

— Поговорить. Не с отцом твоим — что ты так уставился! С нею.

— Мало натворила глупостей?

— Мало. Но когда их станет много, может, что-нибудь наконец пойму.

— Ишь, как стала рассуждать! — Он встал, открыл ящик письменного стола, отер ладони о штаны. — Черт, сколько пыли... Где-то тут был адрес... Мне Игорь написал...

Ей казалось, что он нарочно затягивает поиски, что ему не хочется давать ей этот адрес. Но она его не торопила. После обеда в ресторанчике «Красный козырек» Анжелике почему-то стало казаться, что все не так ужасно. Она невольно улыбнулась, вспоминая Женю, свое падение под лай немецкой овчарки, шикарный букет, баранину с томатами и рассказ о квартирной воровке. С букетом она и задержалась так долго: пришлось сбегать домой и поставить цветы в воду — уже после того, как они с Женей распрощались у метро. Тащиться с цветами к Саше и отвечать на его вопросы Анжелика не хотела. Она вспомнила замешательство Жени, когда они стояли возле бетонной лесенки. Он несколько раз повторил: «Я тебе позвоню», потом достал из кармана ее телефон на бумажке, развернул, перечитал, сунул бумажку в карман... Было видно, что он не уверен, все ли сделал для того, чтобы его простили, а как это проверить — понятия не имеет. В конце концов она сказала, что уже поздно, махнула ему букетом и пошла в сторону своего дома, не оглядываясь, но чувствуя, что он смотрит ей вслед.

— Эй, мать!

Она вздрогнула. Саша протягивал ей стертую до дыр бумажку:

— Адрес папаши. Перепиши, только осторожно, а то бумага прямо в руках рвется.

Она старательно переписала адрес и телефон. И решила, что с этого момента будет действовать вместе с Женей. Если кто-то и найдет эту загадочную близняшку — любовницу Игоря, — то только он. «Во-первых, он настоящий мужик, — сказала себе Анжелика. — Уж он-то с ней разберется. И за себя, и за меня... Синяки-то мне достались из-за нее! А во-вторых... Ну, во-вторых, Саша мне просто надоел!»

— О чем ты думаешь? — раздраженно спросил он. — Где ты?

— Здесь, — встрепенулась она, поворачиваясь к нему. — Думаю о Маше.

— Какой идиотизм... — пробурчал он. — Приготовь что-нибудь горячее, пожалуйста.

— Слушай, как долго это будет продолжаться? — Она указала на Лену. — Она так нуждается в твоем присутствии? Можешь сам приготовить себе обед. Ты не ухаживаешь за ней, ты ничего для нее не делаешь. Она прекрасно полежит тут одна.

— Делай, что тебе сказали!

— А ты мне не указывай! И вообще, хватит на меня орать. Тебе самому скоро понадобится психиатр.

— Иди на кухню!

Анжелика тяжко вздохнула, заглянула в пакеты и мысленно воскликнула: «Черт! Ну когда я научусь говорить «нет»! Все на мне ездят, сколько я себя помню... Эта сволочь не имеет никакого права заставлять меня стряпать...» И все же она подняла пакеты и отправилась на кухню. Однако не стала мудрить с обедом. Кинула в воду несколько сарделек, сунула в кипяток полпачки спагетти и уселась за стол с сигаретой. В комнате было тихо, на плите мерно булькала кипящая вода, дымок от сигареты струился к потолку... И именно из-за этой тишины крик, раздавшийся в комнате, прозвучал особенно ужасно. Она уронила сигарету на пол, торопливо раздавила ее ногой и бросилась к двери.

— Сволочи... Сволочи... — Лена уже не кричала — прижатая к постели сильными руками мужа, она шипела одно и то же, колотясь затылком о подушку. — Сволочи, сволочи...

— Что с ней?!

— Помоги!

Саша с трудом удерживал жену, она била по постели ногами, запутавшимися в простыне, крутилась во все стороны, пытаясь освободиться. Анжелика подскочила и остановилась в растерянности, не зная, что делать. Саша сверкнул на нее глазами:

— Держи ее за ноги!

Анжелика опасливо взяла Лену за правую щиколотку, но та так наподдала ногой, что Анжелика сразу отскочила. Еще немного — и к ее синякам прибавился бы еще один.

— Сядь ей на ноги, дура! — закричал Саша.

— Что?!

— Идиотка, сядь ей на ноги!

Анжелика не могла себе представить: как так можно — взять и сесть кому-то на ноги... И все же она заставила себя сделать так, как требовал Саша. Почувствовав ее тяжесть на своих ступнях, Лена перестала биться и тихонько, жутковато завыла. Глаза у нее были закрыты, из-под воспаленных век непрерывно сочилась странная влага, такая обильная, что ее трудно было назвать слезами. Ручейки растекались по всему ее лицу — по щекам, по вискам, даже по лбу. С растрескавшихся губ срывался странный монотонный вой.

Анжелика и Саша переглянулись. В его глазах была тяжелая, темная ярость. В ее — тревога и смертельный испуг.

— Надо вызвать врача, — прошептала она. — Психбригаду. Есть же такая?

— Заткнись.

— Она же совсем... — Анжелика не отрывала глаз от искаженного лица Лены. Та уже не выла — лежала и хватала ртом воздух, как выброшенная на берег рыба. Казалось, она вот-вот задохнется. — Отпусти ее... — попросила Анжелика. — Ей так плохо...

— Она опасна.

— Может быть. Но что делать?

— Связать ее, — решил Саша. — Подай мне пояс. Да вон там, вот он!

Анжелика подняла с пола цветастый поясок от халата Лены и нерешительно предложила:

— Может, просто дать ей снотворного?

— А она будет его пить?! Ты знаешь, как ее заставить его выпить?! — Саша стягивал руки жены пояском, закручивая узлы так, чтобы та, пытаясь пошевелить кистями, сразу причинила себе боль. Анжелика в ужасе наблюдала за его действиями. Покончив с руками, Саша приказал: — Слезай, я свяжу ноги.

— Саш, но это жестоко!

— Молчи, не мешай! Жестоко! Ты уйдешь, а я здесь останусь! — Он связал Лене щиколотки найденными в углу кровати колготками. Посмотрел на дело рук своих и недовольно заметил: — Не слишком мне это нравится. Но ничего. Во всяком случае, так спокойнее.

— Господи... — Анжелика заглянула Лене в лицо. — Она спит?

Лена вдруг открыла глаза. Взгляд у нее стал более осмысленным, хотя и производил пугающее впечатление. Увидев над собой Анжелику, она быстро, безостановочно забормотала:

— Он меня убьет, он меня убьет, он его убил и меня убьет...

— Хочешь знать, что она сделала? — спросил Саша, не обращая внимания на бормотание жены.

— Постой, что она говорит?

— Бредит.

— Я дам ей воды... — Анжелика метнулась на кухню и вернулась со стаканом минералки. Подсунула Лене руку под затылок, помогла ей приподняться и приложила край стакана к ее пересохшим бледным губам. Та вытянула губы трубочкой, и вода мгновенно исчезла из стакана. Потом застонала, облизывая губы. — Еще? — спросила Анжелика. Лена не ответила. Тогда Анжелика обернулась к Саше и гневно спросила: — Ты что, даже не пытался ее напоить все это время? Она же умирала от жажды! Может, поэтому все и случилось... Что она сделала?

— Что?! Когда я к ней подошел поправить подушку, она хотела укусить меня за руку!

— Где укус?

— Я сказал — хотела! Она не успела... — Он потер правое запястье, словно демонстрируя место, где могла бы располагаться рана, и прибавил: — Ну и реакция у нее. Как у всех сумасшедших. Раз — и нет полруки. Мне всегда не везло на пылких женщин, и вот вам — удостоился!

— А почему она кричала? — подозрительно спросила Анжелика.

— Почему? Спроси у нее.

— Ты ее ударил?

— Нет.

— Сволочь, сволочь... — снова забормотала Лена. Она не открывала глаз и, произнося это слово, все время улыбалась, как будто говорила что-то очень приятное. Если до этого момента Анжелика еще сомневалась в ее безумии, то эта улыбка и слово «сволочь» — все одновременно — окончательно убедили ее в том, что Лена сошла с ума. — Гадина, гадина... Все вы гадины... Ненавижу! Ненавижу! — Последние слова она прокричала, резко оторвав голову от подушки и порываясь освободиться от своих пут. Повела в стороны руками, выбросила вверх связанные вместе ноги, несколько раз дернулась всем телом и застыла, глядя на Анжелику своими страшными, налитыми кровью глазами.

— Ну, что я тебе говорил? — спросил Саша. — Держись от этой особы подальше. Видишь, что вытворяет? Она хоть и связана, но может кинуться. От сумасшедших всего можно ожидать.

— Ужасно... — Анжелика отошла от постели и уселась прямо на пол, скрестив ноги по-турецки. — Я не могу на это смотреть.

— А обед ты готовишь? — неожиданно спросил Саша. — Там чем-то пахнет.

— А... — вяло отозвалась Анжелика. — Иди поешь. Сардельки и спагетти.

— Все, что ли?

— Отстань от меня.

Он вышел. Она уткнулась лицом в ладони и стала раскачиваться всем телом, бессмысленно и упорно. В минуты отчаяния она всегда многократно повторяла какое-то одно движение, даже не сознавая этого. Внезапно тихий голос, раздавшийся с постели, заставил ее остановиться и поднять глаза:

— Лика. Лика...

Лена вовсе не звала ее — просто называла имя, как будто представляла Анжелику какому-то невидимому гостю. Интонация испугала Анжелику; она была совсем не уверена, что Лена обращается к ней, видит ее, сознает, что она находится в комнате не одна. Но все же спросила:

— Тебе что-то нужно?

— Иди сюда, — так же тихо сказала Лена.

Анжелика встала и подошла к кровати, впрочем, не слишком близко. Лена заметила, что та боится приближаться, и слегка растянула губы, что, видимо, обозначало улыбку.

— Сядь, — сказала Лена, указывая глазами на постель. Она была так спокойна, что не верилось, будто минуту назад она вопила и выла, извиваясь на постели. Но Анжелика уже не доверяла этому спокойствию. Она села, но не на постель, как ее просили, а на пол, рядом с кроватью, — расположилась так, чтобы Лена не смогла до нее дотянуться. — Говори тихо, — тем же невыразительным голосом попросила Лена.

— Да, хорошо, — прошептала в ответ Анжелика. — Что ты хочешь мне сказать?

— Саша. Он на кухне. — Лена не спрашивала, она утверждала. Из ее речи напрочь исчезли все интонации — вопросительные, побудительные — любые. Но Анжелика поняла, что ей задают вопрос.

— Да, он ест.

— Он убил его.

— Кого? Игоря?

— Игоря, — подтвердила Лена и снова растянула губы в некоем подобии улыбки.

Анжелика осторожно покачала головой, стараясь сделать это так, чтобы не обидеть и не возбудить лежавшую перед ней сумасшедшую.

— Лена, ты, наверное, ошибаешься.

— Он убил его.

— Да нет же! Вы ведь вместе пришли туда, и он был мертв.

— Он был там раньше.

— Когда?

— Он был там раньше. В тот же день, — упрямо твердила Лена.

— Успокойся, успокойся. — Анжелика с тревогой смотрела в лицо больной — серое, застывшее, с провалившимися щеками и глазницами. Лена выглядела так, словно умерла несколько дней назад.

— Он его убил. Он и меня убьет.

«Опять то же самое, — подумала Анжелика. — То же самое она кричала и в прошлый раз...» Вслух же сказала, как можно мягче:

— Нет, нет, ты ошибаешься. Он тебя любит.

Лена изобразила улыбку.

— Просто он расстроен тем, что ты и Игорь... — попыталась объяснить Анжелика, но тотчас осеклась, не выдержав пристального взгляда этих страшных глаз. — Саша просто переживает, — сказала она наконец.

— Он его убил. Я тебе это уже говорила.

— Да, говорила.

— Вот, он убил.

— Да нет же, — возразила Анжелика. И вдруг увидела, как напряглось все тело больной — задрожали руки и ноги, выступили жилы на шее, запрокинулась назад голова.

Лена явно пыталась освободиться. Убедившись, что освободиться ей не удастся, она замолчала, уставившись на сей раз не на Анжелику, а в потолок. На кухне засвистел вскипающий чайник. Саша расхаживал туда и обратно и звенел посудой, открывал и закрывал воду в кране. Анжелика сидела рядом с постелью и чувствовала себя как возле гроба с покойником.

— Когда он меня убьет, — пробормотала Лена, — скажи всем, что это он.

— Лена, успокойся.

— Тебя он не убьет.

— Лена, я тебя прошу.

— Ты глупая... — отрывисто заговорила та, по-прежнему глядя в потолок. — Молодая. Ничего не видишь. Он его убил. Он его ненавидел. Всегда.

— Саша его не убивал.

— Нет. Он мне говорил, что убьет Игоря. Он его и убил.

— Но и мне он говорил, что убьет Игоря. Ты же и сама говорила тогда, что будешь ему помогать! Помнишь, как мы все придумали? — Анжелика попыталась вложить в свои слова всю доступную ей убедительность. — Но ты же не сделала этого?

— Я — нет.

— Ну видишь. Его убил кто-то другой. Этого человека скоро найдут. А потом ты ляжешь в больницу, тебе помогут.

— Нет. Я умру.

— Если не будешь пить и есть — точно умрешь. — Анжелика попыталась обратить все в шутку, но шутка, похоже, не удалась. — Или тяжело заболеешь. И тебе совершенно необходимо поспать... Хочешь, я дам тебе снотворного? Ты сможешь выспаться.

Лена перевела взгляд с потолка на лицо Анжелики и сказала:

— Он меня отравит. Он уже один раз отравил меня, но меня спасли.

— Что?! Да ты же сама...

— Нет. Он заставил меня выпить таблетки. Очень много таблеток.

— Лена, что ты говоришь?

— Я не сошла с ума.

— Конечно нет... — поспешно проговорила Анжелика, с тревогой глядя на Лену. — Ты просто устала. Ну хочешь, я дам тебе таблетку? Я проверю — это будет снотворное. Одну таблетку. Ты поспишь. А когда проснешься, тебе станет гораздо лучше. Сколько ты не спала? Сутки? Больше?

— Я уже не буду спать никогда, — монотонно проговорила Лена.

— Будешь, это необходимо. Ну давай, прими таблетку! Ты же мне веришь? Я все хорошо проверю. Я тебя не отравлю.

— Когда ты уйдешь, он даст мне еще таблетки. Отравит меня и скажет тебе, что я выпила их сама, как в первый раз.

— Лена! — Анжелика больше не могла выносить этот тягостный разговор. — Ну подумай, что ты говоришь! Нельзя насильно отравить человека, да еще таблетками! Ну если я сейчас суну тебе в рот таблетку, ты же ее выплюнешь? Не станешь глотать?

— Не стану.

— Как же он тебя отравил?

— Он меня заставил.

— Как?!

— Он умеет.

— Зачем же он тогда вызвал «скорую»? Зачем он стал тебя спасать?

Лена промолчала. Анжелика протянула руку и откинула с ее лба растрепанные сальные волосы. Потом осторожно поправила подушку, обратив внимание на то, что связанные за головой кисти рук уже побагровели от прилива крови.

— Тебе больно? — спросила она.

— Нет.

— Если ты обещаешь, что не будешь на нас бросаться, мы тебя развяжем, — предложила Анжелика, хотя в душе понимала, что Саша на такие условия не согласится.

— Мне все равно. Я скоро умру, — ответила Лена. — Мне очень много лет. Пятьдесят лет. Даже больше. Восемьдесят.

— Тебе тридцать два года. — Сказав это, Анжелика почувствовала себя идиоткой.

Лена не обратила на ее слова никакого внимания и продолжала тем же ровным голосом, без всяких интонаций:

— Ты молодая. У Игоря была еще одна молодая женщина. Как ты. Я знаю.

— Ты слышала, о чем я тут говорила?

— Да. Я не сплю, я все слышу. У меня только глаза болят, очень болят.

— Ты слишком долго держала их открытыми, — вздохнула Анжелика. — Они пересохли. Закрой глаза. Можешь говорить так.

— Не могу. Я смотрю.

— Куда?

— Она красивая, — произнесла Лена. — На нее приятно смотреть. Ты хуже ее.

— Ты ее видела?!

— Она красивая. Я смотрю и вижу ее. Игорь мне говорил, что она красивая.

— Игорь?! Но сама ты ее не видела?

— Нет, — как будто с сожалением произнесла Лена. — Но Игорь говорил мне, что лучше ее на свете нет никого.

— Почему он тебе такое говорил?

— Когда я не слушалась... — тяжко вздохнула Лена. — Когда я не хотела... Скрывать от тебя... Я хотела тебе все сказать... Тогда он мне говорил, что не любит тебя. Он любил ее. Он мне говорил, что никогда не будет жить со мной. Мы были в постели восемнадцать раз.

— Сколько?

— Восемнадцать.

— За три года — восемнадцать раз? — изумилась Анжелика. — Это получается — в год шесть раз? Один раз в два месяца? Прости, но, по моим понятиям, вам с Сашей вообще не из-за чего ссориться. Это так глупо...

— Я была с ним в первый раз три года назад, в апреле... — все тем же ровным голосом продолжала Лена. —

Он не хотел этого. Я хотела. Он был расстроен. Из-за жены.

— Из-за меня?

Лена так на нее посмотрела, что Анжелика снова усомнилась — понимает ли та, кто сидит рядом с ней, кому она все это рассказывает? И с каждой минутой она все больше убеждалась, что превратилась для Лены в чистую абстракцию. Та говорила:

— Его жена играла в казино. Он был расстроен. Я пришла к нему в гости. Он меня не звал. И сказал, что ему плохо. Сказал, что очень одинок. Я его любила. Долго. Всегда.

— Успокойся, — попросила Анжелика, потому что последнее слово Лена чуть ли не выкрикнула.

— Всегда, — продолжала она, упорно не понижая голоса. — Я стала с ним спать. Ему не нравилась моя грудь. Она была не такая, как он любил. Ему нравились груди как у молодых девчонок. Я была для него старая. Я плакала. Он сказал, что любит другую женщину. Не свою жену. Другую. Я плакала. А его жена не знала об этом. Теперь и она плачет. Она теперь все знает.

— Я не плачу, — тихо сказала Анжелика.

В глазах у Лены вдруг сверкнул какой-то огонек. Она шевельнула губами и внезапно спросила так тихо, что Анжелике пришлось наклониться к постели, чтобы расслышать:

— А ты ее убьешь?

Горящий пристальный взгляд, вполне разумные интонации — при совершенном безумии слов. Анжелика, пораженная и этой переменой, и этим вопросом, только и смогла нахмурить брови. Лена повторила:

— Ты ее убьешь? Ты должна ее найти и убить. Ты теперь все знаешь. Я слышала, ты говорила о ней. Убей ее, убей!

— О чем шепчемся, девочки? — бодрым голосом спросил Саша, останавливаясь на пороге с чашкой чаю в руке.

Анжелика, не слышавшая, как он вошел, так и подскочила. А Лена даже не шевельнулась, только прикрыла глаза и сжала губы.

— Зачем ты ее слушаешь? — спросил Саша, устраиваясь в кресле и попивая чай. — Такая большая девочка — и слушает такие глупые сказки.

— Если я буду слушаться тебя, то мне вообще не с кем будет разговаривать, — пробурчала Анжелика, вставая с пола и усаживаясь в другое кресло. — Куда ты утащил мои сигареты?

Они вместе закурили. Саша выглядел посвежевшим — его умиротворил горячий обед. Анжелика смотрела в пол, обдумывая сказанное Леной и пытаясь понять, что из этой информации — полный бред, а в чем есть доля правды. «В одном я уверена, — сказала она себе. — Он ее не травил таблетками. Она говорила чепуху, она просто бредила. Это невозможно. Такого не бывает».

— Матушка, ты что поникла? — улыбнулся Саша. — Я же тебе говорил, с нею очень тяжело общаться. Не стоит даже прислушиваться к ней. Я, например, не прислушиваюсь. Боюсь сам сойти с ума. Это, знаешь ли, заразно.

— Она с тобой хоть немного говорила или молчала все время?

— Молчала. Иногда начинала хохотать, но даже головы не поворачивала. Каждый такой приступ веселья обходился мне в парочку седых волос. Такой веселенькой она в жизни не была. Жуть какая-то... — вздохнул он, криво усмехаясь. — А вот с тобой она поговорила от души, я слышал на кухне ваши голоса. Так мило, что ты ее позабавила. Я знал, что она будет рада тебя видеть. О чем вы говорили?

— Ты все это назовешь сказками.

— А все же?

Анжелика глянула туда, где на подушке неподвижно лежала белокурая голова, и пожала плечами:

— Да чепуху она говорила. Говорила об Игоре, обо мне, о тебе.

— А что обо мне?

— Да ничего хорошего. Это же для тебя не новость, верно?

— Ладно, только бы эти дни пережить... — пробормотал Саша.

— Послушай... — Анжелика больше не настаивала на том, чтобы говорить о Лене на кухне. Теперь она нарочно стремилась говорить в присутствии Лены, чтобы та могла все слышать и как-то оценивать обстановку. — Что ты станешь с ней делать, когда найдут убийцу?

— Лечить. Я же говорил.

— Но если она...

— Что — она? Расскажет докторам, что мы хотели убить Игоря?

— А ты думал об этом?

— Милая, да ты на нее посмотри внимательно! У нее же сейчас куча всяких навязчивых идей в голове... Даже если она станет рассказывать правду направо и налево — кто сможет определить, где правда, а где бред?

— Врачи определят, когда ее вылечат.

— Когда врачи ее вылечат, она сама не захочет кому-то это рассказывать. Этим нормальная Лена отличалась от ненормальной.

— Но она была нормальной, когда рассказала все Игорю!

— О чем ты говоришь? У тебя у самой-то все шарики в голове целы? Влюбленная женщина — тоже ненормальная, — отрезал он. — Хотя тебе этого не понять, как ни старайся. Ты же никогда никого не любила. Я тебе просто завидую!

С кровати раздался тихий, но отчетливый смех. Оба вздрогнули. Саша усмехнулся:

— Ничего. Пусть развлекается. Надеюсь, ты не ослабила на ней узлы? Боюсь, что она снова попытается откусить от меня сто граммов филея.

— Филей в заднице, а не на руке. Меня уже тошнит от твоего юмора. И вообще, мне пора идти. — Анжелика с тоской смотрела на свою тлеющую сигарету. — Все это ужасно. Я так хочу уехать. Далеко-далеко... Слушай, а что ты мне говорил про банк? Что это за банк, который не сможет проверить следователь?

— Частный банк.

— Такое бывает?

— Милая моя, ну просто даешь деньги под проценты какому-нибудь человеку, а он тебе потом возвращает с процентами. Вот и все.

— Постой... — насторожилась она. — Так это ты делаешь от себя? Ты и есть банк?

— Ну, вроде того.

— И давно ты этим занимаешься?

Саша немного помолчал, потом тихонько засмеялся:

— Ну, мать, ты прозрела. Поздно, конечно, но лучше поздно, чем никогда. Да, это я тогда дал тебе деньги под проценты. Деньги были мои.

— Я это знала давно, не считай меня такой уж дурой! — отрезала Анжелика. — Но я все же не думала, что была не единственная. И многим ты даешь деньги под проценты?

— Какая тебе разница?

— Ксении давал? Лизке? Армену?

— Армену давал.

— Под такие же дикие проценты, как мне? У тебя для всех такие условия?

— Отвяжись ты!

— А зачем же ты меня запугивал? Зачем угрожал? Зачем вообще все это придумал?

— Да потому что, глупая тетеря, если бы ты знала, что деньги мои, ты бы никогда не согласилась пойти в банк и пощипать счет Игоря! Пороху бы у тебя не хватило. Пришлось немножко подтолкнуть тебя в спину. Иначе я бы никогда не вернул своих денег. Это было справедливо.

Она сунула сигареты в сумку, вскочила и перебросила через плечо ремешок:

— Все! Если что, звони.

— Торопишься? — Он не возражал против ее ухода, не спрашивал, когда они увидятся.

Анжелика посмотрела на него пристально и поняла, что он вот-вот уснет.

— Знаешь, — сказала она, уже берясь за ручку входной двери. — Я, в общем, всегда знала, что ты сволочь. Но какая ты сволочь, узнала только теперь. И если с Ленкой что-то случится...

— Ладно. — Он оттолкнул ее от двери, отпер замок и с насмешливым видом раскланялся: — Идите к черту, миссис Робин Гуд!

## Глава 15

Блондинка с резкими чертами лица и темными глазами оказалась очень фотогенична. Юра был прав, когда сказал, что лицо у нее настолько запоминающееся, что она вполне может сниматься в кино. Вероятно, в таком случае ее ожидала бы карьера звезды. Ее превосходную черно-белую фотографию, сделанную с видеокассеты, сразу стали опознавать. Анжелика зря клеветала на следователя — он хотя и не слишком торопился, но свое дело делал.

— Да, помню, — сказала первая же старушка, живущая в том же подъезде, что и Анжелика, только на первом этаже. — Ходила такая.

На вопрос, когда «такая ходила», старушка неуверенно ответила:

— Давно... Может, лет десять назад.

— А к кому?

— На пятый этаж, к Прохоровым. То ли к младшему сынку, то ли к старшему, которого вот убили... Нет, погоди, сынок, младший в армии был, к старшему, значит.

Старушка проконсультировалась со своей дочерью — заморенной грузной женщиной, оставившей на плите кастрюлю с тушеной капустой, и наконец уточнила свои показания:

— К старшему, к Игорьку, она тогда ходила. Санька-то был в армии, верно, он на год раньше моего внука ушел... А я помню, мы как раз нашего провожали, когда она тут бывала. Аккурат в тот самый день, на проводах, я ее возле подъезда видела, потому и запомнилось, что день такой... Стало быть, значит, к Игорьку.

— Она вроде за него замуж собиралась. — Дочь старухи старательно вытерла руки полотенцем и взяла фотографию, поднеся ее к своим тусклым, слезящимся от кухонного чада, близоруким глазам. — Да, я ее помню. Только она тогда не такая белая была, обесцветилась, значит. Русые были волосы, темно-русые, с пепельным отливом.

— Коса была, — радостно припомнила старушка. — Почти до пояса!

— А что же свадьба, расстроилась? — спросил помощник следователя.

— А нам не докладывали. — Женщина с явной неохотой вернула фотографию. — Они вообще необщительные были. Прохоровы, я имею в виду. Расстроилась, значит, если Игорь потом на другой женился.

— До-о-лго он ждал... — пригорюнилась старушка. — Игорь-то. Лет пять, что ли? Уж совсем мужик стал, а все не женился. Значит, эту любил. Она ничего была, вежливая. Не то что эта, теперешняя... Никогда не поздоровается.

— Ну, Прохоровы за что боролись, на то и напоролись, — заметила ее дочь.

Помощник следователя попросил ее объясниться, и та, вдруг испугавшись, пролепетала:

— Да они все такие были, угрюмые... И эта Лика их — тоже такая.

— А вот Машенька веселая была... — тянула свое старушка.

— Ее Машей звали? — оживился помощник. — Вы точно помните?

— Машей, Машей. Мне еще Анечка говорила, жена Ивана. Вот она из всех самая, помню, веселая была, теплый человек... — Глаза у старушки начали слезиться — то ли от чувств, то ли от острого капустно-лукового запаха с кухни. — Бывало, всегда поговорит, о здоровье спросит... А потом сама стала болеть. И все болела, болела...

Фотографию опознали еще в двух квартирах того же подъезда. Высказались все примерно в том же духе, что и первые свидетельницы: к Прохоровым ходила эта блондинка, очень давно, и с тех пор никогда не появлялась. Была невестой одного из сыновей (после расчетов вспоминали, что старшего), но свадьбы не вышло. Жена Ивана Петровича вскоре после этого начала тяжело болеть. Тогда же и с мужем развелась, а по какой причине — никто не знал. Все удивлялись, ведь люди прожили вместе столько лет, двое взрослых сыновей, и семья вроде хорошая была, крепкая... Самого Ивана Петровича тоже больше никто не видел, ну а Игорь в конце концов встал на ноги, купил квартиру матери и брату, сам женился. Ни один из опрашиваемых не видел Машу тем вечером третьего мая, когда она, судя по словам ближайшего соседа Прохоровых, Юрия Головлева, посетила бывшего жениха в его квартире. Остальные жители дома не только не помнили Машу, но даже Игоря и его жену не сразу вспоминали. Подтверждалась легенда об удивительной необщительности этой недружной и замкнутой в себе семьи.

Последними помощник следователя посетил Головлевых. И мать и сын были дома. Они приняли посетителя в тесной комнатке, завешанной с пола до потолка картинами в так называемой суперреалистической манере — натюрморты, которыми можно было пообедать, портреты, на которых была передана даже пористость кожи, интерьеры, в которых можно было жить, если только вытереть осевшую на мебели «реалистически написанную» пыль. Картины были добротные, но скучные. Мать и сын тоже не выглядели веселыми и счастливыми. Ада Дмитриевна явно была недовольна, что ее застали врасплох, неподкрашенной и непричесанной, но выставить гостя за порог нельзя — из-за его служебного звания. Она сидела в глубоком рассохшемся кресле, плотно запахнувшись в малиновый шелковый халат, и недобрыми глазами наблюдала за летавшей из угла в угол молью. Время от времени она поправляла откинутую за спину волну недавно вымытых жестких черных волос. Сын — полная ее противоположность, худой, белобрысый, голубоглазый — сидел на стуле выпрямившись, как приговоренный, и не сводил глаз с визитера. Им предъявили фотографию, и Ада Дмитриевна небрежно взмахнула рукой:

— Не помню, не видела.

— Вы уверены? — Помощник следователя все еще держал перед ней фотографию, от которой женщину, казалось, мутило. Она отвернула к локтю широкий рукав халата, протянула белую пухлую руку и взяла фотографию, осторожно, как будто та вот-вот вспыхнет и загорится со всех углов. С минуту подержала ее и вернула:

— Совершенно уверена. Я не видела этой женщины. Ее видел мой сын.

— Да, — откашлявшись, подтвердил Юра. — Я рассказал об этом следователю.

— Вы ее видели вечером третьего мая?

— Да, да. — Юра снова принялся откашливаться, будто в горле его рыбья кость застряла.

Мать спокойно посмотрела на сына, и он, залившись краской, перестал откашливаться.

— Вы уверены, что никогда не встречали ее до того? — Вопрос был адресован и матери, и сыну, но ответил один Юра:

— Никогда.

— Дело в том, что я сегодня опрашивал жильцов этого дома. И некоторые сообщили мне, что эта женщина была невестой Игоря Прохорова.

— Вот как? — Женщина снова протянула руку. С каким-то царственным, снисходительным видом взяла фотографию и рассматривала ее дольше, чем в прошлый раз. Наконец, едва заметно усмехнувшись, словно выразив свое неодобрение по поводу внешности бывшей невесты, ответила: — Нет. Я не помню такой. Может быть, она выглядела по-другому?

— У нее были русые волосы, заплетенные в длинную косу.

— Вряд ли я видела подобную девушку. — Ада Дмитриевна снова продемонстрировала свою пухлую холеную руку, возвращая фотографию.

— А между тем она часто бывала у ваших соседей. Вы живете дверь в дверь.

— Ах, ну да. — Ада Дмитриевна слегка наморщила лоб. Потом спросила: — Когда, вы говорите, тут бывала эта девушка?

— Лет десять — двенадцать назад.

— Так давно? Возможно, мы с сыном тогда жили по другому адресу.

— На Тверской, — поддакнул сын.

— Теперь мы сдаем ту квартиру. — Ада Дмитриевна говорила все увереннее, и лоб ее больше не морщился. — Я перевезла сюда все картины покойного мужа. Они не очень-то хорошо продаются, а жить както надо. У меня нет профессии. Мой муж настолько хорошо зарабатывал в те годы, что не было нужды работать. Его очень ценили, и по заслугам, что бы сейчас ни говорили! Я вела домашнее хозяйство, и, поверьте, это стоило любой мужской работы, тяжелой, физической. Но я никогда не жаловалась! И всегда старалась, чтобы он не отвлекался от искусства. То же самое я делаю для сына, и, кажется, сделала уже довольно, чтобы он был мне благодарен. Да, мы сдаем ту квартиру. Юра пока еще учится, и он не должен отвлекаться от учебы, чтобы заработать на какие-нибудь... макароны!

Эту тираду она произносила все с тем же царственным видом. Даже когда Ада Дмитриевна жаловалась на жизнь, казалось, что она выносит кому-то обвинительный приговор.

— Все это — картины вашего мужа? — Помощник следователя снова окинул стены равнодушным взглядом. — Он был художник?

— Да, и довольно известный. Ну, вы могли и не слыхать фамилию Головлев, но в определенных кругах, конечно...

Невыносимая надменность этой дамы раздражала его, но он старался ничем этого не выказать. Юра, сидевший как на иголках, робко спросил:

— А курить можно?

— Конечно, вы же у себя дома.

Ада Дмитриевна бросила на сына уничтожающий взгляд, в котором ясно читалось: «Рохля!» Она достала из кармана сигареты («Данхилл» с ментолом), угостила мужчин и сама прикурила от зажигалки визитера. Выпустив дым из своих увядших, но все еще четко очерченных губ, спросила:

— Как продвигается расследование? Вы еще не нашли убийцу?

— Ищем.

— Хороший ответ. — Она неожиданно рассмеялась, и смех у нее был совсем молодой — мелодичный, звонкий, будто хрустальный колокольчик. Она с удовольствием затянулась и продолжала: — Я, честно говоря, с тех пор, как там нашли труп Игоря, места себе не нахожу. Кто и за что мог убить такого человека? Не понимаю. Особых денег у них не водилось, да и квартиру не ограбили... У нас, правда, железная дверь, и ценностей в доме мы не держим, их у нас нет. Но все равно тревожно.

— Я думаю, вы можете не беспокоиться. — Помощник следователя немного заскучал и начал вертеть в пальцах сигарету. Дама раздраженно, но безмолвно наблюдала за этими манипуляциями, пока он не успокоился. — Давайте все же уточним кое-какие детали. Вы можете точно припомнить, когда именно вы не проживали в этой квартире?

— О, трудно сказать... Мы жили то здесь, то там...

— А эта квартира чья?

— Моя. Здесь раньше жили мои родители. А та, что на Тверской, досталась мне в наследство от мужа. Его отец был известный журналист, и мой муж ту квартиру унаследовал. Ну а теперь, конечно, все достанется Юре.

— Вы не общались тесно с вашими соседями?

— С какими? С Прохоровыми? Нет, пожалуй, нет. Я, знаете, вообще по натуре необщительная. Не люблю никому навязывать свое общество, — сказала она таким тоном, что помощник следователя сразу почувствовал: он свое общество ей беспардонно навязывает. — А что у меня могло быть общего с этими людьми? В общем, можно сказать, что мы друг друга совсем не знали. И я об этом не жалела.

— И вы там никогда не бывали?

После этого вопроса мать с сыном переглянулись. Юра вздрогнул и вытянулся на своем стуле, словно сделал стойку на дичь. Ада Дмитриевна невозмутимо ответила:

— Буквально недавно, перед смертью Игоря, мы туда вместе зашли. Я хотела отметить годовщину смерти мужа с соседями, которые его знали и которым он всегда симпатизировал. Собственно, из всех, кто его знал, там остался один Игорь, но что поделаешь! Мы выпили неполную бутылку венгерского муската и расстались такими же чужими, как раньше. Печальная была годовщина, но, собственно, она и не должна быть радостной. Подчеркиваю, что инициатива этого нелепого визита принадлежала моему сыну. Я только исполняла его желание.

— Да, — кашлянул тот. — Я хотел... Ну, словом, я так хотел.

— И кстати... — Дама подняла выщипанную бровь и холодно уставилась на помощника следователя. — Скажите, а вам не полагается извиниться перед нами за то, что нам замазали пальцы какой-то дрянью, которую даже спиртом не отмыть? Я была просто поражена, когда у меня и у Юры взяли отпечатки пальцев. Это безобразие!

— Нет, извиняться нам за это не полагается, это наша работа! — отрезал помощник следователя. Затем спросил: — А ваш сын, кажется, ровесник младшего Прохорова?

Юра заерзал на сиденье и хрипло проговорил:

— Мы дружили. — И замолчал, будто поперхнулся.

Мать не стала оспаривать слова сына. Поудобнее устроилась в кресле и заметила:

— Да, Юра одно время общался с Сашей. Но потом Саша ушел в армию, и интересы их настолько разошлись... Знаете, когда двое молодых ребят не видят друг друга два года, это куда серьезней, чем если двое зрелых людей не видятся десять лет. Когда Саша вернулся, они уже общались не так часто. У них появились разные интересы, разные знакомства...

— Может, ваш сын сам расскажет, как обстояло дело? — Помощник следователя не сдержался — в его голосе послышались нотки раздражения. Его выводила из себя эта невыносимая женщина.

— Ради Бога, пусть рассказывает! — откликнулась «невыносимая женщина». — Я не собираюсь лишать его права голоса.

— Но мама, в общем, все сказала, — пробормотал Юра, стискивая коленями потные ладони. — Мы с Сашей дружили, но это было очень давно. Я даже не знаю, почему мы разошлись... Но мы не ссорились, нет.

— А он вам никогда не рассказывал о бывшей невесте старшего брата?

— Что? Нет. Да что он мог мне рассказывать, он же ее никогда не видел.

— Ну, он мог слышать о ней от брата, от матери, от отца.

— А с отцом они развелись... — Юра весь вспотел, и этому, в общем, было объяснение — денек выдался жаркий, помощник следователя сам вымок до нитки, бегая весь день по душным квартирам. — Я не знаю, почему развелись...

— И не надо тебе знать, — нравоучительным тоном заметила Ада Дмитриевна. Затем пояснила: — Семейные дела — самые темные на свете. Сколько неприятностей я вынесла из-за того, что так или иначе вмешивалась в чужую семейную жизнь! Я когда-то была моложе и глупее, чем сейчас, и обожала всем давать советы.

«Да ты и теперь насчет советов всех за пояс заткнешь, — неприязненно подумал помощник следователя. — Молчала бы». А вслух сказал:

— Очень интересно. Значит, в семье Прохоровых вообще не говорили об этой девушке? Наверное, случилась какая-то неприятная история?

— Может, и случилась, — потупившись, пробормотал Юра. — Только вам никто не сможет ее рассказать.

— Почему?

— Ну, все умерли. Тетя Аня умерла, Игорь погиб... А его жена ничего не знает, конечно. И Саша тоже. Он в армии был.

— А вы не были?

— Нет... Я по здоровью.

Ада Дмитриевна вдруг оглушительно хлопнула в ладоши, убив пролетавшую мимо нее моль. Мужчины вздрогнули, а она удовлетворенно вытерла ладони о полы халата, заметив при этом:

— Терпеть не могу эту гадость. Жрет картины, представьте себе. Все нет времени произвести обработку.

— А про Ивана Петровича Прохорова вы больше ничего не слышали?

— Ничего, — нахмурилась Ада Дмитриевна. — А почему вы спрашиваете об этом меня? Спросили бы Сашу. Это его отец, в конце концов.

— Я так и сделаю. — Помощник следователя встал, тщательно затушил сигарету в пепельнице — и тут ему в глаза бросился портрет, которого он прежде не замечал.

Картина висела над самой дверью, и на маленьком полотне — пятьдесят сантиметров на тридцать — была изображена хозяйка квартиры. Аде Дмитриевне здесь было не больше сорока, и она сидела откинувшись на спинку кресла, в задумчивости касаясь пальцами красивого бокала — с чашечкой в виде сердца из красного стекла, на золотой ножке. Красное платье женщины и длинные золотые серьги прекрасно гармонировали с бокалом. Ада Дмитриевна не смотрела на «зрителя» — ее глаза были сосредоточены на бликах света, что отражался в рубиновом стекле. И она выглядела не такой надменной и неприступной, как в жизни. Пожалуй, в ее облике была даже какая-то мягкость, задумчивая нежность. Помощник следователя смотрел на картину добрую минуту, и Ада Дмитриевна (настоящая, а не нарисованная) обратила на это внимание и заметила:

— Да, это мой портрет. Муж меня редко рисовал, как ни странно. Но вот этот портрет он очень любил. И я его тоже люблю и никогда не продам, даже если буду с голода умирать. Знаете, как называется эта картина? «Сердце из стекла». Вон там, в углу, написано красными буквочками.

— Очень красиво, — сказал помощник следователя и вдруг увидел чудо — настоящая Ада Дмитриевна тоже помягчала, расслабилась, скинула маску одинокой стареющей женщины и почти ласково произнесла:

— Кофе?

— Нет, мне пора идти. А позвонить от вас можно?

— Телефон у Юры. Юра, проводи.

Юра вскочил и пулей вылетел из комнаты. Отворив дверь в свою комнату, он указал гостю на телефон, стоявший на столе среди кучи разного художнического хлама — открытых коробок с красками, грязных тряпок, бутылки с растворителем, рваной бумаги. Юра вышел и деликатно притворил за собой дверь.

— Владимир Борисович? — спросил помощник следователя, когда дозвонился в управление. — Я сейчас у Головлевых. Ну, есть кое-что, опознают девушку. Владимир Борисович, надо бы найти отца Прохорова. Развелся двенадцать лет назад, выписался и пропал. Никто его не видел. Может, он что-то сообщит об этой Маше.

— Так ищи через этого, Сашу, — отозвался Владимир Борисович своим пронзительным недовольным бабьим голоском. — Не знает сын, так через паспортный стол. Чего звонишь-то?

Они поговорили еще с минуту, и помощник следователя положил трубку, немного раздосадованный. Ему в голову вдруг пришла мысль, что он, пожалуй, так же всю жизнь боится действовать по собственной инициативе, как этот здоровенный лупоглазый парень, в чьей комнате он сейчас находится. Взгляд его упал на разобранную постель. На постели валялась большая картонная папка, из нее высовывались какие-то рисунки. Уже направляясь к двери, он наклонился и скорее из любопытства, чем из чувства долга, глянул на листы. Глянул — да так и застыл, склонившись над кроватью. На первом же, верхнем рисунке была изображена девушка с перекинутой на грудь длинной русой косой. Резкие черты лица, темные глаза без выражения, слегка намеченная улыбка на розовых губах... В дверь поскреблись. Он повернул голову и увидел Юру. Тот, сообразив, что именно рассматривает гость, застыл на пороге, и на шее его снова заалели пятна.

— Иллюстрации к сказкам, — прохрипел он. Затем подскочил к кровати и захлопнул папку, что выглядело даже невежливо.

— Да? А кто позировал?

— Из ВГИКа, одна актриса. — Юра дрожащими руками завязывал тесемки на папке.

— Можно познакомиться с этой актрисой? — спросил помощник следователя.

— Не знаю. Она нездешняя, наверное, уехала на каникулы.

— А имя-то у нее есть?

Юра промолчал. Тогда ему задали еще один вопрос:

— А не Машей ее, случайно, звать?

— Послушайте... — задохнулся Юра. — Таких лиц сколько угодно!

— Да? А вот бы мне найти хоть одно такое! Ну что, Маша или не Маша?

— Только маме не говорите. — Из Юры вдруг будто выпустили воздух. Он рухнул на кровать, все еще прижимая к груди папку. — Она меня живьем съест.

— В чем дело?

— Ни в чем... — Юра тоскливо смотрел на свои огромные ноги в потрепанных тапках. — Да, я видел ее раньше. И рисунок этот старый. Я его нарисовал, когда папа еще был жив. Папа и поправлял.

— Ну а почему так прямо не сказал? — нахмурился помощник следователя.

— Не знаю. Мама была недовольна, что я обращаю на нее внимание.

— На Машу?

— Да. Только не говорите так громко! — попросил Юра.

— Да что вы так мамы боитесь? Или есть причины? Вы вообще-то знаете, что, когда надо давать показания, про маму следует забыть? Вы хоть понимаете, что только что с вашей мамой на пару дали ложные показания?

— Я все понимаю... — Юра с тоской в глазах посмотрел на помощника следователя. — Но ей же не втолкуешь. Да потом, разве это так важно?

— А что вашего соседа убили — не важно?

— Но это же не она.

— Откуда вы знаете? Потому что она вам нравилась? — Помощник следователя не знал — радоваться или злиться? — Вот что мы с вами теперь сделаем! Давайте-ка вы явитесь в управление и дадите показания честь по чести, расскажете, как все было. Для вас же лучше. И ваша мама тоже пусть придет. Я вам пришлю повестки.

— Она меня затравит!

— Ну, вот что! Я с вами пока по-хорошему разговариваю, гражданин Головлев. В управлении ваших объяснений никто слушать не станет. И на маму не стоит ссылаться. Пусть мама говорит за себя, а вы — за себя. Рисуночек я заберу.

Он почти вырвал из Юриных рук папку, развязал тесемки, достал рисунок и положил его к себе в «дипломат». Щелкнул замками и, не прощаясь, ушел.

* * *

Анжелика вернулась домой, когда еще не начинало темнеть, но ей-то казалось, что уже поздний вечер. В семь часов она открыла дверь и бросила на пол свою сумку. В семь пятнадцать выпила первую чашку кофе, в семь двадцать пять — вторую. Она то и дело смотрела на свои часы, но вместо стрелок всякий раз видела чье-нибудь лицо — Жени, Маши, Лены, Саши, а то и покойного мужа. И все же самым худшим было то, что иногда она видела свое лицо — свое, а все же чужое. И при этом ей становилось так страшно, что хотелось заскулить, выскочить из этой проклятой квартиры, прижаться к кому-нибудь и поведать о всех своих бедах, начиная с того дня, когда Игорь остановил рядом с ней на набережной свою красную машину и предложил помочь. Вся жизнь с того момента теперь представлялась ей одной большой бедой, из которой она не могла выпутаться, не могла даже позвать на помощь — позвать по-настоящему, рассказав все, во всем признавшись.

«Даже если Женя найдет ту девицу, даже если он вернет украденные вещи... — размышляла она, переворачивая над блюдцем опустевшую чашку из-под кофе, чтобы потом погадать. — Даже если он как-то отомстит за мои синяки — как он сможет расквитаться с ней за мою неправдоподобную жизнь? У меня есть двойник. У меня всегда был двойник! Даже не с того момента, когда Игорь усадил меня в свою тачку и повез обедать. Двойник был у меня всегда. В один год или почти в один год в двух разных семьях родились две девочки. Я и она. Она и я. И, черт возьми, у нас было столько возможностей стать непохожими друг на друга, даже если мы родились такими! Я могла обжечь лицо, играя на кухне, где горела газовая плита. Она могла сломать ногу на физкультуре и навсегда остаться хромой калекой. Я могла перекраситься в блондинку. Она могла нарочно стать рыжей — потому что ей так нравилось. И в то же время мы ничего этого не смогли, не сделали. С тех пор как мне исполнилось семнадцать лет, Игорь следил за тем, чтобы мы оставались похожими. У нас одинаковые прически, одинаковые духи, одинаковая одежда — уж за голубой-то плащ мне поручилась Маша. И это невыносимо! Я хочу увидеть ее, я хочу избить ее, как Женя избил меня, я не хочу иметь двойника, никогда, никогда, никогда!»

Около восьми часов она сказала себе, что если будет так убиваться, то сойдет с ума, а уж что хуже этого? Лицо Лены так и стояло у нее перед глазами. «Она не вылечится никогда, — подумала Анжелика. — Что-то часто я повторяю слово «никогда». Всю жизнь я его повторяла. С тех пор как ушел папа. Он никогда не вернется — вот что твердила мне моя мать. Проклятье!»

Она подняла с блюдца перевернутую чашку и посмотрела, какие узоры образовала на дне и стенках застывшая кофейная гуща. Там было несколько пятен с длинными хвостами, похожими на кометы, как их рисуют в учебниках по астрономии. Она вздохнула и сказала вслух: «Полная чушь!» Анжелика охотно погадала бы на картах, если бы умела, она сейчас сделала бы все, чтобы хоть как-то прояснить свое будущее, которое темнело все больше, как и небо за окнами.

Она встала и прошла в большую комнату. Села на пол, скрестив ноги, поставила рядом телефон и позвонила матери. Та плаксивым голосом пожаловалась, что дочь ее забыла, что она никому теперь не нужна. Анжелика рявкнула:

— Ну хватит! Слова не даешь сказать! Ты мне можешь ответить, много у нас родственников?

— Что? — растерялась мать.

— Родни у нас много?

— Да есть. Но что ты вдруг заинтересовалась? Ты же всегда только о папочке своем думала...

— Слушай, я тебя человеческим языком спрашиваю... — Анжелика закатила глаза к потолку. — У меня много ровесников среди нашей родни?

— Детей-то? У тебя есть двоюродный брат, но он живет в Пскове... С матерью. С моей старшей сестрой... — бормотала мать.

— А еще кто? Девочки есть?

— Есть у тебя племянница, его дочка.

— А лет ей сколько?

— Да вроде годика три.

— Ты уверена, что это все?

— А что случилось? — всерьез забеспокоилась мать. — То даже мне не звонишь, то вдруг так интересуешься... С чего это тебе наша родня потребовалась?

— Ни с чего. Ты можешь выяснить для меня, есть ли у нас в семье молодые женщины моего примерно возраста?

— Да нету вроде бы...

— Мне надо не «вроде бы», а точно.

— Хорошо, попробую вспомнить, — задумалась мать. И вдруг воскликнула: — Ой, у Андрея же был брат, он женился, и у него, кажется, девочка...

— Ну?

— А лет ей... — опять задумалась мать и наконец выдала: — Лет пятнадцать.

— Нет, не то.

— Да что такое, объясни!

— Не буду. Сама не знаю. Просто захотелось узнать. Как ты?

— Лаешь, лаешь на меня, как собака... — снова запричитала мать. — Никогда не позвонишь, не спросишь, как здоровье, а у меня с почками что-то не то, хожу на обследования... Бессердечная ты. Разве я такой тебя воспитывала? Все Андреево воспитание. Он такой же. Никогда не позвонит... И до тебя ему дела как не было, так и нет. Если бы у тебя ребеночек от Игоря родился, и то бы его не проняло. Да, новости у нас... — Мать, похоже, высморкалась и сказала уже тише, но с каким-то истерическим торжеством в голосе: — Андрей дитя родил.

— Папа?!

— Да. Сдурел на старости лет.

Анжелика помолчала, яростно царапая ногтем ковровое покрытие, чуть ноготь не сломала. Наконец резко спросила:

— Откуда узнала?

— Слухи дошли.

— А кто?

— Мальчик.

— Ну и ладно.

— Ликочка, ты что, плачешь? — встревожилась мать, и тут Анжелика действительно заревела. Не сдерживаясь больше, она заорала в трубку так, что сама себя оглушила:

— Ликочка не плачет, Ликочке наплевать, поняла, кто там родился, чтоб они все сдохли, ублюдки эти, все, все, все! — И бросила трубку.

Скорчившись на полу, обняв себя за плечи, бессмысленно раскачиваясь взад-вперед, она сидела так очень долго, сидела зажмурившись, не пытаясь сдержать слезы, от которых скоро промок весь ворот свитерка. Тогда она сорвала с себя свитер, отшвырнула его в сторону и улеглась, уткнувшись лицом в пол. И лежала так, пока ей не стало холодно в тонком лифчике, пока пол не показался очень жестким, пока она не почувствовала себя такой маленькой, жалкой и никому не нужной, что от обиды ее мокрые глаза сразу высохли. Она села, растерла ладонями голые плечи, потрогала телефонную трубку — есть ли контакт? Сначала ей захотелось с кем-нибудь поговорить, ну хотя бы с Женей. Потом ей уже не хотелось говорить ни с кем на свете. Анжелика с трудом поднялась на ноги, стянула с себя джинсы и швырнула их в угол, где уже валялся свитер. Накинула не очень чистый халат, завязала пояс и босиком отправилась на кухню, чтобы перекусить.

За перекусыванием ее и застал звонок в дверь. Она недрогнувшей рукой положила на стол недоеденный бутерброд и с удивлением отметила, что совсем не волнуется. Двумя днями раньше любой неожиданный звонок в дверь приводил ее в ужас. Но этот ее не испугал. Она не боялась больше ни загадочной блондинки, ни мрачного парня с коротким прямым носом и круглыми светлыми глазами, никого не боялась. Не испугалась бы сейчас даже в том случае, если бы на пороге стояла она сама, то есть ее дубликат.

Анжелика неспешно встала и пошла открывать.

— Лик, можно к тебе? — Юра даже положил руку на косяк двери, словно опасаясь, что Анжелика ее захлопнет у него перед носом. — Я так ждал, когда ты вернешься.

— Я давно дома.

— Я знаю. Можно?

— Заходи. — Она пожала плечами и пропустила гостя в квартиру. Потом заперла дверь, сунула ноги в тапки, вернулась на кухню и снова взялась за бутерброд.

Юра остановился в дверях, не решаясь пройти дальше.

— Садись рассказывай. — Анжелика кивнула ему на свободный стул.

— Да, я за этим и пришел...

Он уселся, свесив руки между коленей. Эта поза ее раздражала, и она, тронув его за плечо, попросила:

— Слушай, ты хоть для разнообразия иногда садись иначе! Похож на павиана.

— Мне все равно, на кого я теперь похож, — вздохнул Юра.

— Ну, раз тебе все равно, то мне подавно. Я тебя внимательно слушаю.

Она вонзила зубы в бутерброд и скосила на гостя глаза. Юра похрустел пальцами (что тоже выводило ее из себя) и с обреченным видом заговорил:

— Я Машу знаю...

— Я это тоже знаю, — перебила Анжелика. — Что с тобой? Я же и тебя знаю, представь себе. Успела уже узнать. Ты же никогда ко мне не являлся, если тебе ничего от меня не требовалось. Зачем пришел теперь? Просто рассказать?

— Да.

— Не верю.

— Ну и зря. Я должен все рассказать.

— Если ты такой совестливый, иди к следователю и все ему расскажи, — посоветовала Анжелика. — А то ее засадят.

— Я как раз не хочу, чтобы засадили, — с горячностью отозвался Юра.

— И что? Что тебе от меня-то надо?

— Ничего... Ничего. Я ее погубил! — Он потянулся к пачке сигарет, лежащей на столе, и, не спрашивая разрешения, закурил. Анжелика стряхнула с рук крошки и полюбопытствовала:

— Кого погубил?

— Машу.

— Каким образом?

— Я же тогда, в первый раз, когда к тебе пришел... Я тебе рассказал, что она тут была. Но я ее не видел! Ее видела мать. Это она меня заставила рассказать все, будто бы от себя...

— А зачем?

— Ну зачем... Если бы она мне всегда объясняла, зачем ей что-то нужно, я был бы счастлив. Ей это просто нужно, вот и все.

— Что ты так пляшешь перед матерью, — поморщилась Анжелика. — Так ты никогда не повзрослеешь. Поседеешь, а останешься младенцем.

— У меня уже сейчас седые волосы, ну и что? Я ее жалею.

— А за что ты ее жалеешь? — поинтересовалась Анжелика. — Она, кажется, не скучала после смерти твоего отца.

— Замолчи. — Он нехорошо на нее посмотрел. — Это все вранье.

— И про Игоря тоже?!

— И про Игоря. Я придумал это, поняла?

— Но зачем? — Она сунула в рот сигарету, но забыла ее зажечь. — Почему ты всегда врешь, Господи?! Зачем ты меня путаешь? Твоя мама не была любовницей Игоря?

— Нет, конечно!

— О Господи... — несколько разочарованно — и все же с облегчением — вздохнула Анжелика. — А я-то катила на нее бочку... Как тебе не стыдно такое про мать говорить? Думал бы сначала! Но я сразу тебе не поверила, сразу! Это просто дико! Игорь — и она! Он, насколько я теперь знаю, предпочитал молоденьких... Но зачем ты врал?

— А как я мог объяснить ее приход сюда?

— А она сюда все же приходила?

— Конечно! Я же тебе говорил, что здесь ее отпечатки пальцев!

— А, вот зачем ты явился, — догадалась Анжелика. — Я же не рассказала следователю, что мы с вашей мамой были друзьями... Забыла как-то, не до того мне было. Ну, успею еще.

— Да мама уже сама рассказала, что мы приходили к вам в гости. Недавно, на годовщину смерти отца. Только один раз. Пили мускат. Отсюда и наши отпечатки в этой квартире, и бутылка. Тебе останется только все подтвердить.

— Да ради Бога, если не вы его убили. А это не вы, случайно, провернули дельце?

— Ради Бога! Конечно нет...

— А чья сигарета была на полу?

— «Данхилл»? Моя, наверное.

— Все-таки твоя или твоей мамы?

— Да что ты привязалась к сигарете? Моя, моей мамы... Наша!

— Ты не финти, а то я подумаю, что это все-таки вы убили.

— С ума сошла? У тебя такое веселое настроеньице, а мне хоть вешайся...

— Сейчас сойду с ума, чтобы доставить тебе удовольствие! — проворчала Анжелика. — Знаешь, милый, тебе придется рассказать всю правду, если не следователю, то мне. Давай, про отпечатки, про ваши визиты, про то, как ты нашел труп, и про Машу, разумеется. А если соврешь, я тебя так взгрею, что маму не узнаешь! И, уж конечно, не рассчитывай тогда на мои показания. Вот будет классно, когда я им скажу, что твоя мама соврала и никогда вы к нам не приходили! Ты этого хочешь?

Он сказал, что этого не хочет, что умоляет ее успокоиться, что сейчас он все объяснит, все расскажет, но что главного не поправить — он сам, своими руками погубил и выдал Машу.

— Мы с Сашей должны были призываться вместе, — рассказывал Юра, с каким-то маниакальным упорством тыча концом сигареты в пепельницу, так что через минуту Анжелика не вытерпела и попросила его этого не делать. — Но мать сказала — нет. Отец ничего не сказал, у него никогда не было своего мнения, как и у меня. Может, это у нас с ним наследственное, не знаю. Может, такими нас сделала мать. Я ее не обвиняю. Отец был художником, в общем-то известным человеком, а кем была она? Никем. Никем для всех остальных. И потому, наверное, она пыталась стать всем для нас с отцом, навязывать нам свое мнение, свои взгляды, контролировать нас, даже унижать своим контролем. Так она самоутверждалась, она же очень честолюбивая, никто этого не знает, кроме меня. Я никого не обвиняю, но все получается так ужасно, что хуже некуда. Отец был художником. Я теперь понимаю, что он был плохим художником, но раньше он казался мне самым лучшим. Ну, я в то время ничего в этом не понимал... Почему он был плохим художником — я не знаю. Не из-за матери, конечно. И не из-за меня. Не знаю ничего. Единственная его вещь, которая мне нравится, — это «Сердце из стекла».

Анжелика попросила объяснить, что это за картина. Юра пожал плечами:

— Ну, это портрет матери с тем самым кубком. Я говорил тебе про этот портрет. Уж тут-то я не врал. Но я говорю о том, что было двенадцать лет назад. Мать стала рыскать по своим знакомым и в конце концов отмазала меня от армии, хотя я был совершенно здоров. Уж если ей что в голову западет — будьте спокойны, она это сделает. Я остался, а Саша ушел. Тогда-то все и началось. Появилась Маша. В первый раз я ее увидел на лестнице. Я рассказывал тебе, как видел ее вечером третьего мая? Так вот, это правда, только все это было двенадцать лет назад. Мы вместе поднимались по лестнице, я позади нее. И все смотрел, как у нее на спине болтается коса. В какой-то момент мне даже захотелось дернуть ее за косу, хотя я в жизни не делал этого с другими девчонками. Просто возникло такое желание. Один раз она обернулась и посмотрела на меня, когда мы уже поднимались на пятый этаж. Наверное, думала, что я собираюсь к ней пристать, что я вообще не из этого дома, а просто иду за ней. Потом я стал отпирать свою квартиру, а она позвонила сюда. Так я увидел ее в первый раз. Потом дядя Иван меня пригласил в гости...

— Отец Игоря?

— Игоря и Саши. Для меня это был отец Саши, потому что с Игорем я никогда не общался. Он ведь уже учился в институте. А я был так, никто. Хотя я уже рисовал, но еще не думал, что стану художником. Мать сказала, что я им стану, но я теперь понимаю, что хорошим художником я не стану никогда. И все же я любил рисовать. — Он наконец растерзал свою сигарету и тут же взял новую. — Дядя Иван вспоминал Сашу. Читал мне его письма. А мне Саша не писал. Он вообще писать письма не очень-то умел, а тут еще я от армии отмазался. Наверное, он меня даже чуточку презирал. А тетя Аня любила, когда я к ним приходил. Я тут часто бывал. Еще и потому, что дома мне тогда не нравилось. Там часто бывали скандалы, по всяким мелочам, а я этого просто не выношу. Ну, вот так я и познакомился с Машей. Но мы никогда с ней толком не разговаривали. Ни разу. И зачем ей было со мной говорить? Я же ей не нравился и был еще совсем мальчишка. А ей было двадцать три года, и она любила твоего Игоря.

Последние слова он произнес с таким презрением, что Анжелика возмутилась:

— Почему это моего? Такой же он мой, как и твой, а еще больше — Машин.

— Ладно, помолчи, — неожиданно резко ответил Юра и продолжал: — Они собирались пожениться. А я... Ну что тебе сказать? Не то чтобы я влюбился в нее, но...

— Но влюбился, — закончила за него Анжелика. — Я сразу поняла, в чем дело, когда вы тут встретились.

— Да помолчишь ты?!

— Молчу, молчу. А она на тебя никакого внимания не обращала?

— Никакого. — Юра криво усмехнулся, как бы давая понять, что сейчас это уже не имеет значения. — Я ее тогда нарисовал. Сперва по памяти, потому что не решался попросить ее позировать, да и рисовал я плохо. Потом я показал ей рисунок, и она долго смеялась, сказала, что нос у нее вовсе не такой. И еще сказала, что если я хочу сделать ей портрет на память, то она согласна посидеть передо мной часика два. Тогда-то я ее и нарисовал — и получилось, знаешь... Мать увидела портрет и заявила, что я могу поступать в Строгановское училище. Отец был против, он не находил у меня особого таланта. Потом уже они сошлись на ВГИКе, но и это было трудно для меня. Поступал по блату, если честно... Позор сплошной. Короче, все это не имеет значения.

— А как твоя курсовая? — припомнила Анжелика. — Сделал?

— Да. А те рисунки так и пропали. Ну вот и все, собственно, что я хотел рассказать. Маша пропала, я даже не успел отдать ей портрет. Потом пропал и дядя Иван. Спрашивать о них было бесполезно — Игорь и тетя Аня на вопросы не отвечали. Теперь-то я понял почему, Маша мне все рассказала, когда я ее провожал... Саша тогда вернулся из армии совсем в другую семью. Со мной он тоже больше не общался. Не потому, что я не хотел, нет, он сам не очень-то ко мне тянулся. Никто о Маше не говорил. Что случилось и где она — я не знал. Ничего не знал, пока мать мне не сказала, что Маша тут была.

— Третьего мая?

— Третьего мая.

— Почему же твоя мать не рассказала об этом?

— Потому что она не любит женщин.

— А мужчин любит?

— Да ну тебя. Я же сказал — про Игоря все враки, я сам придумал. Мать бы меня взгрела, если бы узнала... Не говори ей.

— Не собираюсь, но все же зачем она натравила тебя на меня?

— Да так просто. Когда она узнала, что Игорь мертв, то заявила, что его убила Маша. И что Машу явно никто не видал, кроме нее. И что если она не даст показания, то Машу никогда не заподозрят. И велела мне идти к тебе и описать Машу как совершенно незнакомую женщину, чтобы ты уже сама соображала, как поступить. А потом появилась кассета. За руку меня никто поймать не мог, но я все же боялся, когда врал, что не знаю Машу... И думал, что удастся это скрыть.

— Все раскрылось при вашей встрече у меня, — усмехнулась Анжелика.

— Нет. Главное — ее портрет.

— Как это?

— Да так... Сегодня у нас был кто-то из милиции и случайно увидел его. А мы-то с мамой говорили в один голос, что Машу не знали и не видели. Сейчас нас опять вызовут и будут допрашивать. Боюсь, что придется все рассказать.

— О Господи! Да чего бояться? Зачем все это понадобилось? Почему вы сразу не сказали, что видели ее и двенадцать лет назад, и третьего мая? Почему врали?

— Это все мать...

— Но почему?

— Она Машу терпеть не могла. У них была какая-то стычка... Еще тогда, давно, здесь. Мать зашла к тете Ане, увидела Машу и вдруг стала давать ей советы, что сперва ей нужно закончить институт и заработать себе на квартиру, а потом уж стеснять бедную московскую семью. Тетя Аня сказала, чтобы мама замолчала. А Маша ответила, что она же не претендует на ее сыночка. То есть на меня. Мама обозвала ее как-то, не говорит мне теперь как, и ушла. Она была просто в ярости, я помню, как она говорила отцу, что таких наглых девиц вообще нельзя пускать в Москву! Понимаешь, если бы мама сейчас стала давать против Маши показания и оказалось бы, что между ними имела место та стычка, ей могли бы не поверить. Решили бы, что она оговаривает Машу нарочно.

— Какая чепуха!

— Но мать так решила — попробуй ее разубедить. Из-за этого она и велела мне сказать, что это я сам видел Машу вечером третьего мая. А она будто бы ее не видела.

— Ну а почему же ты говоришь, что погубил Машу? Она просто расскажет следователю все как есть, и ее не тронут.

— Это после всей этой дикой истории не тронут?! Она будет подозреваемая номер один. Тем более... — Юра замялся. — Тем более, что у нее нет алиби на вечер и ночь четвертого мая. Как раз на то время, когда погиб Игорь. Она мне сама так сказала. И очень из-за этого беспокоится.

Анжелика никак не прокомментировала это заявление. Юра продолжал:

— И еще она просила тебе передать, чтобы ты ей верила. Если ты ей не поверишь, сказала она, все пропало. Она сказала, что ты знаешь, о чем идет речь. О чем-то невероятном, о чем она тебе рассказывала. Ты поняла, о чем?

— Да, — кивнула Анжелика. — Ну, с этим покончили. А что с кубком? Если твоя мать не была его любовницей, зачем притащила ему кубок?

Юра потупился и ответил не сразу. А когда заговорил, голос у него был низкий и какой-то простуженный.

— Мать пришла не затем, чтобы подарить ему кубок. Она хотела его оценить. Она ему как-то сказала, что у нее есть такая вещь, и Игорь очень заинтересовался. Просил показать. И вот она кубок принесла, а Игорь сказал, чтобы она его оставила — он проконсультируется у специалиста, сколько это может стоить. Мать, наверное, даже не собиралась его продавать. Просто зациклилась на том, чтобы узнать цену. Понимаешь, если вещь действительно очень ценная, так это же еще один повод задрать нос. Вот она и оставила кубок. А дальше все было, как я рассказывал. Я пришел домой, увидел, что кубка нет, узнал, куда она его дела, разорался...

— Ты разорался на нее?! — поразилась Анжелика. — Не вздумай опять врать! Нет, ты действительно заорал на мать?!

— Да, — без особой гордости ответил Юра. — Меня так взбесило, что она отдала этому типу отцовскую память. Да не все ли равно, сколько стоит этот кубок?! Господи, какая разница! А если это не богемское стекло, то что тогда?! А если он такой не единственный в мире, то что тогда?! Но для нее это всегда имело огромное значение! Я ей все высказал, схватил ключи, прибежал сюда — и нашел труп... Не помню, сколько я тут стоял. Как во сне... Но не слишком долго, минут десять, наверное, а мне-то казалось — вечность. А потом я испугался по-настоящему. Понимаешь, тут было так тихо, и я вдруг понял, что надо бежать, иначе меня кто-нибудь застанет с ним. Забрал кубок... Я, правда, был как во сне и не вытер отпечатки, забыл... И с тех пор с ума схожу от страха.

— Постой-постой! — воскликнула Анжелика. — А ключи у тебя откуда?!

— Да Игорь сам отдал их матери. На тот случай, если никого у вас дома не будет, а начнется пожар или труба лопнет и станет соседей внизу заливать... Он доверял маме.

— Все так странно... — пробормотала Анжелика. — Почему он взял кубок? Что у него там за друзья, которые могут его оценить? Строители, что ли? Маляры? Глупости какие... Ну да ладно. Этого мы все равно не узнаем. Хочешь кофе?

Юра от кофе отказался. Сказал, что он в отчаянии, что не видит никакого выхода, что на Машу неизбежно падет подозрение. Что даже если она оправдается, в чем сама не уверена, то все равно будет много грязи... Вся грязь выльется наружу и заляпает всех — и живых, и мертвых, исключая разве что Анжелику, потому что она тогда была ребенком и никого из действующих лиц не знала... Еще он добавил, что для Маши ничего не может быть хуже огласки, что эта удивительная женщина прожила нелепую жизнь и что если ей можно было чем-то помочь — так только молчанием, а он, тряпка и дурак, все рассказал, потому что боялся мамы. И это Юра повторял раз за разом, пока его бессвязную речь не прервал телефонный звонок.

## Глава 16

Анжелика знала, чей голос она хочет услышать, и настолько приготовилась к разговору именно с Женей, что теперь онемела от изумления. Голос в трубке принадлежал женщине, и голос этот был ей уже хорошо знаком. Она слышала его два раза, и оба раза по телефону. Низкий, очень молодой и напористый голос сказал «алло!» и спросил:

— Как у тебя дела?

Анжелика задохнулась от волнения и с минуту просто молчала в трубку. Путем довольно несложных умозаключений она пришла к выводу, что именно эта девушка, назначившая ей встречу на Тверской, «подарившая» алиби в «Ла Кантине», — она и есть та самая любовница Игоря, ее двойник. Но одно дело — сознавать это, думать об этом, говорить об этом. И совсем другое — убеждаться, что эта девушка на самом деле существует, говорить с ней, слышать в трубке даже ее дыхание.

— Как дела, я спросила?! — проворчала девушка-двойник.

— А почему вы говорите со мной в таком тоне? — Анжелика так и не решилась перейти на «ты», это было выше ее сил.

Ее собеседница резко ответила:

— В каком таком тоне я говорю? Что тебе не нравится? Спятила, что ли?

— Кто вы такая?

— А, ты обиделась, что я не пришла? Ну прости, не могла я.

— Зачем же вы тогда назначали мне встречу? — Анжелика пыталась говорить так же резко и невежливо, как ее собеседница, но при этом хорошо понимала, что эту девицу ей будет трудновато переплюнуть. Все ее попытки разбивались о самоуверенный наглый голос. — Зачем вся эта комедия?

— Скоро узнаешь, — ответили в трубке. — Нам все же надо встретиться.

— Мне не надо!

— Нет, серьезно, надо. Ты не понимаешь, ты же ничего не знаешь...

— Я не желаю встречаться, — упорствовала Анжелика. — Мне не хочется с вами встречаться. Что вам нужно от меня?

— Придешь как миленькая. Мне от тебя ничего не нужно, а вот тебе...

— Что мне?

— Ты же кое-что от меня получила, разве нет? — В голосе послышалась насмешка.

Анжелика растерялась:

— Да, но...

— Вот тебе и «но»! — еще более насмешливо, почти глумливо передразнила собеседница. — И то, что ты от меня получила, ты мне вернуть не можешь. За деньги этого не купишь. Согласна, а? Так что не надо грубить! Не бойся, я тебе вреда не причиню. Мне надо с тобой кое-что обсудить.

— Это шантаж?

— При чем тут шантаж? Ты одна?

— Зачем вам это знать? — Анжелика оглянулась на дверь.

Юра сидел на кухне тихо-тихо, и было неясно, слышит он этот разговор или весь ушел в свои горестные думы. И хотя защитник из него никакой, ей все же становилось спокойнее от одной мысли, что она не одна.

— У тебя кто-то есть, что ли?

— А что?

— Быстро ты начала гулять, милая! — усмехнулась собеседница. — Не очень-то ты грустишь по мужу, да?

— Грустите сами, если хотите, а меня оставьте в покое.

Звонившая издала странный звук, похожий на шумный вздох, потом быстро проговорила:

— На что намекаешь?

— Ни на что.

— Ладно. — Теперь в трубке говорили медленно, словно девица-двойник тщательно обдумывала каждое свое слово. — Мы увидимся, и ты мне все объяснишь. Завтра, поняла? Назначаю встречу: клуб Дворца молодежи, одиннадцать вечера, у стойки бара. Видишь, как просто? Метро «Фрунзенская».

— Может, все и просто, но я не приду.

— Почему это? Узнаешь много интересного, обещаю! Или думаешь, обманываю? Приду, не сомневайся!

— А вы не боитесь? — с дрожью в голосе спросила Анжелика.

— Тебя мне, что ли, бояться?

— Нет.

— Чего тогда?

— Что нас с вами увидят вместе?

В трубке замолчали. Анжелика проклинала свой длинный язык — слишком явно она дала этой особе понять, что все про нее знает. И про связь с Игорем, и про внешнее сходство с ней самой. Наконец она услышала ответ:

— Я-то ничего не боюсь. А вот ты, кажется, боишься. Кто тебя так напугал?

— Я не приду.

— Не придешь — очень пожалеешь. Алиби-то у тебя липовое.

— А зачем вы мне его сделали? Я же не просила! Что — решили меня к рукам прибрать? Зачем вам вообще все это нужно? — взорвалась Анжелика. — Ничем я вам не обязана!

— Ну тише, тише! Не ори так. Тем более, если ты не одна, — снисходительно проговорила собеседница. — Я тебе добра желаю.

— Да уж!

— Серьезно. Если я тебе помогла с алиби, то только для того, чтобы тебя в покое оставили. А теперь я хочу поговорить. Короче, если ты не придешь, пожалеешь. И очень пожалеешь.

— Я... — хотела возразить Анжелика, но услышала гудки — трубку повесили.

На кухню она не пошла. Сидела у телефона, тупо глядела на него и повторяла про себя, что эту дрянь надо убить, избить, сделать с ней что угодно, только бы она больше не звонила. Даже ее голос, ее невыносимо начальственный тон вызывал у Анжелики аллергию. Юра на кухне не подавал признаков жизни, зато оттуда непрерывными волнами выползал сигаретный дым. Когда звякнул телефон, Анжелика судорожно схватила трубку, рискуя оборвать контакт:

— Да!

— Привет, Лик, — услышала она смущенный голос. — Узнала?

— Конечно! Она мне только что звонила!.. — захлебнулась Анжелика.

— Ну?! Ни фига себе... Она что — тебя знает?! Чего ей надо было?

— Она мне уже два раза звонила! Я что — тебе не рассказывала?

— Вот гадина! — воскликнул Женя. — Слушай, давай я к тебе приеду?

— Сейчас? — неуверенно спросила она. — Ну давай...

— Ты не против? Может, ты не одна?

«И этот туда же!» — усмехнулась Анжелика. Потом ответила:

— Да я не против, только...

— Что — только? Если нельзя, так сразу и скажи. — Женя пытался скрыть обиду, но было очевидно, что столь прохладное приглашение его разочаровало.

Анжелика глянула на пышный букет, красовавшийся в напольной вазе, и, почувствовав что-то похожее на признательность, бодро проговорила:

— Приезжай, конечно! Адрес-то помнишь?

— Помню. Ты мне все расскажешь, идет?

— Давай, я жду.

Положив трубку, Анжелика крикнула в сторону кухни:

— Ты там не уснул?

Юра, шумно шаркая тапочками, приплелся на зов и остановился у порога. Исподлобья глянул на розы и спросил:

— Мне уйти?

— Конечно уйди, — кивнула Анжелика. — Хорошо, что ты сразу все усек.

— Слушай, ты можешь посоветовать, что мне теперь делать?

— В смысле?

— Ну со следователем... Я всех подвел. Машу, маму...

— Себя самого ты главным образом подвел, — возразила Анжелика. — Потому что постоянно всем врал.

Будет теперь тебя этот Владимир Борисович мурыжить за ложные показания! Вот кто симпатяга! Не знаю, что тебе делать.

— Ну ладно... Как там Саша? — спросил он, глядя, как Анжелика идет отпирать ему входную дверь. По всей видимости, депрессия его усугублялась с каждой минутой.

— Нормально, — дипломатично отозвалась Анжелика. — Только Лена болеет.

— Это его жена?

— Да. Ты ему лучше сейчас не звони.

— Что-то серьезное? — без особого интереса спросил Юра. Ему просто не хотелось уходить.

— В основном она плохо спит, — ответила Анжелика и, в общем, не покривила душой.

— Хорошо, не буду звонить. Маша, знаешь, тоже не хочет, чтобы я ей звонил. Как ты думаешь, можно все-таки это сделать? А ее телефон можно следователю дать?

В его голосе звучало такое неистовое желание пообщаться, поделиться своими горестями, что у Анжелики возникли некоторые сомнения — хорошо ли выставлять человека в таком состоянии? Но ей сейчас было не до него, и она слегка дружески толкнула его ладонью в спину:

— Все уладится. Все уже улаживается. Вы же не виноваты, ну а все остальное — пустяки. Ладно, спокойной ночи.

— Знаешь, Лика, — он цеплялся за дверной косяк, не давая ей распахнуть дверь, — а ведь тогда, когда я к тебе первый раз пришел, я решил, что это ты убила мужа.

— Что?!

— Помнишь, ты мне говорила, что тебе кажется, будто в комнате чего-то не хватает?

— Не хватало малахитовой подставки!

— Да, теперь-то я знаю... Но тогда, знаешь, я решил, что ты говоришь о кубке. Понимаешь, ведь мать принесла ему кубок, когда он был еще жив, разумеется.

Потом, до того, как я пришел и увидел его труп, прошло часа полтора. За эти полтора часа его убили. Тот, кто убил, обязательно видел кубок! Он даже мог его украсть, но почему-то не украл... А потом я его забрал. И вот ты мне сказала, что из комнаты что-то пропало...

Анжелика посмотрела на него расширенными от гнева глазами и в конце концов заявила, что это у него в голове чего-то не хватает, а чего — пусть соображает сам. Сказала также, что в жизни не видела такого типа, как он, что от него одни неприятности и что пусть он выкинет свои дурацкие идеи из головы, если хочет еще когда-нибудь прийти к ней в гости. Резко оторвала его пальцы от косяка, распахнула дверь и велела ему идти к своей мамочке. Он вылетел как ошпаренный, и последнее, что она увидела, захлопывая дверь, были его изумленные, обиженные, совершенно лягушачьи глаза.

Женя явился через час с небольшим. За это время она переоделась, сделала свежий и особенно тщательный макияж, убрала обе комнаты и кухню, поправила в вазе его цветы. Потом рассердилась на себя за эти приготовления и сказала себе, что если в первый раз, когда он ее сюда втолкнул, ему было наплевать, как она выглядит, то уж теперь-то нечего стараться. Но при этом в глубине души она понимала, что злится не на него, а на себя — за свое волнение.

— Ничего, что я так вломился? — спросил он, проходя за ней на кухню и почему-то потирая руки, будто вошел с мороза.

— Я же тебя пригласила. — Анжелика старалась держаться спокойно, но удавалось это плохо. — Будешь что-нибудь?..

— Да я ел.

— Я же не предлагаю тебе пообедать, как в «Красном козырьке». Может, кофе, чай?

Он согласился, что чашечка кофе не помешает. И пока она возилась с кофеваркой, он, сидя за столом, который был ему определенно тесен, непрестанно покашливал, похмыкивал, так что ей хотелось спросить, не подавился ли он чем-нибудь. Наконец она поставила перед ним чашку:

— Ничего к кофе нет, уж прости. Не успела купить, весь день бегала.

— Да мне ничего не нужно, — немедленно отозвался он как вежливый гость. — Что нового?

— У меня есть адрес той самой женщины, которая знает адрес близняшки... Вот.

Она выложила перед ним клочок бумажки, на котором записала Машины координаты. Он вчитался и нерешительно кивнул:

— Здорово... Но может, ты сама ей позвонишь? Мне как-то неудобно, она же меня не знает. Пошлет подальше, и все...

— Ну давай.

Она подошла к телефону и набрала номер, записанный на бумажке. Долго никто не подходил, наконец в трубке умолкли гудки и раздался хриплый, надсаженный голос:

— Алё.

— Здравствуйте, — защебетала Анжелика, сообразив, что говорит с отцом Игоря. — Нельзя ли позвать Машу?

— А кто спрашивает?

— Подруга.

— Из магазина, что ли? — подозрительно спросил мужчина.

— Нет... Маша дома?

— Нету ее.

— А когда она вернется?

— Не знаю. Утром... — прохрипел мужчина. — Она ночью работает.

— А... Ну тогда простите.

Анжелика вернулась на кухню и с сожалением доложила:

— Адрес можно будет узнать только утром. Нету дома этой женщины.

— А эта женщина скажет адрес? — забеспокоился Женя. — Она его откуда знает?

— Выследила ее, представь.

— Ну? А я думал, это какая-то ее подруга...

— Сомневаюсь, что у нее вообще есть подруги. Что же ты кофе не пьешь?

Он принял этот вопрос за упрек и одним махом, обжигаясь, высосал из чашки все содержимое. Почистил согнутым пальцем нижнюю губу от кофейной гущи и заявил:

— Вкусно.

— Еще?

Анжелика наблюдала за ним уже с легкой насмешкой. Он немного напоминал ей какое-то большое животное — сенбернара, что ли, или небольшого медведя, которых так забавно подкармливать в зоопарке.

— А зачем тебе звонит эта баба? — спросил Женя, дуя на слишком горячую новую порцию кофе, уставившись в чашку. — Отношения выясняет?

— Да нет вроде...

— А я думал, она насчет твоего мужа...

— Ах, да нет! Здесь, по-моему, совсем не то. Хотя сегодня она меня впервые упрекнула, что я его быстро забыла. Скоро, наверное, будет ругать, что я его никогда не любила. Заботится о нем, короче, даже на том свете.

— Вот дрянь, — с выражением произнес Женя, забыв о кофе. — Ну, найду ее, так отлуплю!

— Не сомневаюсь, что ты так и сделаешь, — усмехнулась она, невольно дотрагиваясь до своего лица. — Ну ладно, я все забыла, не переживай.

Женя мельком глянул на нее и заметил:

— А синяков уже не видно.

— Замазала просто. Как ты думаешь, зачем один человек приглашает другого на свидание, а сам не приходит?

— Зачем? — удивился он этому, казалось, бессмысленному вопросу. — Ну, он забывает, наверное.

— А если не забывает?

— Тогда не может.

— А если может, и все равно не приходит?

— Тогда назло делает... А кто так сделал?

— Она. Пригласила меня на свидание в кафешку на Тверской, я пришла и ждала ее где-то час. А она не явилась.

— Зачем же ты пошла? — искренне забеспокоился он. — Связываться со всякой швалью! Я сам с ней разберусь!

— А я не знала, что это именно она. Понимаешь, я ведь вообще о ней ничего не знала. А ситуация была такая — мужа убили, и следователь заявил мне, что алиби у меня нет. Понимаешь? Кошмар. Я думала, как мне быть, и тут звонок. Женщина, незнакомая, сказала, чтобы я воспользовалась липовым алиби. Все мне рассказала: где меня видели, и при каких обстоятельствах, и кто может это подтвердить. Я думала — бред! — лихорадочно рассказывала Анжелика. — Но в конце концов мне пришлось это алиби пересказать следователю, потому что все становилось хуже некуда... И представляешь — прошло!

— Тебя опознали! — догадался Женя.

— Ну, точно! Только ведь я тогда не знала о двойняшке! Думала — все с ума посходили.

— А зачем же она это сделала?

— Вот поди ж ты! — Анжелика вздохнула. — Я теперь будто ей обязана... Но подозреваю, что здесь замышлялась какая-то гадость...

— Обязательно гадость. От этой твари одни гадости, больше ничего!

— Но я же не знала, с кем говорю! Думала, мне хотят помочь...

— Никто никому бескорыстно не помогает! — авторитетно заявил Женя.

— Да? — сощурилась она. — А ты мне?

— Я?.. Ну, я же тебе вроде обязан... Да и просто хочу помочь.

Анжелика пристально на него посмотрела и не очень твердо сказала:

— Ладно, верю. Ну а потом она опять мне позвонила и пригласила на это глупое свидание. И вот сегодня — в третий раз.

— Что ей нужно?

— Чтобы я опять пришла на свидание.

— Ну?! Вот это то, что нам надо! — обрадовался Женя.

— Да почему? — поморщилась Анжелика. — Много радости ее видеть!

— Не понимаешь? Зачем же мне тогда ее адрес?! — продолжал ликовать Женя. — Я ее и так за шкирку возьму!

— А если не удастся? — с иронией спросила опытная Анжелика. — А если она не одна придет? А если опять не явится? Хотя говорила, что теперь придет обязательно...

— А она не говорила, случайно, зачем ей тебя нужно видеть?

— Нет, обещала все объяснить при встрече.

— Так иди на встречу!

— Да я боюсь ее. Честное слово — боюсь. Как в детстве пауков боялась.

— Не бойся, я же буду там! Я тебе и слова с ней сказать не дам, все возьму на себя!

— Перестань, — в сердцах отмахнулась Анжелика. — Это опасно.

— Почему?

— Она же тебя знает. Думаешь, она станет болтать с тобой? Она же тебя ограбила! А когда увидит тебя, наверное, поймет, зачем ты явился... И просто драпанет или разговаривать не станет.

— И я не стану. Очень надо! Я сделаю так, что она выйдет со мной на улицу, посажу в машину и отвезу куда хочу. Там и поговорим.

— Так она тебя и послушалась!

— Послушается, если в тюрягу не захочет. Не будет слушаться — первый мент ее. Пусть ему сказки рассказывает.

— Ну, пусть так... — вздохнула Анжелика. — Только осторожней, прошу тебя...

— Да ладно тебе! — воодушевился Женя. — Где эта свиданка будет? Когда?

— Завтра в одиннадцать вечера, во Дворце молодежи, — нехотя сообщила она, ощущая при этом новую волну страха. Назвав время и место свидания, она сразу поняла, что Женя с дороги не свернет и теперь ей тоже придется пойти до конца, вместе с ним или одной.

— Где?!

— Там клуб какой-то. Не бывал?

— Да нет, я вообще не часто по клубам хожу... — Он допил свой кофе и вытащил пачку сигарет. Оба закурили, причем Женя, поднося зажигалку даме, слегка придержал ее руку, потому что сигарета так и прыгала у нее в пальцах.

— А чем ты занимаешься, если не секрет? — поинтересовалась Анжелика, изо всех сил стараясь успокоиться и упираясь локтем в стол, чтобы рука не так заметно подрагивала.

— Машинами.

— Ну, машинами? — обрадовалась она. — У меня в гараже стоит «вольво», а я на ней не езжу. Вот бы ты меня научил!

— Чего проще! Давай научу. Я в автосервисе работаю. Машина на ходу?

Она кивнула. Он небрежно заметил:

— У меня у самого, правда, простой «жигуль», но я скоро его поменяю...

Анжелика подумала, что эти его слова что-то ей напоминают, но не стала говорить вслух. Только заметила:

— Не знаю, правда, как с моей координацией ездить... Можно таким, как я?

— Всяким можно. А у тебя что-то серьезное? Быть не может. Да просто надо права купить, и дело с концом, если что не так.

— Ну тебя... — расстроилась она. — Права-то я куплю, а кто меня по частям отскребать будет, когда врежусь?

— Не врежешься! — Дойдя до знакомой темы, Женя вдруг загорелся: — Слушай, покажи машину!

— Прямо сейчас? — Анжелика сидела ссутулившись, сложив руки перед собой и сильно сжимая их. Но дрожь была так заметна, что Женя обратил на нее внимание и спросил:

— Ну что ты? Что такое?

— Ничего. Мне страшно.

— Страшно? — Он на миг задумался, а потом, разом придя к какому-то решению, накрыл ее сжатые пальцы своей теплой ладонью. — Какие пустяки! Не бойся ничего, когда я с тобой.

— Да? — Она искоса глянула на него и сразу поняла, что сейчас произойдет. Она знала, что может помешать ему, знала, что настаивать он не будет, но как раз поэтому и боялась двинуться, отвести лицо, к которому он уже тянулся губами. «Я не знаю его, я не знаю его... — повторяла она про себя, уже чувствуя чужое дыхание как свое. — Я с ума сойду, я делаю глупость за глупостью, безвольная идиотка, никому не нужная дура...»

Ее в жизни никто не носил на руках, и, когда Женя одним рывком оторвал ее от стула, ей показалось, что сейчас они оба упадут, что он ее уронит. Но он держал ее так крепко, без каких-то видимых усилий, что она вдруг поняла — он не только ее не уронит, но и сопротивляться ему бесполезно. Из двух комнат он каким-то безошибочным чутьем определил ее собственную. Там было уже довольно темно — закат догорал за опущенной шторой.

— Не надо света, — шепнула она, когда под ней скрипнула кровать.

Он ничего не ответил. Она лежала, закрыв глаза, слушая быстрый шорох снимаемой одежды. Потом кровать заскрипела громче — он поставил на край колено, начал расстегивать на ней кофточку. Она не помогала ему, но и мешать не собиралась. Она спрашивала себя, хочется ли ей этого, нужно ли ей это, — но ничего ответить не могла. Когда он, слегка посапывая, с большим трудом стянул с нее всю одежду, ей стало холодно и она быстро полезла под одеяло. Он тоже укрылся, прижался к ней всем телом и начал целовать. Она положила руку ему на плечо, вспоминая, каково это — любить мужчину, ощущать тепло его кожи, запах его волос, слегка щетинистую щеку на своей груди. Вспоминалось все с трудом, как давно забытый иностранный язык. Иногда она переставала понимать, где это она, с кем и что делает, и почему он дышит так тяжело, и почему в комнате становится все темнее, и что это он шепчет ей на ухо — так горячо, что по телу мурашки бегут. Она открывала глаза, чтобы убедиться, что это именно он рядом с ней — смутно видела его лицо, круглые глаза, целовала его в губы, один раз, другой, и успокаивалась. Она уже согрелась, щеки у нее горели, и ей больше не казалось, что недалеко слезы, что она вот-вот глупо разревется. Потом он крепко обнял ее, и кровать оглушительно заскрипела, так, что она вдруг рассмеялась, и тут же вспомнила, что вот так же скрипела кровать, когда с ней был Игорь, и так же ей хотелось смеяться, но было нельзя — он сердился и отпускал ее. Но Женя тоже улыбнулся, и ей показалось, что ему лет шестнадцать, не больше, а ей — и того меньше, что она сейчас, пожалуй, счастлива, и счастливей никогда не была, и что все еще будет хорошо.

— Я есть хочу, — сказала она, приподнимаясь на локте и глядя на него со счастливой улыбкой.

— Слушай, — смущенно ответил он, — а я тоже хочу. Как раз хотел тебе сказать... Всегда после этого хочется, да?

Она ощутила легкий укол ревности, но тут же сказала себе, что это глупо — ведь у него, конечно, было сто девчонок. Так почему бы ему не сказать сто первой, что он всегда после секса хочет есть? Она улыбнулась, чтобы скрыть свое замешательство, и спросила:

— А сколько тебе лет, а?

— Двадцать восемь.

— А мне двадцать пять.

— На двадцать выглядишь, — выдал он незамысловатый комплимент, но ей все равно стало приятно. — Слушай, у меня идея. Зачем ты сейчас будешь что-то готовить? Давай скатаем в центр, поужинаем где-нибудь. Ты знаешь такое место?

— Как раз такое знаю. — Она ласково погладила его по груди. — «Ла Кантина». Это где мне обеспечили алиби.

— Приличный кабак? — Он вскочил с постели и, все еще немного смущенный, начал быстро одеваться, не глядя на нее. Только натянув джинсы и застегнув «молнию», он снова приобрел свою былую уверенность.

Но Анжелика все же успела бросить на него несколько быстрых взглядов и отметила про себя, что Женя в ближайшем времени может здорово располнеть. Но эта мысль ей даже понравилась, хотя, конечно, она не высказала ее вслух. Она тоже встала, подобрала с пола свою одежду и сложила ее на стуле.

— Там классно кормят, — сказала она. — Мексиканская кухня.

— Никогда не ел. А ничего, что я в джинсах? Туда фрак надевать не надо?

— Да брось, не надо. А что мне надеть? Что ты хочешь, чтобы я надела?

— Платье, — задумчиво ответил он.

Она рассмеялась и распахнула шкаф:

— Какое именно?

Ему понравилось серо-голубое, с узким лифом и широкой юбкой. Это платье было куплено полгода назад с полного одобрения Игоря, после того как Анжелика тщательно его описала во всех деталях, увидев в одном бутике. И стоило оно недешево, и шло ей необычайно. Надевая его сейчас, она вдруг спросила себя, а нет ли, случайно, такого же платья у той, другой? Но долго раздумывать и огорчаться было некогда — голод становился все ощутимей. Она припудрилась, подмазала губы, вдела в уши бриллиантовые серьги, украсила руки кольцами. Женя смотрел на нее восхищенно.

— Класс... — выговорил он в конце концов, когда она была совсем готова. — Знаешь что? Поехали на твоей машине? Я к тебе на метро приехал.

— Ты поведешь? А как же права?

— Всегда со мной.

— А как без доверенности?

— Да никак. Остановят — заплачу.

Выходя вместе с Женей из квартиры, Анжелика демонстративно шумно захлопнула дверь — на случай, если Юра подглядывает и подслушивает. Они почти бегом, смеясь и переглядываясь, спустились во двор, обогнули дом, и она остановилась у гаражей. Достала ключи, раздраженно и неумело принялась тыкать один ключ за другим в замок — забыла, который от гаража. Наконец очередной ключ подошел. Женя потянул на себя створку ворот, заглянул внутрь, сощурился и сделал шаг вперед. Огляделся и сказал, не поворачиваясь к Анжелике:

— Слушай, а где машина?

Она вслед за ним бросилась в гараж, включила свет и замерла — синяя «вольво», еще на днях царственно возвышавшаяся посреди гаража, исчезла. И ничто здесь больше не напоминало о ней, даже запах знакомых духов.

## Глава 17

— Ты с ума сошла! — прошипел Саша в трубку, когда услышал взволнованный голос Анжелики. — В такое время?!

— Какое «такое время»? — плаксиво ответила она. — У меня машину угнали.

— Что?! Откуда?!

— Из гаража, придурок...

Анжелика подняла глаза и посмотрела на Женю. Он возвышался в двух шагах от нее — огромный, невозмутимый — и подкидывал на ладони ключи. Ключи звенели, взлетая к потолку и шлепаясь обратно. Только по этому жесту можно было понять, как он нервничает, хотя машина была, конечно, не его.

— И ты что — сразу решила, что я угнал?! — Саша говорил с ней все еще злобно, но уже не шипел по-змеиному.

— А кто? Ты же на нее глаз положил... Кто говорил, что классная машина?

— Ну я, — небрежно сознался он. — Тебе же она не нужна.

— Оказывается, кому-то она была нужна больше, чем нам с тобой, — ныла Анжелика. — Что мне теперь делать?!

— Дверь взломана?

— Нет, не взломана, кажется. — Анжелика посмотрела на Женю, и он отрицательно покачал головой, снова подкинув к потолку ключи. Увидев этот жест, она более уверенно подтвердила: — Нет. Все цело.

— Значит, ключами открыли?

— Ну.

— А ключи от гаража у тебя? Не украли?

— А кому их красть? И как, по-твоему, я бы туда попала, если бы у меня не было ключей? Кому они нужны?

— А твоему бандиту, который тебя избил, — предположил Саша.

Анжелика выслушала это с непроницаемым лицом и ответила:

— Скажи что-нибудь поумнее. Он ничего не взял. Скажи, мне в милицию заявлять?

— Нет, — сразу ответил тот.

— А чего мне бояться?

— Дура, — снисходительно протянул он. — Не слишком ли много неприятностей с нами случается? Сперва сумасшедшая Ленка, потом машина... Хороши бы мы были, если бы обо всем докладывали следователю! И сама же говорила, что следователь ухватился за то, что у тебя когда-то украли бриллианты. Не надо привлекать к себе внимание!

— Но машина...

— Потом разберемся. — Судя по голосу, он чуть не плакал из-за этой новости. И все же настойчиво повторял: — Потом, Лик, потом.

— Ну нет, Сашка, — заканючила она, уже не так напористо. — Потом будет поздно! Ее куда-нибудь отгонят или перекрасят, продадут, и нам никогда ее не найти...

— Замолкни. Сказано тебе раз и навсегда — не высовывайся перед следователем. Еще не хватало самим на рожон лезть... — раздраженно ответил он. — Не уйдет от тебя машина.

— Уже ушла, умник! Значит, ты против? Значит, надо ее кому-то подарить, по-твоему?!

— Конечно, дарить не надо. Но пока ты обо всем забудь. Ты же все равно на ней никогда не ездила, она бы у тебя в гараже заржавела. Считай, что она просто сломалась. И вообще, — все больше распалялся он, — ты мне все время подкидываешь какие-то проблемы! Далась тебе эта девица!

— При чем тут девица? — Она сперва не поняла, о ком идет речь, но тут же сообразила: — Маша? Что с ней случилось?

— Ничего. Мне звонил какой-то тип, по-моему, помощник следователя или сам следователь, не разбираю я их рявканье по телефону... И требовал координаты отца.

— А о Маше они говорили?

— Ни черта.

— Но они же и ее тогда найдут? — заволновалась Анжелика.

— Гляди-ка, соображаешь! — похвалил ее он. — Конечно найдут. Так и накроют, тепленьких, в одной постельке. Когда получат координаты.

— Так ты им не дал адреса?

— Дурак я, что ли? Конечно нет.

— А почему? — Она изумленно посмотрела на Женю, и тот, сообразив, что речь идет о чем-то важном, от любопытства замер: перестал подкидывать ключи и уставился на нее своими круглыми глазами. — Это же подозрительно! Ты сын, ты должен знать, где живет твой папа...

— А ты что — знаешь, где живет твой?

В его голосе было столько яда, что она на миг почувствовала во рту горечь — вяжущую, нестерпимую. Но, как всегда в такие минуты, промолчала, а он продолжал болтать:

— Ничего странного нет, что я не знаю адреса отца. Я им все доходчиво объяснил. Когда я пришел из армии, отца уже не было, мать с ним развелась и все меня настраивали против него. Вот и все. Какой может быть адрес? Он даже на Игоревых похоронах не был, я им и это сказал. Кажется, это на них произвело большое впечатление.

— Дурак... — в ужасе простонала она. — Ты что наделал?!

— А что?

— Да ведь они все равно найдут твоего отца, рано или поздно! И он им скажет, что адрес у тебя был, что ты ему звонил, чтобы сказать про гибель Игоря! Ты сам себя под монастырь подводишь!

— Ничего подобного, — сухо ответил он. — И думай, дорогая, прежде чем называть меня дураком. Я же сразу ему позвонил и предупредил, чтобы он ни в коем случае не говорил милиции, что у меня есть его адрес и телефон.

— А как ты это объяснил?

— Сказал, что под меня копают в связи с Игорем. Он сразу согласился молчать. Да он вообще на все соглашается, если попросить. Чувствует свою вину, старый ходок... — цинично закончил Саша. — Да, слушай! — спохватился он вдруг. — Ты тоже, конечно, должна предупредить свою мамашу, чтобы та молчала! Я, кажется, на похоронах сболтнул, что звонил отцу и что он не придет. Она еще возмущалась. Ну, соври ей что-нибудь, ты же ее крепко держишь.

— Знаешь, — резко ответила она, — оставь мою мать в покое. И я не верю, что твой отец старый ходок или еще как там. Во всем был виноват один Игорь. И хватит говорить про всех гадости. Лучше следи за собой! Твое бессмысленное вранье... Рано или поздно ты всех нас подведешь под монастырь.

— Это я? Ну ты и стерва... Кто тебя выгораживал все время?

— Ты?! — крикнула она и тут же осеклась, встретив очень заинтересованный взгляд Жени. Она поняла, что он слышит вообще весь разговор, но прикрывать трубку ладонью или просить его выйти было неудобно. — Знаешь, пусть каждый говорит за себя. Ты для меня еще ничего хорошего не сделал. И я у тебя ничего не прошу!

— А я у тебя прошу одного — чтобы ты не слишком там размахивала адресом, который я тебе дал, — обеспокоенно сказал Саша.

— Не бойся, не буду.

— И молчи, откуда адрес!

— Господи, какой ты мерзкий, — с чувством ответила она. — Я не понимаю, что ты все темнишь... Почему ты им адрес не дал?

— Не желаю иметь с ними дело. Ты представляешь себе, что будет, если один из них заявится ко мне?! Молчание — золото. Пусть сами ищут, им за это деньги платят. Когда этот мент мне позвонил, у меня все внутри оборвалось. Я думал, сейчас они будут у меня. А тут она лежит!

— Как Лена?

— Не хорошо и не плохо. По-прежнему.

— Ест хоть что-нибудь?

— Сидит на диете. Да ей это не впервой. Может, она все это и устроила для того, чтобы скинуть пару килограммов.

— Но ты хоть предлагал ей поесть?

— Она не в ресторане, чтобы ей предлагать, захочет — попросит, — раздраженно отрезал Саша. — И вообще, не суйся ты в чужие семейные дела! Разберись сперва в своих!

— А что мне разбираться? Я уже сто лет как овдовела.

— Тогда спокойной ночи, веселая вдова. И не думай пока про машину. Найдем. — Он бросил трубку.

Анжелике хотелось сделать то же, но она положила ее очень осторожно, чтобы успокоиться.

— Мне не нравится этот твой родственник, — незамедлительно прокомментировал разговор Женя.

— Мне тоже.

— И чего это ты сразу решила вернуться и позвонить ему?

— Господи, да я думала, что он мне что-то посоветует... Когда я перестану чего-то от него ждать?! Он идиот.

— Что у тебя с ним за тайны? — так же недовольно продолжал он.

— Какие еще тайны?

— Лика, почему вы с ним так боитесь милиции? — спросил он.

Чтобы не отвечать ему, она стала искать сигареты. Сигареты не находились, и она уже почти со слезами на глазах приговаривала: «Черт, черт, ну что это за дом такой, ничего нельзя найти...» Нашла пачку, но пустую, и злобно швырнула ее на пол. Женя достал свои сигареты и протянул ей, поднес огонек, но смотрел по-прежнему недоверчиво и даже, как показалось ей, враждебно.

— Ты мне что-нибудь объяснишь? — повторил он, когда Анжелика скрылась за облаком табачного дыма. Сам он не закурил — стоял перед ней, сунув пальцы за пояс джинсов, раскачиваясь с носков на пятки и склонив голову набок — воплощенное ожидание.

— Что именно? — со слезами в голосе спросила она. — Ради Бога, не мучай меня. Все и так плохо. Я с ума сойду.

— Лик. — Он перестал раскачиваться. — Этот Саша, он чем-то тебе угрожает?

— Да с чего ты взял?

— Тогда почему он так с тобой говорит? Он тебе кто? Брат покойного мужа?

— Да, деверь.

— А говорит с тобой как... — Женя возмущенно задрал подбородок, чтобы изобразить, как именно говорит Саша. — Что он о себе воображает, этот тип? Кто он такой?

— Ты его тоже изобьешь, если он тебе не угодит? — тихо спросила Анжелика.

Эта фраза произвела свое действие — Женя смутился. После паузы он уязвленно заметил:

— Ладно, я не буду вмешиваться. Я его не знаю, в конце концов.

— Да, прошу тебя, не вмешивайся. У него нелегкий характер...

— У меня характер хороший, — хмыкнул он. — Все так говорят. Но неприятности я ему могу устроить. И я все же хочу знать, что у вас там такое? Почему ты ему разрешаешь так с тобой разговаривать?

— Да не ревнуй ты, ради Бога! — воскликнула она, подумав при этом: «Это у него называется «не буду вмешиваться»?! — Это же глупо! У нас ничего нет и быть не может!

— Слушай, не принимай меня за дурака. Зачем мне ревновать? — Он наконец тоже закурил, и ей от этого стало немного легче — он как будто пошел на примирение. — Я не ревную, но хочу знать. Понимаешь? У тебя убили мужа. Убийцу не нашли. Где-то поблизости ошивается эта дрянь. Ей от тебя чего-то надо. Она назначает тебе одну встречу за другой. У тебя угоняют машину. И замок, между прочим, не взломали. Значит, у кого-то были ключи? Знаешь, это интересно! А твой деверь на тебя орет и требует, чтобы ты молчала. Он говорит, что не хочет связываться с милицией. Чего он боится?

— Ты что — все подслушал? — тихо спросила Анжелика.

Она боролась с двумя противоречивыми желаниями — немедленно выложить Жене всю правду или послать его подальше со всеми этими вопросами. И пока она боролась, он, видимо, осознал, что пока не имеет права ставить свои условия. Сунул сигарету в пепельницу и сказал:

— Ладно. Пускай машину угнали, но мы все равно поедем.

— Куда это?

— Куда ты говорила. В этот мексиканский кабак. Расслабься.

— Я не могу никуда ехать. Мне плохо.

— Почему? Машину жалко?

— Конечно. Она была красивая. И мне вообще плохо... Так, не знаю почему... Знаешь, я так мечтаю, чтобы все это кончилось! — Она произнесла это с таким искренним надрывом, что он немедленно забыл о своей дипломатии и опять спросил:

— А почему тебя как-то касается убийство твоего мужа?

— Нипочему... — испуганно ответила она. — А ты решил, что это меня касается?

— Конечно. А Саша при чем?

— Да тоже ни при чем!

— Слушай, если ты что-то скрываешь, лучше скажи сразу!

— Да ничего я не скрываю! — истерически взвизгнула она. — Почему ты меня допрашиваешь! У меня алиби, в конце концов!

— Липовое, — довольно холодно заметил он, и Анжелика замолчала.

Она уже так успела свыкнуться с мыслью, что действительно была в «Ла Кантине» вечером четвертого мая, что теперь врала даже себе самой и очень удивлялась, когда понимала, что все это неправда.

— Лика, — повторил он, — мне все это не нравится. Или ты мне все рассказываешь, или...

— Что — или? Или мы никуда не поедем? Напугал, подумаешь...

— Ладно, — рассердился он. — Не хочешь говорить — не надо. — И двинулся к двери.

Анжелика смотрела ему в спину, упрямо сжав губы. «Сказать? — мелькнуло у нее в голове. — Ну уж нет! Нельзя припутывать сюда и его. Тем более ничем он не поможет. И так столько народу замешано в этом деле... Даже Юра, даже его мамаша! Но ведь он сейчас уйдет...» А ей не хотелось, чтобы он исчез навсегда. Когда он уже оказался в коридоре — а шел он очень медленно, — Анжелика вскочила с кресла и позвала:

— Женя!

Он обернулся, и было видно, как ему приятно услышать этот униженный, тихий зов.

— Ну что?

— Жень, я тебе клянусь, чем угодно клянусь, что я не имею никакого отношения к убийству... — сказала она, подходя и трогая его за рукав. — Я... Ну что мне тебе сказать? Я нервничаю, я боюсь. Меня выводит из себя милиция. Мне звонит эта девица. У меня куча неприятностей. Но я никого не убивала. Можешь мне верить.

— Тогда пошли? — спросил он, помолчав.

— Пошли. — Она защелкнула замочек своей парадной сумочки и весело тряхнула волосами, подумав: «А он отходчивый!»

Когда они заявились в «Ла Кантину», музыка уже не играла — было слишком поздно. Сонные официантки курсировали по залу без всякой видимой цели, словно исполняя диковинный медитационный танец. Зал на сей раз был переполнен, но их провели к свободному столику, который как раз просыхал после мокрой уборки. Женя уставился в меню, и если даже цены поразили его, то виду он не подал. Анжелика отметила это про себя, и ей вспомнилось, как она была здесь в прошлый раз с Сашей. Тогда за все пришлось платить ей самой. «Да, стоит связаться с моим милым деверем, как тут же приходится за все расплачиваться в одиночку... — подумала она. — Правда, ему сейчас тоже несладко, из-за Лены... План у него был идиотский! Как представлю себе, что они бы вошли к Игорю, который все знал! И чем бы все кончилось? Неужели Игорь убил бы брата? Или это больная фантазия Лены? В какой момент она сошла с ума? Ведь не в тот, когда мы привязали ее к постели! И не в тот, когда она рассказала нам всю правду о себе и об Игоре! Она должна была свихнуться еще раньше... Когда? Когда увидела его труп на полу? Она потеряла сознание и, может быть, уже не пришла в себя, хотя с виду была прежней... Нет, она рехнулась, когда мы сообщили ей наш план! Она ничего не поняла! Она зря рассчитывала на Игоря! Игорь никогда бы никого не убил, нет! Для этого он был слишком труслив... — Она поежилась, внезапно вспомнив мужа так живо, словно он сидел с ними за этим красным столиком в качестве третьего посетителя. — Он не пускал их в квартиру не из-за своего беспредельного благородства и не из-за любви к брату. Я уверена. Он просто не хотел марать руки. А Ленка, влюбленная, озлобленная на нас, вконец ошалевшая, волокла мужа на расправу, надеялась, что Игорь с ним покончит. А там — как знать? Может, она даже надеялась на что-то большее? Может, думала прибрать Игоря к рукам после того, как он совершит убийство? Тогда бы она смогла на него давить. О, он был идеальным объектом для шантажа! Это и засело у нее в голове. Пожалуй, он бы даже бросил свой любимый тандем «жена — любовница» и целиком переключился на Лену?»

— Ты о чем задумалась, малышка? — Женя закурил и завертел по сторонам головой, оценивая обстановку, весьма дымную и весьма шумную.

— Ни о чем. И не зови меня малышкой.

— Ты что? — удивился и как будто обиделся он. — В чем дело?

— Ни в чем. Меня все так называли, пока я не отучила.

— Тебе не нравится?

— Нет, конечно. Это все равно как будто говорят «дурочка».

— Я не имел в виду «дурочку». Просто ты мне показалась такой маленькой и беззащитной.

— Я не маленькая. — Она озлобленно задвигала по столу пепельницу. — И не беззащитная. Боже мой! Когда меня станут воспринимать всерьез?

Он окончательно обиделся и ничего не ответил. А она, по крайней мере, получила возможность помолчать и додумать свою главную мысль: «Но если Игорь был так труслив, как я о нем думаю, как увязать с этим то, что он имел малолетнюю любовницу? За это дают срок, и немалый... И почему эта его любовница обокрала Женю? Знал ли об этом Игорь? Если знал — как позволил ей это сделать? И почему он вышвырнул вон всю свою семью? Почему взял у Ады Дмитриевны кубок? Для оценки? А если нет?»

— Ты есть будешь? — мрачно спросил Женя.

Официантка принесла заказ.

— Да, да, спасибо.

Анжелика взяла вилку и отсутствующим взглядом уперлась в тарелку. Потом подняла глаза и, осененная внезапной мыслью, спросила:

— Как ты думаешь, Жень, почему эта девица, когда назначала мне встречу в первый раз, просила, чтобы я как-то особо оделась и при этом держала в руках журнал?

— Она об этом просила? — пробурчал он, нюхая текилу. — Ну, так всегда делают, чтобы друг друга узнать...

— Женечка, да ты вдумайся! Зачем ей меня узнавать, когда она и есть я! По крайней мере внешне! Это же вообще глупо!

Женя покладисто согласился, что это глупо, но видно было, что он обижен до глубины души. Она ласково завладела его рукой и заставила поставить на стол рюмку, потянулась к нему и поцеловала. Он не ответил на поцелуй, но и не отвернул голову, не стал делать вид, что все еще обижен. Напротив — сразу оживился, видимо, такое публичное изъявление нежных чувств со стороны шикарно выглядевшей женщины пришлось ему по сердцу. Она обрадовалась своей маленькой победе и вкрадчиво, еще более ласково продолжала:

— Ты же не думаешь, что она просто хотела надо мной поиздеваться?

— Я-то думаю, что она вообще не собиралась приходить.

— Почему?

— А ты представь, как бы на вас глазели! Смех! Зачем ей это?

— Да? Но почему же она опять меня зовет, да еще так настойчиво?

— Откуда же мне знать? А она и теперь просила, чтобы ты как-то нарядилась?

— Нет. Странно, правда? Но ведь я дала ей понять, что мне кое-что известно. Так что, думаю, она сообразила, что теперь эта комедия с отличительными знаками не пройдет. Потому и не говорила об этом. Но больше всего меня волнует, зачем ей вообще надо меня видеть...

— Может, она хочет тебя шантажировать этим алиби? Умно придумано!

— Но чего она от меня хочет?

— Я наведу ясность, не переживай. А вообще-то можно дать совет? Ничего не бери у таких людей, как она. Откажись от алиби. Пойди к следователю и расскажи все как есть. Тебе ведь не так уж нужно это алиби?

— Нет, что ты! — Отшатнулась Анжелика. — Что ты говоришь!

Его лицо снова омрачилось. Он выпил текилу, глубоко и коротко вздохнул и ответил:

— Как знаешь. Но это было бы лучше всего.

Она видела, что ему сильно не по себе, но избавить его от сомнений можно было только одним способом: рассказать все как есть. «И тогда, — подумала она, — тогда он удерет от меня и я больше его не увижу. У меня нет даже его телефона. Я не знаю его фамилию. И что у меня останется? Саша, Лена, Юра. За них за всех я гроша ломаного не дам. Ну и Маша, конечно. Ну и я сама».

— Кажется, они скоро закрывают, — сказала она. — Поехали домой?

В такси она прижалась головой к его плечу и закрыла глаза. Время от времени она их открывала и тогда видела несущиеся за окном московские улицы, желтые от ночной иллюминации, просторные, пустые и похожие на театральные декорации.

* * *

Ближе к рассвету Лена забеспокоилась. Она так вертелась на постели, так дергала затекшими руками, резко сгибала ноги, так подвывала от усталости и злобы, что Саша не выдержал: открыл заплывшие от недосыпа глаза и прикрикнул:

— Да тихо ты!

Лена как будто не слышала — продолжала извиваться, словно хотела упасть с постели. Но подвывать она перестала, и ее начал бить сухой кашель. Саша обреченно встал, подошел к постели и с ненавистью вгляделся в это изможденное, страшное, когда-то родное лицо. Она встретила его взгляд жадно и напряженно, с маниакальным упорством вглядывалась в него, будто искала что-то.

— Ну чего тебе? — спросил он. — Пить? Есть? Писать хочешь?

— Развяжи меня.

— Нет. Проси что-нибудь другое.

— Ты не имеешь права меня так держать. Ты должен меня развязать.

— Имею право! Ты меня достала! Если хочешь, могу вызвать психушку.

— Вызывай. Вызывай, — твердила она, не сводя с него глаз, изуродованных красными прожилками. — Они меня развяжут.

— Они тебя по головке не погладят, — пообещал он. — Ты буйная.

— Я хочу увидеть Лику.

— А она не захочет тебя видеть, не сомневайся. На тебя противно смотреть. — Саша рванул из-под ее ног скомканную простыню, встряхнул ее, накрыл жену до подбородка. Она больше не билась, и, если бы не эти руки, связанные над головой, могло бы показаться, что в этой лежащей фигурке нет ничего особенного. — Лика не придет. И никто больше сюда не придет! Здесь только ты и я! И так будет, пока ты не перестанешь чудить.

— Зачем ты ей врешь? — спросила Лена. — Зачем говоришь, что ты меня отпустишь, когда кончится следствие?

— Не болтай чепухи.

— Оно никогда не кончится. Оно будет идти всегда. Вечно.

— Спи давай.

— Когда кончится следствие, ты будешь в тюрьме. — Лена растянула губы, пересохшие, серо-сизые. Нижняя губа сразу глубоко треснула, показалась кровь.

Саша поморщился и отвел глаза.

— А меня ты убьешь. Но мне все равно.

Он отвернулся, взял с тумбочки стакан с водой, поднес его к губам жены. Она не потянулась к воде, даже не взглянула на его руку. Жадно ловила его взгляд — испуганный, несчастный, усталый — и злорадно твердила:

— Да, да, да, да! Но мне-то все равно, а ты хочешь жить. Ты хочешь жить, ты дурак. Не надо хотеть. Мне хорошо, понял? Я не хочу пить. Я ничего не хочу. У меня ничего не болит. Все потому, что я не хочу жить. Ты так не умеешь. Ты всего боишься. Тебя посадят в тюрьму, и ты там сгниешь. Лика тоже!

И она захохотала — каркающим, жутким смехом. Он плеснул ей в лицо водой, и вода тут же смешалась с кровью. Но она словно не заметила этого и продолжала смеяться, закрыв глаза. И только ее бледный, обложенный язык быстро-быстро облизывал мокрые губы и щеки, как будто тело Лены лучше ее самой знало, что оно хочет пить.

— Ну что ты беснуешься? — спросил он, нарочито небрежно, чтобы заглушить поднимающийся темный страх — извечный страх нормального человека перед безумным. Ему вдруг показалось, что еще немного, и он не выдержит — замахнется на связанную женщину и будет бить, бить по этому лицу, по этому телу, пока та не замолчит, не перестанет шевелиться. — Чего ты хочешь от меня?

— Ничего!

— Ты же всю ночь лежала спокойно. Знаешь, который час? Пять утра.

— Мне страшно, — сказала вдруг она. — Да, да, да, да!

— Не гавкай! — прошипел он. Ее последние слова действительно больше походили на собачий лай. — Почему тебе страшно?

— Я чувствую, — с каким-то странным выражением лица ответила она. — Не знаю... — Она не мигая смотрела прямо перед собой. — Не знаю. Но там что-то есть. Там кто-то идет...

Саша невольно проследил направление ее взгляда и уперся в несвежие обои на стене. Выругался и вернулся в свое кресло, чтобы подремать еще хотя бы чуть-чуть...

* * *

...Торговый зал ночного магазина был залит мертвенно-белым светом. От этого света лица продавцов казались потными и безжизненными. Ночью за прилавками стояли в основном мужчины — им было легче справляться с особыми ночными посетителями — подвыпившими компаниями, а то и просто хулиганами. Ночной оклад был выше дневного, и ночные цены соответственно тоже. Но одна женщина работала здесь ночью. Маша выговорила себе это право, поскольку дорожила каждой возможностью приработать немного денег. Да и в окружении мужчин ей ничего не грозило. Парни стали бы за нее горой, если бы какой-нибудь загулявший посетитель захотел к ней пристать. К тому же она всегда была так сдержанна, так холодна, что приставать к ней было так же неестественно, как к кассовому аппарату или к колбасе, которой она невозмутимо торговала.

Близился рассвет. Она всегда ненавидела это время. В эти часы она казалась себе старой и какой-то изношенной, даже мысль о том, что смена кончается, ее не радовала. Ночь прошла спокойно. Пару раз у входа в магазин останавливались машины, набитые веселыми девицами и жизнерадостными пьяными парнями, но скандалов не было, и никто не пытался схватить ее за руку, когда она клала на весы ветчину, не спрашивал ее имени, не назначал свидание «завтра вечерком, у меня на хате». Она могла быть довольна, но никакой радости не ощущала.

— Рано теперь рассветает, — заметил парень за соседним прилавком, накачанный низкорослый крепыш, в чьи обязанности входило отпускать посетителям алкоголь. Ему ночью приходилось труднее всего, но на его настроении это никак не отражалось — он всегда был готов поболтать с единственной женщиной в магазине.

Маша согласилась, что светает рано, и действительно, спорить тут было не о чем — улица за витринами быстро голубела и скоро должна была порозоветь. Парень посмотрел на часы и сообщил, что сейчас без пяти минут шесть. Маша и с этим не стала спорить, только подвела свои часики, которые отставали, и снова уставилась на витрину. Она задумалась, и на губах ее появилась едва заметная улыбка. Ей вспомнилось, как Юра провожал ее до дому в тот вечер, когда они встретились у Анжелики. Он заглядывал ей в лицо и тут же выпрямлялся, словно испугавшись собственной смелости. Она расспрашивала его про покойного отца, про мать, он рассказывал ей про свой институт, но все это, в сущности, так мало ее занимало, что теперь она толком ничего не могла вспомнить. О себе она тоже сперва рассказывала мало, но он оказался так настойчив, так внимательно ловил все самые незначительные ее фразы, что в конце концов она о себе довольно много рассказала.

Закончила рассказ уже в машине, которую поймал Юра, чтобы отвезти свою даму домой. Остаток пути они проделали молча, глядя в круглый затылок водителя. Юра попытался было накрыть ее руку своей, но она спокойно, без раздражения, но и без кокетства, отняла свою руку и положила ее на колени. Юра выпрямился и стал смотреть в окно. Она попросила его не рассказывать всю эту историю Аде Дмитриевне. Он поклялся, что никому ничего не скажет и что Лика тоже будет молчать. «Она не такая, знаешь, — говорил он. — Она нормальная девчонка, просто ей тоже не повезло...» Потом, видимо, сообразил, что говорит бестактные вещи, и замолк. Маша, чтобы его немного подбодрить, ответила, что Лика ей понравилась и что в конце концов им обеим повезло — ведь Игоря больше нет. Больше они этой темы не затрагивали. Он довез ее до самого дома, она вышла, поблагодарила его, сунула водителю деньги (Юра умолял позволить ему расплатиться, но она заявила, что он заплатит за обратную дорогу) и ушла. Иван спал, и она смогла спокойно принять ванну — если «спокойствие» было словом, подходящим к ситуации. Потом долго сидела на кухне, просушивая полотенцем волосы (всегда слишком жесткие после мытья), и снова вспоминала ночную реку, и лес, и крики птиц, и огонь, отражающийся в черной воде...

В магазин вошел покупатель, на которого она сперва не обратила внимания, задумавшись и ничего не видя перед собой. И только когда его лицо оказалось перед ней, она вздрогнула.

— Ну что тебе нужно? — спросила она, растерянно поправляя на груди халат.

— Сегодня ты, значит, работаешь? — спросил мужчина с крысиным, каким-то серым личиком.

— А ты догадливый. Будешь что-то брать?

— Положи сама, чего хочешь, — сказал тот, расправляя неширокие плечи и явно надеясь поразить ее своим летним бежевым пиджаком.

— Я не хочу ничего, — отрезала она и стала разглядывать свои ногти.

— А выручку не желаешь повысить? — Он улыбнулся, предлагая оценить тонкий юмор. — Положи мне вырезки, что ли, карбонату.

Маша швырнула перед ним все виды вырезки и карбоната и молча ожидала, когда он станет выбирать. Но он не притронулся к целлофановым упаковкам, а стоял молча глядя на нее, явно рассчитывая на диалог. Коренастый продавец за соседним прилавком деликатно отвел глаза. Машу бесило то, что всему магазину известно: она провела с этим типом несколько ночей. Раньше она отнеслась бы к этому безразлично, — ей хотелось сходить в ресторан, который был не по карману, немножко потанцевать, да просто забыть об Иване. Она специально не искала ни красивых мужчин, ни интересных собеседников, ни даже просто партнеров для постели. Ей было безразлично, кто с ней, когда она хотела, чтобы кто-то был рядом. Но теперь этот тип внушал ей такое отвращение, что она с трудом сдерживалась, чтобы не выкинуть его вон.

— Взвесь мне все, — сказал он, не дождавшись от нее ни слова.

Она послушно исполнила его желание и, потыкав пальцем в кнопки калькулятора, назвала солидную сумму.

— Все? — вежливо спросила она, опуская покупки в пакет.

— Нет, не все. Ты ведь сейчас заканчиваешь смену? Верно?

Она промолчала и протянула ему чек. Он не взял его и повторил:

— Ты сейчас освободишься?

— Но не для тебя.

— Я хочу тебя проводить. Может, заедем куда-нибудь? Развеешься после смены. Тут у вас тоска... Я на машине, как обычно.

— Я сама дойду куда мне нужно.

— А куда тебе нужно?

— Слушай, — прошипела она, почти повернувшись к нему спиной. — Шел бы ты! Я замужняя женщина. И куда я иду — это, во всяком случае, не твоя головная боль. Все!

— Нет, не все. Ты думаешь, можно просто так послать меня?

— Вижу, что нельзя. Сейчас кого-нибудь попрошу помочь.

— Не будь такой... — сказал он, еще на что-то надеясь. — Чем ты недовольна?

— Я все тебе уже сказала. Ты мне противен. Ты мне всегда был противен. Я очень жалею, что трахалась с тобой.

— Зачем же ты это делала, а?! — Он затрясся от злобы, глядя на ее равнодушный профиль. — Я же тебя не заставлял! Зачем соглашалась?

— Зачем? — протянула она, стоя к нему вполоборота. — Зачем это делают? Чтобы потрахаться. Сходить в ресторан. Если тебе жалко денег, скажи, на сколько ты меня накормил. Я сейчас заплачу. Это, во всяком случае, не больше того, что я здесь имею за ночь.

Последние слова обидели его больше всего. Он водил ее в дорогие рестораны, и если не из-за пламенных чувств, то, во всяком случае, из тщеславия. Приятно было, войдя в этот магазин, знать, что все продавщицы в курсе, где была с ним Маша, что она ела, что пила и во сколько это все ему обошлось. Он не был скрягой, если что-то получал взамен. Но эта девица одной рукой давала, а другой все забирала обратно. И сейчас его позор становился явным для всех. Он уже видел, как усмехается продавец за прилавком с водкой. Тот, конечно, все прекрасно слышал и расскажет приятелям... Уже завтра он не сможет войти сюда, опасаясь насмешек за спиной, а то и в глаза...

Мужчина с крысиным личиком забрал пакет с покупками и, больше ни слова не говоря, подошел к прилавку с алкоголем. Указал продавцу на самый дорогой греческий коньяк, просто для того, чтобы самоутвердиться. Парень подал ему бутылку, принял деньги, сказал традиционное: «Спасибо, приходите еще». Мужчина с крысиным личиком напряженно ждал, не усмехнется ли парень, не подмигнет ли он опозорившей его Маше, чей профиль совсем окаменел и казался мраморным. Но парень держался отлично, и если улыбался чуть-чуть, то по обязанности — чтобы угодить клиенту. Клиент вылетел за порог с двумя тяжелыми пакетами, и только тут парень заржал, да так громко, что отзвуки этого смеха наверняка долетели до крыльца.

— Ну и тип, — добродушно сказал он. — Прямо из мультяшки.

Маша дернула плечом и ничего не ответила.

— А ты не боишься, что он тебе отомстит? — спросил парень.

— А ты что — подслушивал?

— Да нет... Тут все и так слышно, Маш. Рядом же стоим.

— Ничего он не сделает, вшивая крыса.

Парень снова заливисто засмеялся, а Маша посмотрела на часы:

— Где смена-то?

— Если будет еще приставать, просто зови меня, — предложил парень, уже не улыбаясь. — Я его живо приведу в порядок.

— Спасибо, Дим. А, ну вот и она!

В дверь впорхнула рыженькая сменщица Маши. Она передернула плечиками и заявила:

— Ребята, на улице холод собачий! А у вас тут благодать...

— Да чего благодать-то! Душно, башка уже не варит, — отозвался парень.

— Да! — вдруг воскликнула рыженькая, смешно округляя щедро накрашенные глаза. — А кого я сейчас видела!.. Крысу! Такой расстроенный, а в пакете наш коньяк... Тут был? Чего он такой, а?

— Травиться пошел, — прокомментировал парень. — Этот коньячок — самое то.

— Сел в свою тачку, — продолжала рыженькая, стреляя глазами то на Диму, то на Машу и явно ожидая объяснений.

— Оксан, я все. — Маша не поддержала разговор, а торжественно нажала на красную кнопку, и окошко калькулятора очистилось от цифр. — Давай скорей, прошу тебя! Я спать хочу, умираю.

Оксана быстро переоделась и выпорхнула в торговый зал уже в голубеньком халатике. Маша, с трудом стоявшая за прилавком, выскочила в подсобку как ошпаренная. Обычно она отмечала конец своей смены сигареткой, выкуренной в компании Оксаны у входа в магазин, но теперь она не собиралась задерживаться ни на минуту. Появление назойливого кавалера вывело ее из себя, она как бы въявь слышала уже все сплетни, которые пойдут среди продавцов после этой сцены. У Маши даже не хватило выдержки аккуратно повесить свой халатик в подсобке. Она просто швырнула его на спинку свободного стула, говоря:

— Пока, ребята. Дим, до вечера.

— Пока-пока, — небрежно отозвалась рыженькая, прервав разговор с Димой. Судя по их неправдоподобно искренним глазам, они судачили уже о Маше и ее любовнике.

Маша вышла на улицу и жадно глотнула холодный воздух, еще не опоганенный смогом. Рассвет, широкая серая река, сосновый бор на дальнем берегу, плеснувшаяся в камышах рыба... Откуда вырвалось это воспоминание, возникшее столько лет спустя на окраинной московской улице? Она склонила голову и, глядя себе под ноги, пошла прочь. Впереди, на пустынном перекрестке, мигал испортившийся светофор. Красный свет то загорался, то гас, и казалось, этому не будет конца. Она подняла глаза и увидела, как в окнах высотного дома отразились первые лучи солнца. Светофор снова отчаянно замигал, подавая один и тот же сигнал опасности — никем не понятый...

Она услышала за спиной шум несущейся к ней машины и невольно повернула голову. Увидела огромную темную тень, бегущую как-то странно, наискосок, словно машина собиралась запрыгнуть с мостовой на тротуар. В следующий миг ей показалось, что машина подпрыгнула и закрыла собой всю улицу. Страшный удар в левое плечо отдался в затылке, и ее швырнуло далеко вперед. Она упала, увидела перед самым своим лицом асфальт — потрескавшийся, серый, зернистый — и будто оглохла, и не могла поднять голову, но при этом еще не ощущала боли. Ей только казалось, что удар был слишком силен, что этого не должно было случиться с ней, что это какая-то нелепость... Машина возвращалась задним ходом и снова заполняла собой весь мир. Маша даже не пыталась двинуться, она едва смогла приподнять голову — свою разбитую белокурую голову с окровавленными волосами, — и больше ничего. Второго удара она даже не ощутила, да это был и не удар — случилось что-то такое, чего она уже не могла ни понять, ни почувствовать. Машина наехала на ее тело задними колесами, высоко при этом подскочив, передние колеса прокатились уже мягче... И рассветная река, сосновый бор, догорающий костер на берегу, пахучая резиновая лодка, лицо матери, ее удивленный взгляд, ее зовущий голос, ее имя — все это разом приблизилось и исчезло.

## Глава 18

В восемь часов утра Анжелика снова набрала номер Маши. На этот раз к телефону подошли быстро, даже слишком быстро.

— Я хотела бы Машу, — нерешительно произнесла она, терзаясь, что позвонила так рано и, возможно, кого-то разбудила. В ответ в трубке нечленораздельно замычали. — Не поняла?..

— Маши нету... Нету ее... — ответил мужчина, поднявший трубку.

— Не вернулась?

— Машина... Машина... — раздавалось в ответ, и Анжелика терпеливо ждала, когда ей подробнее объяснят, почему Маши еще нет. Но в конце концов оказалось, что мужчина силился выговорить вовсе не имя своей жены. — Сбили ее машиной, — прорычал тот. И внезапно он начал хрипеть.

Анжелика потрясенно слушала его, пока не поняла, что он плачет. В этих звуках не было уже ничего человеческого.

— Насмерть? — сорванным шепотом спросила она. — Маша умерла?

В ответ хрипение стало громче. И это было все, чего она добилась. Анжелика осторожно положила трубку и уставилась на телефон, все еще не отнимая от него руки. В голове у нее было пусто, совсем пусто, как в помещении, где сделали тщательную уборку и хорошо проветрили. Женя спал в ее комнате. Ей удалось не разбудить его, когда она ни свет ни заря выбралась из постели. Всю ночь она не смыкала глаз, думая о пропавшей машине, о предстоящей встрече, на которую ей так не хотелось идти, о безумных речах Лены, о всякой чепухе. А он уснул сразу, как провалился, только успел попросить разбудить его в половине девятого. И проведя беспокойную ночь с этим человеком, которого она в общем-то совсем не знала, она сейчас чувствовала себя очень одиноко.

Поколебавшись, Анжелика снова подняла трубку и набрала номер Саши.

— Послушай, — сказала она очень тихо. — Машу убили. Сбили машиной.

— Ты о чем? — ошалело спросил он.

— Ты меня не понял? Ее сбили нарочно!

— Откуда ты... Черт! Как ты узнала?! — всполошился он. — Кто сбил?

— Откуда я знаю? Ее муж сказал мне только два слова, да и то с трудом.

— Опять пьяный? — с внезапным интересом спросил он.

— Какая тебе разница: пьяный — не пьяный! Она умерла, это точно!

— Сегодня?

— Да, сегодня! Вчера вечером я звонила ему, и он мне сказал, что она в магазине. Работает. Значит, умерла этой ночью.

— Да... дела... — протянул Саша. — Ну а что тут, собственно, такого страшного?

— Как... — У Анжелики даже язык отнялся при этих словах.

— Ну, сбили ее, — спокойно продолжал Саша. — Мало ли пьяных ездит? Конечно, тебе ее жаль. Ну а мне — нисколько.

— Саша... — У нее с трудом прорезался голос. — Что ты порешь ерунду? Что ты говоришь?! Ее убили, ты не понял?!

— Ну и что?

— Ну и что?! А за что ее убили?!

— Да мало ли за что. Стерва была еще та. Может, не только нам вред причинила. Всех ненавидела. Кидалась на чужих мужиков. Зудело у нее... Знаешь, есть такая палочка, от тараканов? «Машенька» называется! Вот это в ее честь назвали. Так что отстань от меня со своей Машенькой! Ты своими звоночками доведешь меня до дурдома. Добренькая ты моя! Мне и так тут радостей хватает. Эта сука совсем взбесилась! Вот уже два часа как орет. Не знаю, как успокоить. Могут соседи прийти, узнать, что у нас тут делается.

— Господи! — Анжелика чуть не заплакала. — Да ты соображай хоть немного! Маша занималась этим делом! Она выслеживала эту девку! Эта девица ее видела! Я теперь ей верю... У Маши был адрес этой девицы, и я надеялась его взять. А теперь что делать?!

— Иди ты знаешь куда! — посоветовал Саша. — Мне нет дела до этой швали! Мне по горло хватило того дерьма, в котором она всех нас утопила! У нас была нормальная семья, поняла?! Нор-маль-на-я! — отчеканил он с какой-то дикой злобой и тоской. — Пока не появилась эта гребаная Маша!

— Но послушай!

— Да, и чтоб я больше не слышал ее имени! Вообще! Поняла? Слышать о ней не могу! Сбили ее, скажите пожалуйста! — кричал Саша, постепенно забираясь голосом все выше и уже приближаясь к визгу. — Все вы меня достали, достали! Что?!

Он внезапно прекратил орать, и оглушенная Анжелика с трудом расслышала, как он обращается куда-то в сторону, видимо к Лене. В конце концов он сказал почти нормальным голосом:

— Ну вот, она по тебе, оказывается, соскучилась. Зовет в гости.

— Лена? — упавшим голосом спросила она. — Мне сейчас не до нее.

— А она очень просит. Слышишь?

Видимо, он отвел трубку от уха, и Анжелика услышала приглушенный зов: «Дай мне ее! Дай поговорить!» Это звала Лена, но таким странным, слабым голосом, что казалось — говорит ребенок. Анжелика ответила резко, чтобы не поддаться жалости, которую вызывал в ней этот голосок:

— Нет, я не могу приехать. Не могу, не могу! С меня хватит.

— Представь, она забрала себе в голову, что я ее убью, — устало сказал Саша, и в его голосе уже не было никакой злобы. — Она только об этом и говорит. Иногда, правда, является желание придушить ее подушкой.

— Саша!

— Но я не сделаю этого, — хмыкнул он. — Я не желаю идти в тюрьму из-за сумасшедшей.

— Все шутишь? Есть же у тебя силы... Саша, я боюсь.

— Кого? Этой девицы?

— Да! Я думаю, это ее рук дело.

— Точнее, ее машины дело, — сострил Саша. — Наверное, ей не понравилось, что за ней следят.

— Наверное... Я не хочу идти с ней на встречу.

— На какую встречу? — удивился Саша.

— Во Дворце молодежи. Она назначила мне свидание, понял? Обещала все объяснить. Я не хочу туда идти! Она убила Машу, я знаю. Я думаю, что она и Игоря убила!

— Не ходи, — посоветовал Саша после минутного молчания. — Черт ее знает... В самом деле, она что-то не слишком мне нравится. Не вызывает доверия... Я раньше как-то не принимал ее всерьез... Думал, вы, бабы, ее выдумали. Вам же надо к кому-то ревновать!

— Дурак! Да ты даже не верил, что она вообще была! А ты спроси у своей жены! Она знала, что у Игоря была эта девка! Еще раньше всех нас!

— Хватит, я не желаю у нее больше ничего спрашивать. Она на все талдычит, что я ее убью. В конце концов она проглотит свой язык, задохнется и все спишет на меня.

— Ты ее не развязывал?

— Нет.

— Саш, ей же элементарно больно! Полежал бы ты так пару суток!

— И еще полежит. У меня нет на нее сил. Я не высыпаюсь. У меня аппетит пропал. Я себя чувствую черт знает как... — Жаловался он монотонным, в самом деле очень усталым голосом. — Не забудь, что ты должна мне принести продукты.

— Ты все съел?! — поразилась она. — Ничего себе, нет аппетита!

— Нет... Но если эта девица и тебя убьет, кто мне принесет пожрать? Я хочу сделать запасы.

— Дурак.

— От такой слышу. Но ты не ходи на встречу, поняла? Не лезь на рожон.

— Ишь, как забеспокоился! — Она вздохнула. — Боишься, что останешься без жратвы? Я же не одна пойду.

— Что?! А с кем?! — взорвался он. — Разболтала?! Я так и знал! Все разболтала?! Кому?! Юрке?

— Твоему Юрке нельзя даже говорить, сколько времени, если спросит, — отрезала она. — Юрка опасный. Сейчас небось уже стучит на всех нас следователю.

— Что?!

— То! У него вчера был кто-то из милиции, и его пошили на том, что он знал Машу двенадцать лет назад. У него нашли ее портрет. И мать его замели по этому поводу. Они же врали, что не видели ее раньше! Понял? А там недалеко момент, когда Юра выложит вообще все. И про Машу, и всю ее историю с твоим отцом, и с Игорем... Как он объяснит, почему скрывал все это? Скажет, что Маша — его первая любовь? А его мать скажет, что она терпеть ее не могла? «Только и всего? — спросит мой любимый Владимир Борисович. — А может, было что-то еще? А не были ли вы в сговоре с некоей Анжеликой Прохоровой? А с Александром Прохоровым?» Ох, как он любит задавать такие вопросы...

— Я сейчас позвоню Юрке!

— А стоит ли? — с сомнением спросила она. — Больше всего он навредил себе самому. Про наше дело он ничего не знает и сказать не сможет. И тебе больше с ним не договориться. Его поймали на даче ложных показаний, и он теперь будет выслуживаться и все выкладывать как есть. Его припугнут. Понял? А если он расскажет, как мы просили его, чтобы он сделал мне алиби? И потом вдруг у меня действительно появилось алиби... Возникнут вопросы. Вот этого бы мне не хотелось. Я не понимаю, чего они так долго ищут убийцу?! Когда ее найдут, я смогу вздохнуть спокойно...

— Почему ты говоришь «ее»?

— Потому что пока, кроме этой девки, убить Игоря было некому.

— А с кем ты все-таки собралась на встречу? — настойчиво повторил он. — Кто это?

— Посторонний человек.

— Я его знаю?

— Нет. Это мой друг.

— У тебя не было друзей!

— Появился один. И я не собираюсь вас знакомить. Все.

И первое, что она увидела, положив трубку, были глаза Жени. А второе — халат Игоря, в который он с трудом влез. Рукава халата доходили ему почти до локтей, полы заканчивались где-то над коленками. Выглядел он смешно, но смотрел вовсе не весело. Анжелика попыталась улыбнуться, но не смогла — она поняла, что Женя слышал все или почти все.

— Тебе пора? — спросила она, собираясь проскользнуть мимо него на кухню. Но мужчину с такой фигурой трудно было миновать без последствий — Женя загородил собой всю дверь и остановил Анжелику, взяв ее за локоть. Она второй раз в жизни почувствовала, какими жесткими могут быть эти руки. Она подняла на него глаза и сказала как можно спокойнее, как будто ничего необычного не происходило: — Маша умерла, знаешь ли... Ее кто-то сбил машиной. Я сейчас звонила ее мужу. Ужасно... Это та самая женщина, у которой был адрес... Я не успела его взять. Не знаю, что нам теперь делать.

— Нам... делать? — переспросил он, иронично подчеркивая слово «нам».

— Почему ты... — начала она, но не успела закончить фразу. Взглянув в его глаза, она ужаснулась. Мгновенно осеклась и замолчала.

— Значит, у вас с Сашей ничего нет? — спросил он как-то очень спокойно. — Никаких тайн, да? Ничего страшного?

— Боже мой... Клянусь тебе!

— Не клянись! — Он брезгливо поджал губы. — Значит, алиби тебе было нужно? А я-то думал, что ты темнишь? Знаешь, я в этом больше не участвую. Я знать не желаю, что ты сделала со своим мужем! И не хочу знать почему! Может, ты была любовницей этого Саши, а? Почему он тобой вертит?

— Но я...

— Замолчи, — рявкнул он. — Что теперь *вам* делать, ты хотела меня спросить? Вам с Сашей? Не знаю. Ловко ты меня провела! Вот зачем вся эта комедия?! Но мной вы вертеть не будете! Носом не вышли! И пусти, мне нужно позвонить.

И Женя, словно это она мешала ему двинуться с места, а не он ей, резко отстранил Анжелику, так что она покачнулась и едва не упала. Он прошагал к телефону, отвернувшись, набрал номер и коротко сказал, что он немного задержится. Положил трубку и, так же не глядя в сторону Анжелики, вышел из комнаты. Она постояла, прижавшись спиной к холодной стене. Посмотрела на пол, на коричневый ворс, на котором уже не было следов крови. Услышала, как в ванной зашумела вода. Она не двинулась с места, чтобы приготовить завтрак, убрать постель, попробовать помириться. Она только слушала, как он топчется в коридоре, наталкиваясь на стены, как кряхтит, обуваясь, звенит ключами, как за ним захлопывается входная дверь. Он даже не попрощался.

Как только он ушел, Анжелика сползла вниз по стене и, сидя на корточках, обхватив голову руками, прошептала: «Я и этого потеряла...» Она не знала, так ли на самом деле велика потеря, не понимала, плакать ей или спокойно встать и идти завтракать. Она знала одно — он выскользнул, он исчез. И вечером она будет совершенно одна — как раз тогда, когда ей так нужна чья-то помощь и поддержка. Зазвонил телефон. Она выслушала пять или шесть звонков, потом нехотя встала, взяла трубку, вяло сказала:

— Слушаю.

— Ах, ты слушаешь? — спросил Женя. — Тогда слушай хорошенько. В гараже стоит твоя машина. Синяя «вольво»? Да?

— Что? Что ты говоришь?!

— Ах, какая неожиданность! — зло ответил он. — Нечего строить из себя дурочку. Эту женщину сбила какая-то машина? Да? Так вот — я осмотрел резину. Там кровь!

— Что?!

— Кровь на шинах, ангелочек ты мой невинный! Что замолчала?! Удивилась?! Это новость для такого ангелочка, как ты? Или по-быстрому соображаешь, как меня прикончить?!

Анжелика молча слушала, одновременно нашаривая рукой спинку стула, чтобы опереться — ноги отказывались ее держать. А Женя яростно говорил, чеканя каждое слово:

— Ты не умеешь водить машину, да? Плохая координация? В самом деле? Я хорошо спал этой ночью. Может, ты куда-то выходила? Ты вчера притащила меня в гараж, чтобы показать, что машины нет! Что ты не виновата. Зачем ты это сделала, интересно? Или у тебя был еще какой-то расчет? Хотела меня примазать в сообщники? Я-то умею водить машину! Ты хорошо запомнила, где я работаю! Ты с таким интересом расспрашивала меня об этом! Или ты еще не знала, что сделает твой Саша? Он-то умеет водить машину? По-моему, умеет. Ты мне говорила.

— Этого не может быть! — задохнулась она. Ей показалось, что она говорит громко, но он ничего не услышал — она просто шевелила губами.

— В одном месте машина исчезла, в другом — появилась и сбила человека! — запальчиво продолжал он. — Так просто! Мало ли на свете машин! Милая моя, да я сразу все понял, когда ты говорила со своим Сашей! А ты корчила из себя идиотку! Я взял у тебя ключи от гаража и сейчас проверил. Дрянь! Теперь мне все ясно. Ты не знала, что существует эта девица? Не знала даже, как ее зовут? А может, вы все-таки сестры? Решила уберечь от меня сестричку? Эта сказочка про близнецов! Дурдом! А зачем ты собралась тащить меня в этот Дворец молодежи? Может, там и для меня найдется какая-нибудь случайная машина? Она будет очень быстро ехать, и никто не успеет заметить, кто меня размазал по асфальту?! Вы орудовали втроем. Я не завидую твоему мужу! И ты мне наврала, что она была его любовницей! Ты мне все наврала!

У нее дрожала рука, но она прижимала трубку к уху с такой силой, что оно болело. Она ничего не могла ответить на этот поток обвинений. В какой-то момент у нее даже появилась абсурдная мысль: он совершенно прав, это он говорит правду, а она сошла с ума, ничего не помнит, она действительно знала, чья машина сбила Машу, с того самого момента, когда увидела пустой гараж. Женя уничтожающе холодно закончил свою речь:

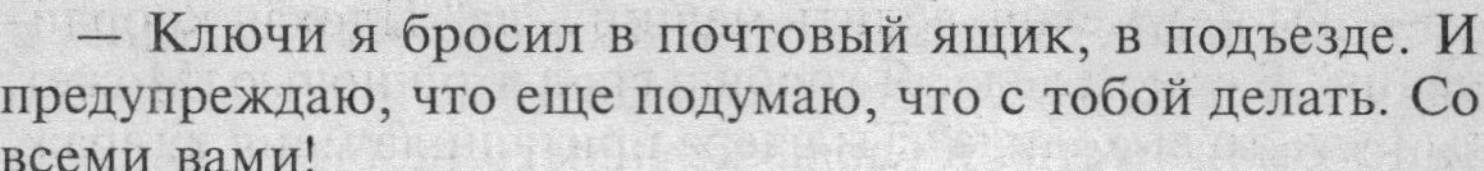


— Ключи я бросил в почтовый ящик, в подъезде. И предупреждаю, что еще подумаю, что с тобой делать. Со всеми вами!

Послышались гудки.

* * *

Вагон метро был почти пуст, и она могла сколько угодно смотреть на свое отражение. Там, на черном мелькающем фоне, виднелось ее неподвижное, бледное, измученное лицо. Анжелика была пьяна. За день она выпила две бутылки столового вина, за которыми сходила в ближайший магазин. Попутно она забрала из почтового ящика ключи от гаража и от машины. Сжала их в кулаке и так носила, пока не вернулась домой. В гараж она заглядывать не решалась, пока не напилась. Только после того, как первая бутылка опустела, она взяла ведро, бросила туда тряпку, налила воды и отправилась в гараж. День был выходной, неподалеку возились со своими машинами соседи. Она никого не узнала, ни на кого не взглянула. Ей было все равно, как странно она выглядит в грязных джинсах, растрепанная, с остановившимся взглядом. Кажется, с ней кто-то поздоровался, кажется, она даже кому-то ответила, но не могла бы сказать, мужчина это был или женщина. Открыла ворота, вошла, включила свет, опустилась на колени, поставила на пол ведро. Вытащила оттуда тряпку и, не отжимая ее, принялась мыть колеса машины — сперва передние, потом задние. Грязная вода стекала на пол, ручейками сливалась по цементу, джинсы на коленях промокли насквозь. Она не смотрела ни на колеса, ни на цвет этой воды. Колеса были грязные, вода была грязная — она думала только об этом. Ее то и дело начинало мутить — то ли от выпитого вина, то ли от духоты, то ли от запаха бензина, а то и от мысли о том, к чему прикасаются ее руки. Песок, мелкие камешки, впившиеся в резину, мазут — все вперемешку стекало на пол. Потом она вымыла пол остатками воды и бросила тряпку обратно в ведро. Обтерла руки о джинсы, достала ключи, отперла дверцу, вдохнула застоявшийся в салоне воздух. Духами не пахло. Не пахло ничем. Пепельницы были пусты, в бардачке ничего не было. Она бы поклялась, что и руль, и приборный щиток, и стекла — все тщательно вытерто. Анжелика постаралась ничего не коснуться, хотя и не могла сказать себе, какой в этом смысл. Потом она заперла гараж, вернулась домой и опустошила еще одну бутылку вина.

Последние глотки она делала лежа в постели, которую так и не застелила. От второй подушки пахло волосами Жени. Она сбросила эту подушку на пол ударом ноги и глухо рассмеялась. Вино плеснулось на простыню, и она вслух сказала себе: «Ах ты, идиотка!» Потом ее долго тошнило в ванной, но облегчения это не принесло — голова осталась мутной, все перед глазами расплывалось. Она сварила себе крепкого кофе, но, едва попробовав, выплюнула его и выплеснула чашку в раковину. В половине десятого она оделась. На то, чтобы натянуть колготки, она потратила десять минут — все время заваливалась на бок и по-идиотски хихикала, утирая выступающие на глаза слезы. Потом она влезла во вчерашнее серое платье, нехотя причесалась, но краситься не стала. Да она и не смогла бы провести ни одной четкой линии на лице.

В начале одиннадцатого, когда на город начали спускаться сумерки, Анжелика вышла из дому и побрела к метро. Ей даже в голову не пришло, что в ее теперешнем состоянии лучше всего поймать машину. Ее мутило от машин, ее мутило от всего на свете. Ко Дворцу молодежи она добралась в десять минут двенадцатого. Она понятия не имела, куда ей идти. На улице уже совсем стемнело. Выйдя из метро, она долго стояла на лестнице, оглядываясь по сторонам. Потом двинулась в обход огромного здания и вскоре наткнулась на то, что ей показалось входом в клуб. Выяснилось, что она не ошиблась. Пришлось заплатить пятьдесят тысяч за вход, и пока она, пошатываясь, копалась в сумочке, мимо нее прошла веселая компания и она услышала, как они загоготали, разглядывая ее. Только когда она вошла, и ее оглушил техно-рейв, и кругом замелькали полосатые штанишки в обтяжку, цветастые рубахи и бейсбольные кепочки, она поняла, что нарядилась неподходяще и выглядит среди всего этого милого народа нелепой тетерей.

— Где бар? — проорала она в лицо какому-то огромному парню, прыгавшему на одном месте с закаченными под лоб глазами.

Парень продолжал прыгать, и она засмеялась. Это, кажется, произвело на него некоторое впечатление, во всяком случае, он на нее взглянул. Она снова закричала, напрягая голос, повторила свой вопрос, и он, все еще прыгая и как-то нелепо размахивая руками, словно тряпичными, ответил:

— Держи курс на бритых мальчиков, там и будет бар... — И его глаза сразу вернулись в исходное положение.

Она упрямо прокладывала себе дорогу среди упоенно пляшущей молодежи, чувствуя себя какой-то деревенской бабкой на дискотеке. Пару раз ее больно толкнули и не извинились. Она сама наступила кому-то на ногу, но поскольку туфли у нее были без каблуков, это прошло незамеченным в общем бедламе. Наконец она увидела искомые бритые головы. Бритые головы оккупировали стойку бара и буйно дергали мощными задами, крутясь на высоких табуретах. Она с трудом втиснулась между устрашающего вида парнями в наколках. Над ухом у нее визжала какая-то вдребезги пьяная девица, молодцы подпирали ее с двух сторон и требовали, чтобы она ответила на вопрос: «Три у тебя креста или четыре?» Пришлось долго ждать, когда бармен обратит на нее внимание. Уж у него-то глаза были в нормальном положении, и это ее немного успокоило.

— Мне минеральной воды, — сказала она.

Бармен, который, видимо, выиграл на конкурсе приз за невозмутимость, очень серьезно и очень вежливо ответил:

— Могу предложить коктейль «Бильярд». Слабенький, двенадцать градусов.

— Мне воды, — упрямо повторила она.

Бармен кивнул и отвернулся. Через минуту перед ней оказался высокий бокал, увенчанный маленьким бумажным зонтиком, из которого торчала трубочка. На дне коктейля болтались белые шарики не таявшего льда. Анжелика потянула на себя содержимое через трубочку, посмотрела на бармена, и тот так же вежливо и невозмутимо объяснил:

— «Бильярд».

— Ясно, — сказала она и поболтала бокал, так что льдинки на дне еле слышно звякнули. — С шариками потому что!

— Двенадцать долларов, — сказал бармен, на глазах теряя к ней интерес.

Анжелика расплатилась и осталась наедине с «Бильярдом», бритоголовыми детинами и девицей, которая к тому моменту замолчала и, видимо, пыталась сосчитать свои кресты. Коктейль произвел в голове Анжелики странные изменения — там как будто покатился большой тяжелый шар от одного виска к другому, оттолкнулся и рикошетом ударился в затылок. «Бильярд» оправдывал свое название, и наверняка в нем было больше двенадцати градусов. Впрочем, Анжелика была не уверена, что она правильно поняла бармена. Возможно, он сказал не «двенадцать», а «двадцать».

— Привет, — сказала ей девица, у которой то ли были кресты, то ли не было.

— Привет, — ответила Анжелика.

— Как жизнь?

И тут Анжелика узнала голос. В этом грохоте он звучал не так, как по телефону. И все же она узнала его. А потом узнала и девицу. Это произвело на нее шоковое впечатление. С минуту она молча ее разглядывала, пытаясь убедить себя, что, если бы она нацепила на макушку платиновый парик, накрасилась таким же образом и облачилась в кожаное черное платье с кучей блестящих «молний» в самых неожиданных местах, выглядела бы один к одному с этой.

— Как жизнь, подруга? — настойчиво повторила девица.

— Говенно, — честно призналась Анжелика.

Девица захохотала:

— А ты с юмором! Вот не думала... Что ты такое пьешь?

— Спроси этого типа. — Анжелика кивнула на бармена.

Девица нахмурилась:

— Он всучил тебе гадость для фраеров. Сколько слупил? Подожди-ка. Сейчас!

Она перегнулась через стойку, и ее платиновый парик приблизился к черным кудрям бармена. Они мгновение посовещались, и к Анжелике подтолкнули другой бокал, увенчанный аж двумя бумажными зонтиками. Девица удовлетворенно улыбалась:

— Это будет получше.

Анжелика послушно глотнула, и в голове у нее снова разорвалась бомба. Она открыла рот, втянула горячий воздух и пробормотала:

— Спасибо тебе.

— Я заплачу! — Девица сунула бармену деньги и, снова повернувшись к Анжелике, участливо спросила: — Так что же ты так погано выглядишь?

— Я соответствую обстоятельствам, — туманно ответила Анжелика. И сама себе поразилась. Какую ненависть она испытывала к этой девке до того, как увидела ее! Какие планы строила, как мечтала расцарапать эту морду, какие слова приберегала для этой встречи! И все это вдруг испарилось, исчезло.

Девица слегка приплясывала возле стойки, помахивая руками и дергая отставленным задом, при этом не сводя с Анжелики внимательных, блестящих и совершенно трезвых глаз. «Наверное, трудно возненавидеть саму себя, — подумала Анжелика, делая еще глоток. — И у меня совсем нет сил что-то с ней сделать...» Девица крикнула, пытаясь заглушить музыку:

— Ну, веселее! Наконец мы встретились! Давно надо было!

— У тебя голубые глаза! — крикнула ей пьяная Анжелика.

— Да! Да, да, да! — запела девица, начиная потихоньку подпрыгивать. — Я рада тебя видеть! Ну! Серьезно!

— На тебе парик? — снова крикнула Анжелика. Она уже так набралась, что ей приходилось цепляться за стойку, чтобы не упасть под ноги бритым детинам. В голове у нее больше не катались бильярдные шары. Там теперь плясала развеселая компания, где каждый старался переплясать другого, не считаясь с размерами ее черепа.

— Ну! — крикнула девица. — А ты думала! Давай потанцуем!

— Меня сейчас стошнит! — проинформировала ее Анжелика.

Один из парней повернулся к ней, осмотрел с ног до головы и посоветовал ей блевать в сортире, а то он ей сейчас ноги выдернет из того самого места. Девица подскочила и схватила Анжелику за руку. Рука у нее была потная и горячая. Анжелика покорно позволила себя увести. Только оказавшись на свежем воздухе, на ступенях перед Дворцом молодежи, она вздохнула полной грудью. Девица отняла у нее бокал и сама сделала глоток.

— У тебя что — сифилис? — спросила Анжелика, прислоняясь к огромной колонне, борясь с тошнотой и качающимися под ногами ступенями.

— С чего ты взяла?

— А что они тебя спрашивали про три креста? Это же реакция Вассермана...

— Да они так, прикалывались, — пояснила девица. — Еще они у меня крестов не считали! Я их вообще первый раз вижу.

— Ты тут никогда не была?

— Никогда. У меня правило — не ходить два раза в одно и то же место. Даже если мне понравилось. Тебе лучше?

— Нет. Но мне наплевать... — Анжелика села на ступеньку, вытянув ноги так, что любой посетитель, желающий войти в клуб, непременно бы споткнулся. — Рассказывай.

— О чем, милая моя? — Девица прихлебывала из бокала и все еще приплясывала — сюда доносилась музыка.

— Ты же хотела все объяснить. Ты должна мне все объяснить.

— Ты, мать, такая хорошая, что ничего не поймешь, — ответила та. — Не стоит сейчас говорить. Разговор-то будет серьезный.

— Для начала скажи, как тебя зовут?

— А если я скажу, что Наталья, тебе станет легче?

Девица умильно склонила голову набок, и Анжелика вздрогнула — она узнала свое собственное движение. Ей стало жутко.

— Сними парик, пожалуйста! — слабым голосом попросила она.

— Зачем?

— Я хочу посмотреть...

— У меня все так же, как у тебя.

— Скажи тогда... Зачем это нужно? Кто все это придумал?

— Игорь, — ответила та. — Здорово, правда?

— Неправда... Мне плохо... — Анжелика попыталась было встать, но тут на нее едва не обрушился Дворец молодежи, и она отказалась от повторной попытки.

Наталья насмешливо наблюдала за ней, приплясывая и приговаривая:

— На фиг было напиваться, если шла на важную встречу.

— Помоги мне...

— Чего ты хочешь? Вернуться в клуб?

— Я же не могу так сидеть! — ответила Анжелика чуть не плача. — Дай руку!

Наталья помогла ей встать и прислонила ее к колонне. Их лица были совсем близко. Анжелика слышала знакомый запах духов — одуряюще сильный, видела расплывшуюся вокруг губ Натальи алую помаду (у нее тоже была такая). Видела ее внимательный взгляд, насмешливо задранную бровь.

— Матушка, — почти ласково сказала та, — что мне с тобой делать? Тут нигде даже скамеечек нет. А торчать на улице не стоит — менты заберут. Ты же совсем бухая.

— Я буду стоять, — упрямо повторила Анжелика. — Рассказывай! Говори!

Наталья огляделась по сторонам и вдруг пропала в темноте, будто ее и не было. Через минуту она с грохотом появилась, с торжествующим видом волоча за собой большой деревянный ящик. Она грохнула ящик перед Анжеликой и усадила ее в тени колонны, подальше от входа.

— Там днем цветами торгуют, — пояснила она. — Ну и валяются всякие полезные вещи. Так будет лучше. Верно?

— Спасибо, — выдавила Анжелика и тут же выругала себя за это слово. Она не хотела благодарить Наталью ни в коем случае. Даже если бы та вдруг спасла ей жизнь, она не стала бы ее благодарить. Но такая простая любезность сейчас значила для нее больше, чем жизнь. Она, во всяком случае, сидела. И не на голом цементе. Она была не одна. Ее слушали, на нее смотрели. Ей предложили сигарету. Она отказалась, снова испытывая тошноту при одной мысли о табачном дыме.

Наталья закурила и сказала:

— Не ожидала, что ты так налижешься. А я-то хотела заключить с тобой договор.

— Договор?

— Ну да. Собственно, наверное, это называется продлить договор... Он ведь уже был.

«Она даже говорит, как я... — в отчаянии подумала Анжелика. — Я ее убью!»

А Наталья задумчиво продолжала, поминутно оглядываясь по сторонам, не подслушивает ли кто-нибудь:

— Понимаешь, мы с тобой нужны друг другу. И даже очень. Не понимаешь, нет? Ну, вот тебе пример. Я же сделала так, что ты была в «Ла Кантине», хотя тебя там не было. Это же тебе помогло?

— Да. — Анжелике пришлось признать этот факт, но сделала она это без всякого энтузиазма.

Наталья радостно кивнула:

— Ну видишь! И ты должна делать для меня то же самое.

— Что я должна делать? — не поняла Анжелика. — Сидеть вместо тебя в этом мексиканском кабаке? Чего ради?

— В другом кабаке. В ресторане. В кафе. В библиотеке, черт возьми! — Она произнесла «в библиотэке». — Или просто купить газету в нужном киоске. Не понимаешь?

Анжелика сказала, что не понимает. Наталья рассердилась:

— Чего тут не понять!.. Тупая башка! Мне тоже нужно алиби! И ты все эти годы мне его нормально обеспечивала! Ничего новенького от тебя не потребуется! Поняла теперь?

— Как это — алиби?

— Как? — сощурилась Наталья. Она пригнулась к Анжелике и быстро, горячо зашептала: — Да ты всегда это делала! Ты выезжала с Игорем в город. Он говорил, что ему нужно по делу в какое-то учреждение. Или вы садились в кафе. А потом он вдруг вспоминал, что ему нужен журнал «Строительные материалы», или какая-нибудь газета, или он хотел, чтобы ты посмотрела, что идет в ближайшем театре, или откcерила какую-нибудь чепуху про строительство... Ты шла в кассу и смотрела, какие идут пьесы, а в театр вы не шли! И ты делала ксерокс, а он потом выбрасывал эти листки в помойку! И ты покупала ему журнал или подходила к цветочнице и выбирала букет для его сослуживицы, у которой день рождения. День рождения! — фыркнула она. — Эти букеты всегда доставались мне! Спасибо тебе, милая, спасибо! Он никогда тебе не говорил, что у тебя отличный вкус на цветы?

— Говорил... — ошалело подтвердила Анжелика. С нее начал слетать хмель, но голова разболелась невыносимо. — Ну и что с того?

— А то, что киоскеры, цветочницы, билетеры в театре видели тебя! И парни, которые делали ксерокс, запоминали тебя! Ты была хорошо одета! У тебя в ушах были бриллианты! На пальцах — кольца! Ты привлекала к себе внимание! И потом они подтверждали, что видели тебя в это время и в этом месте! И ты делала мне алиби, дурочка! Ты была мной! Сто раз! Двести! Всегда!

Анжелика подняла руку, словно защищаясь от удара. Наталья изумленно спросила:

— Что такое?

— Зачем тебе это было надо? — прошептала Анжелика, уронив руку на колени.

— Зачем? А уж это не твое дело.

— Ты... Я знаю, — вдруг поняла она.

— Ничего ты не знаешь.

— Знаю. Ты — воровка.

— Я?! — Наталья рассмеялась. — Докажи! Я-то знаю, кто я. А ты не знаешь, кто ты! Хочешь, скажу? Те-те-ря!

— Это мое слово! — крикнула Анжелика.

Потная ладонь зажала ей рот. Наталья тихо, но очень внушительно сказала:

— Будешь орать, стукну башкой об колонну. Ясно тебе?

Анжелика с ненавистью встретила ее взгляд. Наталья убрала руку и вытерла ее о свое голое колено. Пренебрежительно сказала:

— Какая же ты дура... Откуда ты взяла, что я воровка?

— Ниоткуда. — Анжелике вдруг пришло в голову, что Женя, может быть, где-то поблизости. Он ведь знал, что Наталья будет здесь. Или... Или он решил, что все это — ложь? «Он принял меня за ее сообщницу... — сжалась Анжелика. — Его здесь нет... Пропала я...»

— Дура ты, — повторила Наталья, беспокойно озираясь по сторонам. — Ничего не понимала. Да, у меня волосы как у тебя. Черные. У меня челка. У меня твои слова, дурочка. Или у тебя — мои слова? Этого я уже не знаю. Я с семнадцати лет изображаю тебя. Да, да. Он потому тебя и подобрал тогда, на набережной. Я так хохотала, когда он мне про тебя рассказал! Думаешь, ты была ему нужна? Ха! Ему хватало меня. Поняла? Что таращишься?!

— Ничего. Оставь меня в покое... Я не хочу тебя видеть, — стонала Анжелика, закрыв глаза и раскачиваясь на своем ящике. — Я тебя не знаю.

— Знаешь, милая. И ты меня узнаешь еще лучше, если не хочешь загреметь в ментовку. Игоря-то убили вы! Да, да, да!

— Нет!

— Что — нет?! Ментам расскажешь, как ты его не убивала! А я расскажу, как ты это сделала! Сука! — прошипела Наталья. — Я с тобой по-человечески говорю, поняла?! Хотя я все про тебя знаю! Игорь мне рассказал, что вы придумали! Суки вы все!

— Это неправда!

— Только не прикрывайся своим липовым алиби! — фыркнула Наталья. — Если бы ты не была мне нужна, я бы тебя сразу сдала. А так... Удушила бы я тебя, дрянь такая! Но ты мне нужна. — Она бросила сигарету и залпом прикончила содержимое бокала. Бокал она аккуратно поставила на ступеньку. — Слушай, — продолжала Наталья уже куда спокойнее. — Я тебя очень хорошо знаю. Не мотай башкой, можно договориться. Игорь мне сказал, что ты сговорчивая. Да я и сама это знаю! Я же была тобой. Я знаю, как ты говоришь. Спорим, никто не отличит? Я хожу, как ты. Или ты, как я. У нас походка была похожа, он еще и на это клюнул, когда тебя взял. А на лицо?.. Похожи, верно?

— Нет... — с ненавистью ответила Анжелика. — И больше не будем похожи. Я сделаю пластическую операцию. У меня будет курносый нос и косые глаза! Я сама себя изуродую, чтобы не быть как ты! Ты обломишься! Поняла?

— Что я должна понять? — уверенно и спокойно бросила Наталья. — Это ты соображай, если у тебя голова не только для декорации. Если ты что-то с собой сделаешь — я тебя сразу сдаю. Я слишком долго тебе подражала, чтобы бросить тебя. Если ты покупала себе какую-нибудь жуткую тряпку, я искала такую же. Ну и вкус у тебя был! Игорь едва с тобой справлялся, чтобы мне не противно было носить то же самое... Если ты не любила каблуки, я их тоже переставала носить. У нас одинаковые вещи, одинаковая обувь. Одинаковые духи. Поняла ты? У меня такие же украшения, как у тебя. Когда ты продала свои, Игорю пришлось купить тебе такие же точно. У меня-то они были! А у тебя уже нет. А так нельзя. А ребенок?..

— Что — ребенок? — испугалась Анжелика.

— Ну, ребенок, который у тебя мог быть. Его же не было? Из-за меня. У меня не может быть детей. Что-то не в порядке. А у тебя могли быть дети. Но Игорь этого не допустил бы. Так что благодари меня, что у тебя сейчас не осталось младенца на руках.

— Да я и не хотела никакого младенца... — Анжелика попыталась сбить с Натальи спесь, но та не обратила на это внимания.

— Рассказывай сказки! Знаешь, сколько я от тебя натерпелась? — продолжала она. — Пока он тебя не нашел, мы с ним свободно встречались. Ходили в кабаки, на дискотеки. Я была счастлива. А когда появилась ты, мы уже никогда не показывались вместе. Ясно тебе почему? Нельзя было, чтобы кто-то обратил внимание, что мы существуем в двух экземплярах. Я его, можно сказать, потеряла. Но я нашла тебя. И меня никто больше не трогал. У меня всегда было алиби.

— Замолчи!

— А мне стыдиться нечего! У меня ни одной судимости с семнадцати лет!

— А до семнадцати?

— Колония, — ответила та, расстегивая карман и доставая сигареты. — Будешь?

На этот раз Анжелика не отказалась. Эта странная девица чем-то завораживала ее. Она взяла сигарету, прикурила и осторожно затянулась. Хуже ей как будто не стало.

Наталья продолжала свой рассказ:

— Я попалась сперва в одиннадцать лет, отделалась условно, и на учет поставили. Потом — в четырнадцать. Тогда я загремела в колонию. И больше не хотела туда. А жить мне как-то надо было?

— Ты с ним с каких лет жила?

— С двенадцати, — хвастливо ответила она. — И он у меня не первый.

— Что ж такая гордая? — неприязненно спросила Анжелика.

— А чего мне стыдиться? Во всяком случае, — с достоинством ответила она, — я никому ни гроша с одиннадцати лет не стоила. Только государству, когда сидела.

— А как он тебя нашел?

— Это я его сняла, — хихикнула Наталья. — Вот был прикол... Я ему врала, что мне шестнадцать, что я в ПТУ швейном учусь... Просто подошла стрельнуть сигарету, и разговорились... Потом, когда он узнал, сколько мне и в каком я ПТУ, он чуть не помер. Но ему так со мной понравилось, что скоро в себя пришел. Да и вообще, на меня ни один мужик не жаловался. Я девушка южная, горячая.

— Серьезно? Ты нерусская?

— Я никакая, — серьезно ответила Наталья. — Не веришь? Не знаю, кто я по нации. Меня поезд привез, из Кишинева. Ну! Клянусь! Видно, папа, мама там остались, а меня посадили в плацкарт и в Москву отправили. Ну и фиг с ними! Может, я молдаванка, может, еврейка, может, цыганка. Откуда мне знать? Что рот открыла? — Она засмеялась, но как-то не очень весело. — Что тебе еще рассказать? Ты же ни хрена не поймешь. Детдом был. Пять побегов. Один раз я чуть во Владик не уехала, тоже на поезде.

— Куда?

— Во Владивосток. Мне плохо было в детдоме. Мать их так! Меня с девяти лет трахали. И били постоянно, в туалете. Не веришь? Ну вот. Опять вытаращилась. Тебе хоть лучше?

— Так ты все-таки воровала?

— Ну! Думаешь, если я детдомовская, мне не хотелось одеваться? Или выпить? Или нормально посидеть где-нибудь? У меня теперь квартира есть. Да, да, да! Сама заработала.

— Слушай... А Игорь-то здесь при чем? Он что — тоже воровал?

— Нет, наводил. И продавал. Или ему на зарплату инженера жить? На фига, спрашивается? У нас в стране знаешь сколько картонных дверей? Косяк отжал, и здравствуйте...

— Я с ума сойду... — застонала Анжелика.

— Не надо. Ты вот что сделаешь. Пойдешь в банк и снимешь со счета все деньги. Отдашь мне. Поняла? Это мои деньги. Ты уже достаточно попользовалась. Ты к ним тоже имеешь отношение, не спорю. Но половина — моя. Я не хочу, чтобы их загреб этот Саша. Это он убил Игоря.

— Нет!

— Да! — непреклонно ответила та. — И больше не говори мне «нет». Не выношу этого... А если ты отказываешься меня слушаться, отправляйся в ментовку сама. И рассказывай, что вы придумали. И как вы сбили эту дуру.

— К-к-кого?! — От ужаса Анжелика вдруг стала заикаться.

— Ду-ду-дуру! — гневно передразнила ее Наталья. — С белыми волосами! Эту высоченную курву, которая за мной следила! Его девчонку! Он с ней жил еще до меня! Она меня в конце концов нашла, сука! Что ей нужно было через столько лет?

— Так это ты... Ты ее сбила?

— Это вы ее сбили! Знаю, знаю, что ты не умеешь водить. Но Саша умеет. И я найду человека, который опишет вашу машину и даже назовет номер. Я это сделаю! Поняла? А пока можешь быть уверена — никто машину не успел рассмотреть. Я знала, что делала. Все чисто.

— Зачем?! Зачем ты ее убила?!

— Запомни, тупая башка. — Наталья склонилась так низко, что Анжелика едва не задохнулась от запаха ее духов. — Я никого никогда не убивала. Все это повиснет на тебе. А зачем? Затем, что я больше не хочу в тюрьму! Поняла? Усвоила? Если не усвоила, то скоро усвоишь. Когда окажешься там. Там у тебя уже не будет ни платьев, ни бриллиантов, ни духов! А все это у тебя было только благодаря мне! Ясно тебе?! А там останешься одна, без меня! И свои хорошенькие глазки будешь красить толченой известкой! На башке — платочек! И хорошенький синенький халатик, и гребаная швейная машинка!

Анжелика сидела на ящике, сгорбившись, спрятав голову в ладонях. Каждое слово Натальи забивало гвоздь в ее ноющий затылок. А та безжалостно, почти по слогам повторила:

— Ты будешь делать то, что делала всегда. Работа для тупых. Ничего трудного тут нет! Я буду тебе звонить и говорить, где, когда и в какой одежде ты должна появиться. И все. С голоду не умрешь. Обещаю.

— И когда ты назначила мне встречу на Тверской... — слабо пискнула Анжелика, совершенно уничтоженная всеми этими доводами.

— Ну! — подтвердила та. — Ты работала. И тебя там хорошо запомнили. Или меня? Или нас с тобой? Слушай, нам нельзя ссориться... — Она наклонилась и внезапно крепко поцеловала Анжелику в щеку. — Ты мне нравишься, да, да, да! Честное слово! Подними голову! Не реви, ты что?! Пошли потанцуем?

— Пошли! — ответил ей кто-то.

Наталья оглянулась и вздрогнула. Анжелика подняла глаза и увидела Женю. Наталья мгновенно оценила обстановку и обратилась к Анжелике:

— Ну ты, дешевка! Кого с собой притащила?

## Глава 19

Голова у нее совсем прояснилась, хотя болела невыносимо. Анжелике стало холодно — тонкое платье не спасало от пронзительного северного ветерка, едва заметного, но прохватывающего насквозь. Она встала с ящика, с трудом удержавшись на онемевших ногах, отряхнула платье. Рядом с ней не было никого. Наталья, увидев Женю, в тот же миг исчезла в клубе. Он бросился за ней следом, но замешкался при входе — уже перевалило за полночь, и входной билет теперь стоил семьдесят пять тысяч, и денег у него не хватало. Анжелика тупо наблюдала, как он кинулся к своей машине, припаркованной неподалеку от лестницы, и, захватив из кармана пиджака недостающие деньги, ринулся ко входу. На бегу бросил Анжелике:

— Она не выходила?

Та равнодушно покачала головой. И вот теперь она ждала — сама не зная чего. Из клуба на свежий воздух выбегали девушки и парни, курили, оглушительно хохотали, орали друг на друга, словно и здесь их оглушала музыка. На Анжелику смотрели без особого любопытства, видимо принимая ее за деталь украшения Дворца молодежи. Ей было все равно. Она пыталась себе представить, как Женя ищет Наталью в толпе танцующих, как он пробивается к бару, вертит во все стороны головой, надрывает голос, расспрашивая, не видел ли кто блондинку в кожаном платье... И невольно усмехалась — такой глупой ей казалась вся эта суета. Наконец Женя появился в дверях. Он увидел Анжелику и остановился в двух шагах от нее.

— Не нашел? — спросила она.

— Ты еще смеешься?! — нервно выкрикнул он. — Можно подумать, тебе все равно!

— Я не смеюсь... — Но в этот миг она действительно вдруг поняла, что улыбается. Господи, в самом деле, над чем тут можно было смеяться?

— Эта тварь пропала, — сказал Женя, отирая со лба и шеи пот скомканным носовым платком. — Какая там жара!

— Да, жара, — эхом отозвалась Анжелика.

— Да вы с ней вовсе не похожи! Так только кажется, когда вас не видишь рядом!

— На ней был парик, только и всего. Вы, мужики, ничего в этом не понимаете... — Анжелика стала копаться в сумочке в поисках сигарет. — Вам стоит увидеть собственную жену в другом платье, и вы уже сомневаетесь — она это или другая... В конце концов, никто ни на кого не смотрит, не обращает внимания.

Всем друг на друга наплевать. Спорим, у тебя тоже есть двойник? И не один.

— Плевать мне на двойника, — озабоченно ответил он. — Она не выходила?

— Отсюда? Нет.

— Черт!.. Значит, она там осталась. Но как ее найти в этой толкучке?! А ты уверена, что она все же не прошла мимо?

— Ну как же, я ведь могла ее покрывать, — спокойно ответила Анжелика, закуривая сигарету. Ее била сильная дрожь, и виноват в этом был не только ветер. — Ты же уверен, что мы с ней сообщницы.

— Анжелика, беру свои слова обратно.

— Ты все слышал?

— Все.

— А зачем ты вообще сюда приехал? Ты же решил, что я тащу тебя на расправу?

— Вот черт!.. Мать ее так!.. — Женя упорно не сводил глаз со входа в клуб, видимо больше для того, чтобы не встречаться с укоризненным и насмешливым взглядом Анжелики. — Ведь я не знал, что ты говоришь правду.

— Правильно, доверяй, но проверяй, — вяло откликнулась Анжелика. — Неужели ты теперь мне веришь? Как странно.

— Да верю, верю! — взорвался он. — Черт! Прости. Мне просто не по себе. Но слушай, где же она? Она мне нужна!

— А зачем?

— Она меня обокрала! Забыла, что ли? Думаешь, я ей это спущу? Подумаешь, сиротка... Таких сироток знаешь сколько? И все должны у меня красть? Не напасешься, знаешь ли.

— Да у нее же алиби, — напомнила она. — Ты ничего не докажешь.

— Какое алиби?!

— Не понял? В тот день, когда тебя обокрали, я, наверное, покупала цветы, или книжки, или делала ксерокс, или была на выставке кошек и торговалась там до упаду, хотела купить перса... Она ничего у тебя не крала. Успокойся.

— Ни фига себе! Да это же все липа! — возмущенно воскликнул он. — Я ее посажу, будь уверена. И в машине была она.

— Ну и что?

— Как — ну и что? Ты же сама сказала, что она убила эту женщину.

— Не посадишь ты ее, — устало ответила Анжелика. — Оставь ее в покое.

— Рехнулась? Ты что — хочешь, чтобы она осталась на свободе? Да она же тебя шантажировала! И будет на тебе ездить! — чуть не заорал он во весь голос. — Не поняла, что она тебе угрожала?!

— Все поняла, поэтому и прошу — помолчи. Дай мне подумать.

— О чем?!

— Главное, не кричи. — Она похлопала его по руке. — Этим ты ничего не добьешься!

— Ничего?! Да все ее угрозы — пустой звук! Ты же ничего этого не делала! Что ты не сбивала эту женщину, я могу подтвердить! Мы же были вместе! Уж этим она тебя не может шантажировать. Нельзя позволять ей этого!

— Но ты ведь крепко спал.

— Глупости! Я бы все равно услышал и проснулся, если бы ты ушла куда-то.

— Как все в мире относительно, — иронично сказала Анжелика какому-то невидимому собеседнику. — Теперь он меня защищает. Все алиби на свете — это такая чушь собачья!

— Да, и буду защищать! — продолжал он. — Ты же едва не согласилась с ней сотрудничать! Нельзя быть такой тряпкой!

— Это мне всю жизнь твердят.

— Чем она тебя так напугала?!

— Чем? — удивленно переспросила она. — Ну, ты даешь... Я вижу, что ты меня уже оправдал на все сто?!

Ну и напрасно. Господи, какая разница с тем, что ты говорил утром!

— Да ты же никого не убивала!

— Я в этом теперь не уверена... — тихо ответила Анжелика.

— Что ты болтаешь?

— Давай отойдем отсюда. — Она потянула его к ступенькам. — Это твоя машина?

Он неохотно позволил увести себя, то и дело оглядываясь на вход в клуб. Но там в этот момент собралась такая развеселая компания, что даже если Наталья и вышла на улицу, то сразу же смешалась с толпой. В машине Анжелика немного согрелась, сюда, по крайней мере, не проникал ветер. Женя озабоченно смотрел в окно.

— Я ее могу так упустить. Посиди тут одна, я пойду покараулю... — сказал он, берясь за ручку.

— А чего добьешься? — Анжелика, приоткрыв дверцу, выбросила окурок. Он рассыпал по сухому асфальту огненные искры, и ветер погнал его куда-то во тьму. — Она тебе ничего не вернет. Скажешь наконец, что она украла?

— Доллары. Я откладывал на новую машину.

— Много?

— Четыре с половиной тысячи.

— Солидно, — вздохнула Анжелика. — Надо было держать деньги в банке.

— Трахал я все банки, — отозвался Женя, — это еще хуже.

— Ну, может быть, и так, — усмехнулась она. — Моего мужа не спасли деньги в банке. А как смешно все получилось! Теперь-то я понимаю, зачем был нужен общий счет...

— Что?

— Он погиб из-за того, что у нас с ним в банке был общий счет, понял?

— Нет...

— Я могла брать с него деньги, ясно тебе? А я играла в казино, несколько лет играла! И часто проигрывала, и задолжала одному человеку большую сумму, а денег у меня не было. И Саша предложил мне снять деньги с общего счета... А чтобы Игорь не вякал — убить его!

Женя потрясенно молчал и даже перестал оглядываться на клуб. Теперь он не отрывал взгляда от лица Анжелики. А та быстро, истерично-порывисто говорила:

— Я теперь все поняла. Игорь, конечно, должен был опасаться... что я могу взять деньги с нашего счета. Но что ему было делать? Ведь это был не наш с ним общий счет! Это был его общий счет с Натальей! Она приходила в банк... брала деньги по моим документам! А у нее наверняка вообще нет никакого банковского счета... Ведь если она была на примете у милиции, то ей нельзя иметь деньги в банке... Их появление на ее счете могли связывать с недавними ограблениями. А Игорь был вне подозрений. Он никогда с ней не появлялся вместе, они редко виделись... Внешне он вообще был ко всему этому непричастен. А откуда он брал деньги — не все ли равно? Только налоговая инспекция и интересовалась этим...

— А откуда у нее твои документы? — перебил Женя. — Что-то не сходится.

— Да Игорь, наверное, вынимал их у меня из сумки и отдавал ей, а потом клал обратно. Будто я каждый день проверяла свой паспорт! Я его вообще в руки не брала, зачем он мне?

— А чего же она просит, чтобы ты сняла деньги? Могла бы сама это сделать.

— Я разве дам ей свой паспорт?

— Слушай, так у нее, наверное, есть ключи от твоей квартиры? И от машины, и от гаража?

— Не сомневаюсь. Чего у нее только нет! У меня-то больше нет ничего...

— Ты не должна идти у нее на поводу! — решительно заявил Женя. — Ты говоришь глупости, ты волнуешься. Вся эта история про счет — глупости. Ну и что, ты же не убивала мужа?

— Но Саша...

— Он это сделал? Ты же думала на Наталью.

— Это не она.

— Да почему? Такая наврет с три короба.

— Не знаю почему, — упрямо ответила Анжелика. — Но только это не она. Она его любила.

— Да что ты как ребенок! — рассердился он. — Любила, не любила... Разве так можно оценивать людей? Не знаю уж, кто этот твой Саша, но эта девка — курва последнего разбора. На ней же пробы ставить негде! Сразу видно, кто и откуда... Где она, кстати? Пора бы ей выйти...

— Не смотри туда, — попросила Анжелика. — И не выходи из машины, когда ее увидишь. Ради меня! Я тебя прошу!

— Ну, знаешь! Такой чепухи... — Он возмущенно дернул плечом, на которое она попыталась положить руку.

Анжелика покорно сняла руку и тихо, умоляюще продолжала:

— Я знаю одно — если ты попробуешь ее задержать, мне будет плохо.

— Ты так испугалась?

— Да! Я никого не убивала, это правда, но если это сделала не она, если это сделал Саша... Тогда все пропало. Я взяла деньги из банка, я просила его что-то придумать, чтобы убрать Игоря... Это подтвердит Лена. Это знала Наталья. Двое свидетелей против меня, и еще Саша! Провалился наш план, все провалилось, и все из-за двух баб, Игоревых любовниц! Откуда мы с Сашей знали, что у него столько женщин?! Он выглядел таким порядочным... Я не хочу в тюрьму, нет, не хочу!

— Ты говоришь так, будто сама его убила! — испугался Женя, обнимая ее за плечи. Она дрожала и прижималась к нему, пряча лицо и всхлипывая. — Да она блефовала! Понимаешь ты, что у нее нет доказательств против тебя и твоего деверя! Одни слова! И чьи слова? Мертвеца! Он же ничего не сможет сказать следователю! Пустые слова, сама подумай! А эта Лена? Кто она такая?

— Сумасшедшая... — прорыдала Анжелика.

— Ну, видишь! Кто будет ее слушать?

— Их будут слушать! Они с Натальей будут говорить одно и то же!

— Никто ничего не будет говорить. — Женя укачивал ее, обняв за дрожащие плечи, и целовал в макушку, как капризного ребенка, который не хочет засыпать. — Эта Наталья просто хочет все прибрать к рукам — и деньги, и тебя саму. Ты ей нужна.

— Прошу тебя, молчи, — в отчаянии молила Анжелика. — У меня нет больше алиби. Она его может разбить. И машина... И банковский счет... Меня снова будут подозревать... И если Сашу загребут, он меня тоже выдаст... Я так не могу. Не могу! Я же его сообщница! Эта правда!

Он сказал, что она просто сошла с ума. Добавил, что не может в это поверить. Сказал также, что теперь сам займется этим делом и не позволит никому диктовать ей условия. Но она по-прежнему умоляла об одном — не выходить из машины и не смотреть больше в ту сторону, где сверкали огни клуба. Ухватив его за руку, сказала, что умрет, если ее посадят — она знает, умрет в тот же день. Так они просидели в машине целый час, но из клуба не вышла ни одна женщина, хотя бы отдаленно напоминающая Наталью. И тут он оторвал от себя Анжелику, вышел из машины и хлопнул дверцей.

* * *

Наутро у Анжелики в сумочке лежало десять тысяч долларов — знак ее поражения. Банковский счет был закрыт.

Женя не сумел найти Наталью. Анжелика ждала его в машине около часа и за это время нарисовала себе столько жутких картин, что, когда он появился на ступенях Дворца один, она не поверила своим глазам. Женя, вопреки ее ожиданиям, не шел под конвоем милиции, и окровавленное тело блондинки не лежало на пороге клуба. «Ты ее не нашел?!» — радостно воскликнула она и потребовала, чтобы он немедленно садился за руль и вез ее прочь отсюда. Женя послушался, но как-то очень мрачно, он не переставая твердил, что так это дело не оставит.

Да, Натальи не оказалось ни в танцевальном зале, ни возле стойки бара — ее не было нигде. Он обыскал все, кроме женского туалета, но ему казалось сомнительным, чтобы Наталья могла просидеть там больше часа. Оставалось только предположить, что она нашла какой-то другой выход из клуба и давным-давно ускользнула оттуда. Женя бесконечно бубнил ругательства, но в конце концов согласился с Анжеликой, что деньги из банка лучше забрать. Он обосновывал это так: мало ли что придет в голову этой твари (Наталье). У нее могут быть фальшивые документы на имя Анжелики, и тогда плакали их денежки (он уже говорил «наши деньги»). Анжелика задумала совсем иное — откупиться от Натальи с помощью этих денег и договориться, чтобы на этом их отношения кончились. Навсегда. Она боялась даже подумать, что скажет на это Саша.

«Он так хотел, чтобы я забрала из банка эти деньги, но он же совсем не рассчитывал, что они достанутся кому-то другому!..» — размышляла она, пересчитывая стодолларовые купюры и складывая их стопочкой на кухонном столе.

Она была одна. Женя подремал пару часов в ее постели и укатил на работу. «Что я скажу Саше? Да ничего! Он этих денег не заработал! Он не имеет на них права!» Она поймала себя на том, что говорит словами Натальи, и усмехнулась — это не внушало ей отвращения, потому что производило впечатление какого-то фокуса.

Она аккуратно сложила деньги и перетянула их резинкой. «Как заставить их всех молчать? — спросила она себя. — Боже мой, единственный человек, чье молчание меня не устраивало, — умер! Маши нет... А вот Лена только и ждет, чтобы заговорить. Пока она не может этого сделать. Саша не допустит. Мы с ним оказались в одной связке. Мы боимся одного и того же. Два моих нежелательных свидетеля охраняют друг друга. Он — ее, она — его. Но как мне прекратить свою зависимость от них?! Как убедить Лену? Как заставить Сашу забыть, что план мы составили вместе? С Натальей все проще, тут обыкновенный шантаж. Кину ей сперва деньги, потом... Потом, может быть, удастся договориться? Ведь она тоже нечиста, рыльце у нее в пушку... Зачем ей мои показания? Да, но и я боюсь, что она заговорит... Мы все боимся друг друга! У нас у всех один выход — умереть...»

«Да. — В ее голове вдруг зазвучал другой голос — рассудительный и спокойный. Сильная Анжелика сказала слабой: — Ты совершенно права. Ты паникуешь, и не без оснований. Но все это имеет смысл, только если Саша действительно убил своего брата. А если не он? Тогда Наталья может угрожать тебе сколько угодно; и тут Женя окажется прав — это будут пустые слова. Тебе надо доказать одно — что это сделал не Саша. И тогда Лену можно развязать, ее бедные руки понемногу примут нормальный цвет, ее можно отдать врачам, пусть лечат... Тебе надо только доказать, что это сделал не он. Думай — как».

Анжелика медленно поднялась из-за стола, сунула пачку денег в карман халата и шагом сомнамбулы отправилась в коридор. Там, возле входной двери, в большом картонном ящике она хранила старые газеты и журналы. Она опустилась на колени и выбросила на пол верхний слой газет, которые не успела прочитать — после смерти мужа ей было не до того. Наконец она взяла в руки газету, вышедшую в первую неделю мая. Развернула ее, едва не порвав пополам. И облегченно вздохнула: в центре обнаружился цветной вкладыш — программа телевидения. Она вчиталась в список передач, шедших вечером четвертого мая, взяла программу и пошла звонить Саше.

— Слушай, — сказала она, игнорируя ругательства, которыми он встретил ее. — Скажи мне, пожалуйста, что ты смотрел тем вечером?

— Что?! — взбешенно заорал в ответ Саша. — Ты хоть понимаешь, что сейчас половина девятого?! Я вчера едва уснул!

— Я тебя спрашиваю, что ты смотрел по телевизору четвертого мая, с девяти до десяти вечера? — повторила она.

— Сдурела ты, матушка! — Саша немного сбавил тон, было ясно, что эти вопросы повергли его в полное недоумение.

— Нет, я не сдурела. Ты мне сказал как-то, что в тот вечер с девяти до десяти был дома один и смотрел телевизор. А Лена была на работе и приехала только после десяти. Ты сам так говорил, я тебя за язык не тянула.

— Что тебе пришло в башку? — удивленно спросил он. — Ты тоже рехнулась!

— Нет. Вспомни, что шло по телевизору?

— А ты можешь сказать, что шло по телевизору месяц назад?!

— Не могу. Но если бы это было в тот вечер, я бы запомнила.

— А я не помню!

— Значит, ты не смотрел телевизор, — почти удовлетворенно сказала она.

Саша взорвался:

— Когда ты перестанешь приставать ко мне с глупостями?! Я не помню, что там шло! Я все время переключал каналы!

— Я напомню. Слушай внимательно! Первый канал: «Время», «Киноафиша», потом «Иван Васильевич меняет профессию»...

— О, точно! — обрадовался Саша.

— Ты это смотрел?

— Да, фильм смотрел. Как я забыл! Мне еще было не до смеха... Но все равно иногда смеялся. Что, больше вопросов нет?

Она молча смотрела в программу. Вместо «Ивана Васильевича» там значилась итальянская криминальная драма.

— Ты что заглохла? — почти весело спросил Саша. — Нечего больше сказать?

— Послушай, — пробормотала она. — Ты должен быть уверен на все сто.

— Говори громче! Что? Я уверен на все сто. Ты что там мудришь с программой?

— Я не мудрю. Только в этот вечер никакой «Иван Васильевич» не шел. Я назвала тебе первый попавшийся фильм.

— Ну ты даешь! — воскликнул он. — Значит, я перепутал?

— С чем ты его перепутал? Этот фильм не шел уже месяца три. Я бы знала, если бы он шел. Я этот фильм всегда любила.

— Зачем ты все это устроила? — спросил он после минутной паузы. — Чего ты добиваешься?

— Я хочу, чтобы у тебя было алиби.

— А у меня его нет?

— Ты сам знаешь, что нет.

— Что ты хочешь этим сказать? — возмутился он. — Я же не виноват, что Лена была на работе! Если бы она была дома, у меня было бы алиби!

— Я и не говорю, что ты виноват. Я предлагаю тебе вспомнить, что ты видел по телевизору в тот вечер. Неужели не помнишь?

— Ток-шоу, — мгновенно ответил Саша. — Да, ток-шоу, и отвяжись от меня!

— Какое? О чем?

— Ну знаешь... — фыркнул он. — Буду я запоминать всякую чепуху! Там шла куча ток-шоу, и я, кажется, посмотрел из каждого по кусочку.

— Ты никогда не стал бы смотреть эти ток-шоу, — ответила она, быстро проглядев программу. — Ты же не интересуешься ни политикой, ни коммерцией, ни бабскими разговорами. Это глупости.

— Значит, я смотрел «Спокойной ночи, малыши»! — взорвался он.

— Они шли в восемь сорок пять, — отрезала Анжелика. — Если будешь так отвечать следователю, пролетишь.

— Зачем ты меня гоняешь по этой программе? — спросил он. — Что у тебя на уме?

— Ничего.

— Слушай, ты! — Он вдруг осекся и заговорил куда вежливее: — Скажи, а ты, случайно, не виделась с этой девицей?

— С Натальей?

— Если ее зовут Наталья, то с ней! Виделась, значит?

— Да, виделась.

— И что она тебе сказала?

— Что ты убил Игоря.

— Вот сука, — протянул он. — И ты что — поверила ей?!

— Я не хочу этому верить, потому что тогда мы все пропали. Кто это мог сделать, кроме тебя? Она этого не делала.

— Ты веришь ей на слово?

— Да! — крикнула она. — Верю! Если это сделал кто-то со стороны, тогда ты можешь быть спокоен, и я тоже. Но этого некому было сделать! Понимаешь, не-ко-му!

— Это могла сделать Маша! У нее, кажется, тоже нет алиби, а мотивы есть.

— Да, у нее тоже нет алиби, но это не она! И потом, как удобно все свалить на мертвую!

— Слушай, у тебя все бабы оказываются невиновными! — зло бросил он. — Если на то пошло, почему этого не могла сделать моя жена?! Из ревности! Ее тоже не было дома в тот вечер!

— Что значит «тоже»? — тихо спросила Анжелика.

— Что? — Саша слегка поостыл. — Да ничего. Ее просто не было дома.

— Но и тебя не было дома.

— Я — был.

— Опросят твоих соседей, и кто-нибудь обязательно подтвердит, что видел тебя уходящим или приходящим домой в это время. Я тебя предупредила — Наталья считает, что Игоря убил ты, и тебе следует придумать себе алиби.

— Но ты же не думаешь, что это сделал я?!

— Мало ли что я думаю. Если это сделал ты, тогда пропала я. Понимаешь? Как Лена?

— Никак. Молчит.

— Если она заговорит, нам тоже придет конец, — сказала Анжелика и тут же прикусила язык, испугавшись собственных слов. — Послушай, — заторопилась она, — я тебе скажу, что шло по телевизору с девяти до десяти. Оставим в покое всякие шоу, их негде достать и посмотреть... Новости тоже побоку... Вот! «Крестный отец»! Видел?

— Нет, — растерянно ответил Саша.

— Так сходи и купи кассету. Ты должен знать, о чем этот фильм!

— Не впадай в панику, — испуганно сказал он.

Она бросила трубку. «Если это не вся правда, то, во всяком случае, половина, — сказала она себе. — Ничего он по телевизору не видел. Если бы видел — вспомнил бы! Он цепляется за этот телевизор, потому что ему больше не за что уцепиться. Если он скажет, что читал книжку, все обхохочутся. Он никогда ничего не читает, во всяком случае теперь. Если он соврет, что был в казино, там никто этого не подтвердит. Если он просто сидел дома и ничего не делал... Нет, это тоже неправдоподобно. Это были последние часы перед визитом к Игорю. Он нервничал. Он пытался чем-то себя занять. Все это фигня. Его дома не было!»

В течение следующих десяти минут она надеялась, что Саша перезвонит, попробует ей что-то объяснить, в чем-то убедить. Не дождавшись звонка, она сказала себе: «Побежал покупать кассету! Ах, сволочь...» — И нащупала в кармане пачку долларов, которые теперь точно придется отдать.

Через полчаса позвонили в дверь. Старый синдром вернулся — Анжелика вздрогнула, и сердце у нее заколотилось где-то у самого горла. Звонок повторился.

— Кто? — спросила она, останавливаясь у двери и пытаясь разглядеть что-то в глазок. Там мелькала чья-то всклокоченная голова, и она никак не могла понять, кто там стоит.

— Открой, — послышался тихий, торопливый шепот. — Это Лена.

— Ты?! — Анжелика распахнула дверь и едва успела подхватить свою гостью под локоть — ноги у той подкашивались. — Как ты сбежала?!

— Дверь закрой, закрой дверь. — Лена, цепляясь за стену, двинулась в комнату, а Анжелика торопливо заперла дверь на все замки и побежала следом.

В комнате Лена упала в кресло и принялась растирать себе сперва запястья, потом щиколотки. Колготок на ней не было. Зато Лена взгромоздилась на высокие каблуки, очень затруднявшие ей передвижение теперь, когда она почти разучилась ходить. Она так яростно растирала и расчесывала кожу в тех местах, где была связана и где теперь виднелись глубокие темные рубцы, что Анжелике стало муторно и она старалась не смотреть в ту сторону.

— Как тебе удалось убежать? Что это значит?

— Он ушел покупать кассету, — засмеялась Лена. — А я сбежала.

— Как ты развязалась?

— Зубами. Самое главное было развязать руки... Трудно было дотянуться... Но я бы давно развязалась, да он все смотрел на меня...

— Но он же будет тебя искать... — Анжелике стало страшно. Она только сейчас поняла, что впустила в дом сумасшедшую.

Лена говорила очень быстро, стреляя по сторонам блестящими глазами, то и дело облизывала пересохшие губы и вообще ни секунды не находилась в состоянии покоя. Казалось, она хочет возместить себе те долгие часы, которые провела связанная, в лежачем положении, и теперь старается как можно больше двигаться.

— А мы ему не откроем, — захихикала Лена. — Я поймала машину и вот приехала. Водитель почему-то не хотел меня везти, но я ему сказала, что у меня умер муж.

— Да? — Анжелика все не решалась подойти к ней. Она внушала ей страх. Особенно не вязалось это странное, подергивающееся лицо с идеально чистеньким, голубеньким костюмчиком, который болтался на ее исхудавшем теле. Видимо, костюмчик висел в шкафу еще с лучших времен, когда Лена следила за своим внешним видом. Но тем более явными стали все разрушения, которые произвели в этой женщине события последнего месяца.

— Пойми, мужа у меня теперь нет, — удовлетворенно сообщила она. — Ты знаешь, я давно хотела с ним развестись. Но он так меня любил и не давал мне развод. Но теперь я убежала. Теперь он меня не убьет. Я так его боялась... Я тебе кое-что принесла. Вот, возьми. — Лена перестала чесаться и потянулась к своей большой кожаной сумке. Открыв ее, она извлекла небольшой сверток, завернутый в газету, и протянула Анжелике. — Посмотри, посмотри! — Лена настойчиво, с торжествующим видом протягивала ей этот непонятный сверток.

Анжелика боязливо подошла и взяла его в руки. Он оказался очень тяжелым для его небольшого объема. Но прежде, чем развернуть газету, она поняла, что внутри.

— Видишь, видишь? — лихорадочно спрашивала Лена.

— Вижу.

На помятой газете лежала квадратная малахитовая подставка для часов. Один угол был отбит и находился тут же. Через всю подставку проходила длинная тонкая трещина.

— Откуда это у тебя? — спросила Анжелика, поднимая глаза. Она поймала себя на том, что не слишком удивлена и даже не очень потрясена увиденным. Она ожидала что-то подобное с того самого момента, когда встретилась с Натальей и услышала ее уверенное заявление о том, кто убил Игоря.

Лена снова принялась массировать свои запястья, блаженно улыбаясь, видимо, это занятие доставляло ей большое удовольствие. Потом она вдруг замерла, согнала с губ улыбку и подозрительно взглянула на Анжелику:

— Ты что, с ним заодно?

— С Сашей?

— Да, с ним! Он его убил, я же тебе говорила! Ты мне не верила!

— Я верю... — Анжелика положила подставку на стол.

Лена нежно погладила малахитовый обломок кончиками пальцев:

— Смотри, какая пустяковина... И этим его убили? Я бы не поверила, если бы ты мне не сказала... Я ее нашла. Он ее спрятал. Знаешь где? На антресолях. В моей старой сумочке.

— Почему он ее не выбросил? — Анжелика едва не плакала. — Зачем он ее сохранил?!

— А ты бы хотела, чтобы он ее выбросил? — сощурилась Лена. — Чтобы не осталось никаких улик? Чтобы его никогда не нашли?

— Нет, но... — замялась Анжелика. — Это так глупо... Я считала, что он умнее. Когда ты ее нашла? Когда... — Ее вдруг осенило, и она растерянно уставилась на Лену: — Когда отравилась? Ты поэтому отравилась, да?! Ты поэтому хотела от него уйти?! А я-то, дура, тебе помешала...

— Я не травилась, это он меня отравил, — твердо сказала Лена.

— Но все-таки, когда ты ее нашла? — Анжелике казалось, что стоит ей узнать ответ на этот вопрос — и она поймет, в какой именно момент сошла с ума Лена. «Да, так оно и было, — сказала себе Анжелика. — Антресоли, старая сумочка, подставка. Она все сразу поняла. Она сошла с ума в тот самый момент, когда увидела эту подставку».

Но Лена хитренько заулыбалась и ответила:

— Думаешь, я сумасшедшая?

— Почему ты так считаешь? — смущенно возразила Анжелика. — Вовсе я так не думаю.

— Нет, думаешь! Зачем тебе это знать? Хочешь рассказать Саше?

— Да не буду я ему это рассказывать!

— Ты должна мне помочь, — торопливо заговорила Лена, не слушая Анжелику. — Мы должны его сдать в милицию.

— Да, должны, — покорно ответила та.

— Ты мне поможешь?

— Лена... — нерешительно перебила она ее. — А может, подождем с этим? Понимаешь, я оказалась в таком трудном положении...

— Не бойся, — захихикала Лена. — Тебе ничего не сделают. Ты такая молодая!

— Да, но никто на это не посмотрит.

— Все смотрят только на это. Понимаешь? Если ты молодая, тебе все прощают. А если старая, как я, — ничего. Не бойся!

— Я не боюсь. Я же его не убивала. — Анжелика растерянно смотрела на подставку, у нее все еще не укладывалось в голове, что это та самая — из-под тех самых часов — и что Саша совершил такую чудовищную глупость, сохранив ее. — Но все равно жизнь у меня теперь будет такая нелепая...

Зазвонил телефон. Лена испуганно дернулась и даже поджала ноги, словно боялась, что телефон поползет по полу и укусит ее.

— Не бери трубку! — прошептала она. — Это он!

— Но я могу сказать, что тебя нет, — предложила Анжелика.

— Нет, нет, не бери трубку!

— Но что он подумает? Он ведь явно решил, что ты поехала ко мне!

— Не надо... Подожди немножко... Ну вот уже и все.

Телефон действительно замолчал, но только на миг — и звонки возобновились с прежней настойчивостью. Анжелика решительно подошла к телефону и склонилась над ним. Лена зашипела:

— Попробуй только ему сказать, что я здесь!

— Да не скажу я. Наоборот, лучше поговорить с ним. Иначе он приедет сюда.

Анжелика взяла трубку и поняла, что чутье не подвело Лену — звонил ее муж. Голос у него был взвинченный, почти неузнаваемый:

— Лика?! Она у тебя?!

— Саша, что ты говоришь? — фальшиво любезным тоном ответила она, не спуская глаз с Лены. Та напряженно вслушивалась, вытянув исхудавшую шею, и была в этот миг очень похожа на какую-то голубую полинявшую птицу.

— Ленка сбежала!

— Да что ты?!

— Я думал, она у тебя!

— Но ее здесь нет. — Анжелика боялась, что голос ее подведет — он слегка дрожал, и тон у нее был уж очень неубедительный.

Но Саша был так возбужден, что ничего не заметил:

— Слушай, она непременно к тебе приедет! Она только о тебе и говорила все время! Слушай, я сейчас сам к тебе приеду! Надо ее перехватить! Она же опасна!

— По-моему, ты преувеличиваешь, — сдержанно ответила Анжелика. — Ты купил кассету?

— А? Что? Да, купил. — Саша крепко выругался. — Из-за кассеты все и случилось! Я впервые оставил ее одну, и как это она развязалась?! Надо было попросить тебя привезти кассету... Где она шляется? Если взяла машину, то должна уже быть у тебя!

— Нет, ее у меня нет.

— А вдруг она прямо поехала в милицию?! Бог знает, что она может там наговорить...

— Ну не знаю, — вздохнула Анжелика. — Ты сам во всем виноват.

— В чем?! В том, что не смотрел этот гребаный телевизор?! Ну не видел я этого «Крестного отца», и что теперь?! Я же не убивал Игоря, потому и фильм этот тут ни при чем! Сейчас буду смотреть. Если она уже стучит на меня, мне нужно какое-то алиби, ты совершенно права. Хоть посмотрю, кто играет. Так... Аль Пачино, Марлон Брандо...

— При чем тут Марлон Брандо? — удивилась Анжелика.

— Как — при чем?

— Ты какую часть купил?

— Первую, конечно...

— А в тот вечер шла вторая! Я что — не сказала тебе?! Там нет Марлона Брандо!

— Блин! — заорал он. — Ты что молчала?! У меня уже нет времени покупать вторую!

— Ну прости... — Как ей ни было плохо, она едва сумела сдержать смешок. — Во всем нам с тобой не везет...

— Бестолковщина! — продолжал яриться Саша. — Всегда была такая! Да! Но нет худа без добра. Между прочим, я имел разговор с соседом. Такой дедуся лет под семьдесят, всегда делает зарядку на балконе.

— Какой еще дедуся?

— Это к вопросу об алиби. Я же все вспомнил! Я действительно включил телевизор, но хочешь — верь, хочешь — нет, я его не смотрел. Может, там как раз шел «Крестный отец», помню какую-то жуткую стрельбу...

— Это в начале фильма.

— Ну видишь? А сам я стоял на балконе и курил. Одну сигарету за другой. Так мне паршиво было, хотел напиться, но нельзя... И Ленка все не шла, а ей давно пора было вернуться. Я переживал и не мог смотреть этот долбаный телевизор. И слушай, у меня из головы вон, что я перекинулся парой слов с этим дедусей! Он как раз делал на балконе свою вечернюю зарядку и стал мне внушать, что так много курить вредно, что я в его возрасте буду развалиной. Все показывал, что у него совсем нет живота.

— Ты уверен?! — воскликнула Анжелика.

— Ну ясно, уверен! И он уверен. Склероза у него тоже, по-моему, нет.

— А во сколько это было?

— Дедуся всегда тренируется ровно в половине десятого. Ни туда, ни сюда — я мог бы убить Игоря ровно в девять, успеть вернуться на машине, включить телевизор и выйти на балкон. Но уже после половины десятого я его убить не мог — дедуся меня видел минимум минут десять. За двадцать минут я не мог съездить туда и обратно и убить его. Но полчаса все равно остаются, как ни крути...

— Не остаются, — срывающимся шепотом ответила Анжелика.

— Что?

— Не остаются, говорю. Ровно в девять ты не мог этого сделать, потому что я только выходила из дому. А через десять минут туда вошла Ада Дмитриевна и пробыла минут пять. Игорь, ясное дело, был еще жив. Ты мог войти туда в девять часов пятнадцать минут, но тогда ты не смог бы оказаться на балконе в половине десятого. У тебя железное алиби, если твой дедуля не врет.

— Не врет, — потрясенно прошептал Саша и вдруг радостно заорал: — Лика! Милая моя девочка! Какая же ты умница! Как здорово сообразила! Ну, теперь все! Пусть она стучит в милиции! Сколько ей влезет.

Анжелика молчала. Она скосила глаза и увидела, что Лена, склонив нечесаную голову, быстро-быстро скребет ногтями щиколотки. В этом движении было что-то животное.

— Лика! — радостно кричал Саша. — Ты же меня спасла! Что ты молчишь?!

— Да так. — Она едва разлепила онемевшие губы.

— Что с тобой? — Саша осекся и уже не так радостно спросил: — Что-то случилось?

— Да.

— Она у тебя?!

— Да.

— Я сейчас приеду! Беги! Закрой дверь! — выкрикнул он. — Жди меня у Юры! Беги!

Он все еще что-то говорил, когда Анжелика краем глаза уловила какое-то молниеносное движение. Она выронила трубку и дико закричала, увидев рядом Лену с занесенной рукой. Ее скрюченные пальцы, похожие на птичьи когти, крепко обхватывали малахитовую подставку.

## Глава 20

У продавцов продовольственного магазина было много тем для разговора — пожалуй, их даже могло быть и поменьше. Продавцы болтали, а качество обслуживания от этого ухудшалось. Оксана, то и дело шмыгая своим хорошеньким розовым носиком, перекликалась через весь зал с продавщицей за кондитерским прилавком и при этом, сама того не замечая, безбожно обвешивала покупателей. Тема для разговоров была одна, но вариаций на эту тему озвучивалось множество.

Когда в то утро продавцы выскочили из магазина и обнаружили тело Маши на обочине тротуара, поднялся такой крик и визг, что никто не догадался сразу вызвать милицию. Милиция приехала сама — через эту улицу патрульные машины проезжали каждые полчаса. Никто из продавцов не видел машину, сбившую Машу, только Дима как будто заметил, что мимо витрин пронеслась какая-то темная тень, но что это была за машина и была ли это та самая машина — он уже сказать не мог. В переулке, неподалеку от места наезда, обнаружился мужчина с крысиным личиком. Он сидел за рулем своего достаточно потрепанного голубого «ВАЗа» и злобно курил, оглядывая улицу.

Дима при всей своей неприязни к этому типу не был уверен, что видел именно голубой «ВАЗ» этой модели, но с мужчиной все-таки поговорили. Все продавцы надеялись, что его арестуют, но на следующий же день он явился в магазин и сделал кое-какие закупки, свидетельствующие о том, что он ждет гостей. Оксана даже не хотела продавать ему колбасу, но в конце концов сдалась. Во-первых, мужчина с крысиным личиком был большой скандалист, и девушка могла нарваться на неприятности с заведующей магазином. А во-вторых, он действительно был не виноват. В его машине был холодный мотор, когда его обнаружили в переулке. Он не успел бы остыть за те минуты, которые прошли после наезда, а ведь машина-убийца ехала с большой скоростью. В конце концов продавцы сошлись на том, что за рулем сидел пьяный. Искали свидетелей, но в этот ранний час мало кто стоял на балконах и выглядывал из окон. Дворник посыпал кровавые пятна песком и смел песок метлой. И уже через сутки даже Оксана не могла бы точно указать место, где погибла ее подруга.

У Юры и его матери были, разумеется, кое-какие неприятности со следствием. Они так наврали и напутали в своих показаниях, что оставалось только руками разводить — зачем им это было нужно? Юра совершенно охрип от рыданий, рассказывая про свое знакомство с

Машей двенадцать лет назад, про дикую историю, которая случилась в семье Прохоровых, из-за чего Маше пришлось уйти и выйти замуж за алкоголика. Говорил он наедине со следователем, его мать, как ни рвалась, не смогла присутствовать при даче показаний. Следователь не слишком впечатлился его рыданиями. Он в основном требовал объяснить, почему Ада Дмитриевна велела Юре соврать, что, мол, он видел Машу? А также — почему они с матерью скрывали факт столь давнего знакомства с этой женщиной? Юра глотал слезы, икал и растерянно говорил, что он не знает, зачем это было нужно его матери. Но он привык делать все, что она скажет, и никогда не задумывался о последствиях. В конце концов он даже рассказал о том, о чем его вообще не спрашивали. Признался, что в свои тридцать лет имел всего два сексуальных контакта с женщинами. Оба раза — в общежитии ВГИКа. А что он будет делать теперь, когда ему захочется встретиться с девушкой, он не знает. Институт к этому моменту он уже успешно закончил. В общежитие ему ходить незачем — как же он объяснит такой визит матери? Домой он девушек приводить не мог, у него даже мысли такой не возникало. «Маме они бы не понравились... — говорил он. — Ей никто не нравится. Она бы со мной перестала говорить...» Он также сказал, что с девушками ему не везло и те, что у него были, особого впечатления на него не произвели. Единственная девушка, которая нравилась ему по-настоящему, — это Маша. Но она никогда не обращала на него внимания, относилась как к младшему брату. И тут он снова начал плакать и в отчаянии просить следователя, чтобы тот нашел убийцу.

Ада Дмитриевна, которую, в свою очередь, тоже допрашивали отдельно от сына, не плакала. Держалась спокойно, уверенно, властно. Саркастически усмехалась, прежде чем начать давать показания, словно все это было какой-то нелепой игрой. Но все же признала, что Марию «как там ее по отчеству» она очень даже хорошо знала. Типичная авантюристка из провинциалок, как в фильмах показывают, самым наглым образом втерлась в замечательную семью. Следователь напомнил ей, что раньше она вроде бы не называла семью Прохоровых замечательной и даже упоминала об их ограниченности и необщительности. Ада Дмитриевна ответила, что эти два качества не мешали им быть добрыми, честными, очень порядочными людьми и идеальными соседями. Говорила она так громко, что в окне даже пару раз звякнуло неплотно пригнанное стекло. Она курила, хотя следователь не предложил ей этого. Рассказывая о своих отношениях с Машей, насмешливо кривила губы, как бы приглашая вместе с ней осудить «эту авантюристку». Вынимала изо рта измазанную алой помадой сигарету и, сощурившись, спрашивала, не стоит ли ей теперь просить у покойницы прощения за ту, давнюю, сцену? И сама же отвечала, что просить прощения ей не за что, она тогда была совершенно права, и если бы ее послушались, возможно, ничего бы и не было! Следователь, замороченно глядя на давно перезревшую красотку, вдруг неожиданно пытался представить себе, какой та была в молодости. Выходило ничего себе. На вопрос о том, по какой причине она так путала своего сына и сама давала ложные показания при предыдущих допросах, Ада Дмитриевна сказала, что не хотела осложнять жизнь «своей маленькой, но, знаете, очень благополучной семьи» каким-то мерзким убийством. Ей, видите ли, казалось, что чем меньше они будут говорить, тем скорее от них отстанут. Она никак не думала, что ее неправильные показания могут причинить кому-то вред. Следователь довольно резко сказал, что, возможно, именно эти показания явились причиной гибели Марии Прохоровой. Если бы девушку нашли раньше, ее бы, возможно, удалось предостеречь. Дама высоко вскинула выщипанные брови и язвительно спросила следователя, не думает ли он, что она желала этой девице смерти? Ей, мол, глубоко безразлична судьба Марии Прохоровой. Уж она-то знает, что вмешиваться в чужие семейные дела дурной тон. И удалилась с триумфом, попытавшись взять со следователя слово, что он никогда больше не станет беспокоить ее и ее сына по всем этим делам. Следователь слова не дал и предупредил, что, если ее показания еще понадобятся, ей надлежит являться без опоздания. Сегодня она опоздала на полчаса! А ему время очень дорого — у него одиннадцать дел! Это надо понимать! Короче, ей позвонят.

Следствие активно занималось Еленой Алексеевной Прохоровой (в девичестве Каменевой), 1965 года рождения, задержанной 24 мая 1997 года по подозрению в убийстве. Милицию вызвали муж задержанной и Анжелика Андреевна Прохорова, в чьей квартире пыталась укрыться эта женщина, намереваясь напасть на хозяйку.

Анжелика описывала это событие так: «Лена прибежала ко мне и сказала, чтобы я спрятала ее от мужа. Утверждала, что муж хочет ее убить и сейчас он приедет за ней. Говорила, будто бы он убил своего брата (моего мужа Игоря) и нас с ней тоже убьет. Я видела, что она ведет себя очень странно, но не решилась выгнать ее. Она принесла с собой и показала мне расколотую малахитовую подставку для часов, с помощью которой, как сказал мне следователь, убили моего мужа. Подставка эта пропала, ее не могли найти. Я очень испугалась, когда увидела эту вещь, и не знала, что думать. Лена утверждала, что ее муж спрятал эту подставку у них в квартире на антресолях, в ее старой сумочке. Потом позвонил Саша и спросил, не ко мне ли поехала Лена. Когда она ушла, его не было дома. Лена просила меня не рассказывать, что она здесь, и я сперва молчала. Но потом я вдруг обернулась и увидела, что она хочет ударить меня по голове этой подставкой. Я закричала, бросилась от нее бежать. Я думала, что она меня убьет, как и Игоря, потому что я все сразу поняла. Вид у нее был безумный. Она бросилась за мной с явным намерением нанести удар. Но потом произошло что-то странное: как только я выскочила из комнаты и закрыла за собой дверь, она перестала меня преследовать. Я думала, что она сейчас будет бороться со мной, откроет дверь, догонит и убьет. Ведь в двери, которая ведет из комнаты в коридор, нет замка, я не успела бы убежать из квартиры. Я стояла и держала дверь со стороны коридора и плакала от страха. Но никто на дверь не нажимал. Я слышала, что в комнате тихо. Я думала, она выжидает, чтобы я отпустила дверь, а потом кинется. Так я стояла долго и боялась заглянуть в комнату. Потом в дверь позвонили, и Саша стал кричать: «Лика, открой, ты жива?!» Он понял, что у нас что-то случилось, ведь, когда я уронила телефонную трубку, он еще не дал отбой. Поэтому он слышал, как я закричала, и, наверное, решил, что она на меня набросилась. Я все еще не решалась открыть дверь в комнату. Но к входной двери подбежала сразу и впустила Сашу в квартиру. Из комнаты по-прежнему никто не выглядывал, там было тихо. Мы вместе подошли к двери, и Саша открыл ее. Мы увидели там Лену. Она сидела на полу, подставка лежала рядом. Руки она сложила на коленях, ноги поджала под себя. Спину держала очень прямо. Когда мы заглянули, она повернула голову в нашу сторону и стала улыбаться, очень странно, и качать головой, показывая на подставку. Говорила: «Вот видите, как это случилось? Как ты, Саша, мог его убить? Он тебя так любил...» Он вошел в комнату, а я боялась. Но Лена даже не встала, продолжала улыбаться и говорить мне: «Надень черный платок, почему ты ходишь без платка? Могут подумать, что ты не замужем, а для девушки это плохо. Кто не замужем, тех все презирают и ненавидят». Потом говорила еще, что, пока не вышла замуж, она была очень несчастна, а когда вышла за Игоря, стала очень счастлива, но вот его убили, а она не имеет права даже носить черный платок. И все время называла Игоря своим мужем. Саша в это время вызвал милицию, они очень быстро приехали, спасибо им».

Александр Прохоров рассказывал следующее: «После того как погиб мой брат, Лена очень изменилась. Она стала задумчивой, раздражительной, хотя раньше всегда отличалась хорошим ровным характером. Мы никогда не ссорились. Я ей не изменял и думал, что она тоже мне верна. Я всегда уважал ее мнение, считался с ней. Но теперь она стала просто неузнаваемой. Могла ни за что накричать на меня или на Анжелику, с которой раньше тоже поддерживала хорошие отношения. Анжелика очень тяжело переносила гибель Игоря, а Лена упрекала ее в том, что та недостаточно сильно скорбит. Упрекала нас обоих в цинизме, не знаю, откуда она это взяла. У нее появились какие-то навязчивые, неприятные манеры: давать нетактичные советы, поучать, вмешиваться в разговор с глупыми комментариями типа «Как вам не стыдно» или «Посмотрели бы вы на себя со стороны». Я, конечно, думал, что смерть моего брата ее тоже потрясла, потому что раньше замечал, что они охотно общались, дружили. Я никогда не ревновал ее ни к Игорю, ни к кому бы то ни было. Мне казалось, что такая уравновешенная женщина, как Лена, отвечает за свое поведение и контролирует свои эмоции. Тем более я не думал, что брат мог посягнуть на мою жену. Я принимал их отношения за дружбу, хотя и видел, что ей с ним куда интереснее беседовать, чем со мной. И вот за несколько дней до того, как она напала на Лику, Лена сообщила нам, что была любовницей Игоря в течение последних трех лет. Нас это потрясло. Лика вообще не поверила, кажется. Лена держалась очень вызывающе, собирала вещи, чтобы уйти от меня к родителям. Рассказывала об этой связи с гордостью. Мы не знали, как на это реагировать. Накануне она пыталась покончить с собой, приняла много таблеток, но я вызвал «скорую», и врачи ее спасли. Я даже думал, что это просто случайность, что она приняла столько снотворного по рассеянности или по ошибке. В последние дни я вообще замечал, что у нее стал очень беспокойный сон, и она так уставала от этого, что могла просто ошибиться. Ей так редко удавалось уснуть, что я начал беспокоиться за ее здоровье и сам посоветовал ей иногда пользоваться снотворным. Наверное, отсюда ее нелепая идея, будто я ее отравил. После того как она призналась нам, что любила Игоря, стала унижать меня и Лику. Заявляла, что мы жалкие ничтожества, а вот Игорь был необыкновенным человеком. Лике говорила, что та ничего из себя не представляет и если Игорь с ней не развелся, то только потому, что она молодая. Лена говорила, что пыталась склонить моего брата к разводу с Ликой и женить его на себе. Но Игорь, по ее словам, отказывался наотрез. Мне очень тяжело сознавать, что мой брат обманывал меня несколько лет. Лена действовала настойчиво и хитро. Она пугала Игоря, что расскажет нам об их связи. Игорь не поддавался на шантаж. Конечно, он вел себя очень подло по отношению к нам. Не знаю, к кому он отнесся хуже. Лика ему так верила, любила его. Я тоже ему верил. Он всегда был для меня авторитетом как старший брат, как человек вообще. Часто помогал мне материально, и я всегда был ему за это благодарен. Уважал его деловые качества, способности, его ум, сильный характер. И вот как все обернулось. Лене он тоже нанес травму. Ведь он видел, что она всерьез влюбилась, что так продолжаться не может... Тем более, что он ее вовсе не любил. Просто забавлялся. Нет, этого я понять не могу...»

Следы на руках и ногах своей жены Прохоров объяснил так: «В последнюю ночь она сделала попытку броситься на меня, кусалась. К родителям она не ушла по доброй воле, даже не стала им звонить. Я не возражал, чтобы она осталась у меня, я все же был к ней привязан. Семью так легко порушить нельзя. И потом, я видел ее состояние и боялся за нее. Если мне она не нужна — кому будет нужна такая издерганная, нервная? Она перестала контролировать свои поступки. Кидала мне в лицо вещи, ругалась матом, чего раньше никогда не было. Когда она бросилась на меня, я понял, что она опасна. Тогда я связал ее, уложил на постель, велел ей успокоиться. Я не хотел вызывать врача, потому что боялся, что ее заберут в психушку. Конечно, зря я этого не сделал. Но знаете, все-таки трудно признать, что близкий человек сошел с ума. Она пролежала на постели всю ночь. Ворочалась, не закрывала глаза, они у нее опухли и покраснели. К утру немного успокоилась, и тогда я решил, что она не будет больше бросаться на меня. Развязал ее, укрыл, а сам лег спать на полу. Днем пошел в магазин за продуктами. Вернувшись, не обнаружил жены в квартире. Сразу понял, что она побежала к Лике, потому что всю ночь ругала ее. Говорила, что разберется с ней, что научит ее чтить память Игоря, что испортит ей личико, чтобы больше никто не заглядывался. Я позвонил Лике и в конце разговора понял, что Лена там и что Лике грозит опасность. Когда я приехал туда, то понял, что Лена окончательно сошла с ума. Но она была очень спокойная, никому не угрожала, вела себя тихо. Сидела на полу, гладила малахитовую подставку, которой убили моего брата, и все время говорила, что ей нужен черный платок».

Сама подследственная, находясь в стражном отделении психиатрической больницы, дала следующие показания: «Я сожительствовала с Игорем Прохоровым, братом моего мужа, три года. Он был мне неверен, изменял с молоденькими девушками, потому что ему больше нравились молодые дурочки, брюнетки, а я блондинка, я старая...» На вопрос, сколько ей лет, неохотно ответила: «Пятьдесят восемь», точно называя возраст своей матери. После этого на некоторое время замолчала и отказывалась отвечать на вопросы. Сидела на стуле очень прямо, сосредоточенно расчесывала руки и ноги, потом вдруг сама заговорила: «Я хотела, чтобы мы поженились, но он отнесся к этому с презрением... Сказал, что никогда так не поступит с женой. Говорил, что он и жену не любит, а любит другую, но что он человек порядочный и потому развод для него невозможен. На мои слезы отвечал насмешками или просто прогонял. Был со мной груб, особенно в последнее время. Его жена и мой муж хотели его убить и меня просили им помочь. День назначили, хотели, чтобы я его держала за ноги, пока Саша будет душить. А я давно Игоря предупреждала, что они задумали, но он мне не верил, говорил, чтобы я не выдумывала. Вот и поплатился».

Вечер четвертого мая, когда было совершено убийство, она описывала так: «Задумали пойти к нему в полночь. Я хотела еще раз предупредить Игоря, мужу сказала, что я на работе задержусь, а сама поехала к нему. В полдесятого приехала, он мне сам открыл дверь. Не желал со мной разговаривать, мол, я дура, идиотка и прочее. Я увидела у него на полке красивую вещь — кубок из красного стекла — и сразу поняла, что его принесла какая-то женщина. Стала допытываться, кто она. Он сказал, что это соседка, просила поискать, кто может кубок оценить. Я сразу поняла, что он говорит неправду, стала упрекать. Мы еще поговорили. Я была очень расстроена. В результате произошла ссора. Он меня оскорбил и сказал, что больше никогда не желает меня видеть. Я ответила, что не могу без него жить. Он мне еще что-то сказал, но я уже ничего не помню!»

Подследственная категорически отрицала, что совершила нападение и нанесла Прохорову смертельный удар по голове. Из ее показаний полностью выпал отрезок времени продолжительностью примерно в час. Затем она помнит, что вернулась домой очень поздно и муж начал ее упрекать: «Почему задерживаешься, надо идти к нему — убивать. Я сказала, что этого делать не надо. Он настаивал. В конце концов он заявил, что сейчас сам поедет к брату и задушит его. Я умоляла не делать этого. Но потом поняла, что надо поехать с ним. Мы приехали туда в полночь, поднялись по лестнице, звонили. Игорь не открывал, потом Саша открыл дверь сам».

Подследственная Елена Прохорова утверждала, что ее муж имел дубликат ключей, сделанных для него его сообщницей — Анжеликой. «Не знаю я, куда он дел эти ключи, — ответила она, когда ей сообщили, что никаких следов этого дубликата не обнаружено и Анжелика уверяет, что никому ключей не давала. — Спрятал, конечно. Мы вошли в квартиру, увидели труп... Саша сделал вид, что удивился. Мне стало плохо, я поняла, что он проник в квартиру раньше меня и убил Игоря. Но я ему этого не сказала. Он говорил, что убил брата кто-то посторонний. И потом повторял то же самое, думал, я ничего не поняла. А подставку сунул на антресоли в мою сумочку специально, чтобы навести на меня подозрения». Подследственная также утверждала, что пролежала связанная несколько дней. «Связали меня, положили на постель, издевались, говорили, что теперь мне не уйти от них. Саша грозился, что отравит меня, потому что я могу дать против него показания. Лика изображала из себя добрую, но я слышала, как они громко говорили при мне, что убьют меня, как только я усну. Я старалась не спать, не закрывала глаза. Очень уставала от этого. Потом он ушел, и я развязалась и поехала к Лике. Я решила с ней поговорить, чтобы она выдала Сашу, чтобы все было по справедливости... Я ей показала подставку, но потом она стала говорить с Сашей по телефону, и я поняла, что она говорит на их тайном языке, делает ему намеки, чтобы он приехал и меня тоже убил. Мне хотелось, чтобы она замолчала, помню, что замахивалась на нее подставкой, что бежала за ней. А потом она выскочила в коридор и с той стороны заперла дверь, и еще кто-то помогал ей держать дверь, потому что я слышала, как они там переговариваются. Потом пришел Саша, а куда делся третий, не знаю».

При дальнейших беседах она была сдержанна, но в контакт все же вступала, рассказывала о себе, о своем детстве. Считала, что ей «врачи помогут», потому что они «имеют дипломы». Адекватно воспроизводила обстановку окружающей жизни, но в ряде случаев переставляла события по времени, путала их последовательность. Утверждала, например, что сперва вышла замуж за Сашу, а потом уже женился Игорь на Лике. Говорила, что подставка из-под часов пропала очень давно, она уже полгода ее не видела и объясняла это так: «А вы что думаете? Саша ее припрятал специально, чтобы совершить убийство. Я давно уже думала, куда пропала подставка». Утверждала, что в тот вечер, когда она пришла к Игорю «поговорить», подставки она там не видела и в руки ее не брала. То же самое относилось и к кубку из красного стекла, который она якобы видела в квартире во время последнего визита. Помощник следователя вспомнил о такой точно вещи на портрете соседки Прохоровых, Ады Дмитриевны, и снова вызвал ее для дачи дополнительных показаний. После небольшого и, в общем, уже для всех привычного скандала та подтвердила, что действительно давала соседу эту вещь, чтобы он показал ее понимающим людям, потому что знала — у него есть такие знакомые. Но дело ничем не кончилось, Игорь много работал и кубок никому не показал, поэтому она его и забрала. Негодующая дама утверждала, что все это было месяца два назад и, уж конечно, никакого кубка вечером четвертого мая там не было и быть не могло, и пусть эта сумасшедшая не выдумывает! Таким образом, эксперты решили, что в сознании подследственной произошло явное замещение кубка на подставку — не в силах смириться с реальным фактом убийства, она подсознательно заменила орудие убийства на посторонний предмет.

Лена совершенно не помнила, как добралась до дому после «разговора» с Игорем, не могла назвать вид транспорта и даже сомневалась — не Игорь ли ее подвез? Потом эта идея ей так понравилась, что она постоянно с удовольствием повторяла: «Видите, он на меня все-таки не сердился и даже подвез домой. Он меня все-таки любил». Вскоре ее спокойное, доброжелательное отношение к врачам и соседкам по отделению неожиданно и беспричинно изменилось. Поведение подследственной приобрело ярко выраженный агрессивный характер. Врачам она теперь грубила, упрекала в «некомпетентности», отказывалась отвечать на их вопросы, говорила, что над ней все просто издеваются и что у них нет санкций на ее арест, так что ее должны немедленно выпустить. В отделении вела себя дерзко, грубила окружающим, демонстративно обнажалась перед медработниками и милицией. Писала различные заявления, требуя освобождения и диктуя свои условия. Критики своего поведения не признавала, на замечания персонала отвечала приступами ярости, потом долго плакала, лежа на своей койке, отвернувшись от всех, молчала по нескольку часов, глядя в потолок, причем нарочно старалась не моргать, объясняя это тем, что это ей «приятно, глаза немножко пощипывает, и вижу при этом разное».

Заключение экспертизы было следующее: «В момент совершения преступления Прохорова Е.А. обнаруживала признаки болезненного состояния и совершила убийство в состоянии аффекта. Прохорова Е.А. в период совершения преступления и в настоящее время страдает хроническим психическим заболеванием в форме шизофрении. Как страдающая хроническим психическим заболеванием, Прохорова Е.А. в период совершения правонарушения не могла отдавать себе отчет в своих действиях и руководить ими. Ее следует считать невменяемой в отношении содеянного. По своему психическому состоянию в настоящее время, как совершившая особо опасные антиобщественные действия, она нуждается в принудительном лечении в психбольнице со строгим наблюдением».

* * *

— Ревность — ужасная вещь, — сказал Саша, обмакивая палец в сбитые сливки. Сливки украшали торт, который они с Анжеликой купили, чтобы отметить завершение дела.

— Ужасная! — отозвалась Анжелика, хлопая его по руке. — Что ты делаешь? На это есть ложка!

Но Саша не обратил на хлопок никакого внимания и продолжал с удовольствием облизывать палец.

— Чудесно, — заключил он, посмотрев на опустевшую тарелку. — Обожаю сбитые сливки! В конце концов все кончилось так здорово, что лучшего и желать нельзя. Ну, не прав ли я был? Я ведь говорил — что бы она против нас ни показала, ей в таком состоянии никто не поверит.

— Прав, — кивнула Анжелика. — Но все равно мне ее жалко.

— Жил с шизофреничкой, — вздохнул Саша. — Она ведь и меня могла кокнуть! Но только подумать, как она нас провела...

— А я не хочу об этом думать, — отрезала Анжелика.

— Поговорим о чем-нибудь другом. О Жене, — хитро подмигнул тот. — Это более приятная тема, верно?

Анжелика высоко подняла одно плечо, нахмурилась и спросила, что он имеет против Жени.

— Что я могу иметь против, если ты за? — усмехнулся он. — Но я могу тебе сказать, что мне в нем не нравится.

— Попробуй только!

Но он попробовал и быстро перечислил все имеющиеся у Жени недостатки: он неразговорчив, слишком много о себе думает, далеко не весельчак и, кроме того, не считает ли Анжелика, что он зарится на ее «вольво»?

— Ну вот что, разговорчивый, веселый парень! — оборвала она Сашу. — Я считаю, что на «вольво» заришься ты!

— Да брось, — мотнул головой Саша. — Не нужна мне твоя машина.

— Ах, так она все-таки моя?! Раньше ты говорил другое...

— Ну а теперь, в честь праздника избавления, я тебе ее дарю!

— Вот спасибо... Значит, от двух шантажистов я избавилась?

— От кого еще? — забеспокоился он.

— Ты и Лена — вот тебе шантажисты. Ты не убивал, значит, я не сообщница. Вы оба ничего мне не можете сделать. И денег ты не увидишь как своих ушей, и машины тоже.

— Вот, блин, какая ты стала... — тоскливо вздохнул он. — Да я никогда тебе и не угрожал.

— Это тебе так кажется, дорогой! Но остается еще Наталья...

— Она же тебе не звонит.

— Я думаю, она все уже узнала. Если убила Лена, она тоже ничего не может мне предъявить. Она упирала на то, что все расскажет в милиции...

— А откуда она могла узнать последние новости?

— А откуда она узнала, что мне нужно алиби?

— Ну, она могла просто догадаться, что тебе нужна помощь.

— Допускаю, что так и было. Тут много ума не надо, она ведь знала каждый мой шаг и понимала, что мне грозит опасность... А вот теперь? Теперь она, значит, могла догадаться, что мне не нужна ее помощь, мне не страшны ее обвинения... Но это уже слишком, — засомневалась Анжелика. — Нет, мой милый. У меня есть сильное подозрение, что кто-то держит ее в курсе дела. Кто-то ей сообщил, что убийца — Лена!

— Не может быть! Во всяком случае, это не я!

— Возможно, не ты. Но кто тогда?

— Ну а если она бросила воровать? А если до нее просто дошли какие-то слухи, что виновата Лена? А если... — Саша вдруг запнулся. — Если она всегда это знала?!

— Что?!

— Знала всегда! И брала тебя на понт, когда угрожала!

— Откуда же она могла это знать?! В тот вечер она не видела Игоря, и он до самой последней минуты не знал, что Лена его убьет... Не мог же он ее предупредить?!

— А может, он ей позвонил?

— Что ты болтаешь? Мертвый?

— Да ведь он не сразу умер. Минуту-другую протянул. И вполне мог набрать ее номер, сказать, что ранен и кем ранен...

— Почему же она не приехала к нему на помощь?

— А может, не хотела его спасать? Ей это, может, было невыгодно.

Они молча выкурили по сигарете, но никаких предположений больше не высказывали. Анжелика поднялась из-за стола, собрала пустые тарелки и положила их в мойку.

— Одно я знаю точно, — сказала она, открывая кран и пуская воду. — Она никогда не решится шантажировать меня тем, что я невольно помогала ей воровать. Она побоится разрушить свой бизнес. Это будет глупо с ее стороны, а она не производит впечатления дуры.

— Да, это верно. Значит, тебе сейчас вообще некого бояться?

— Некого.

— И денег ты ей не дашь?

— И не подумаю.

— А если она потребует?

— Все равно не дам.

— А если будет угрожать?

— Найдется кому меня защитить.

— Ты о Жене говоришь или обо мне?

— Молчи, защитничек. — Она намылила мочалку и принялась мыть посуду. — Я больше не имею с тобой никаких дел. У нас будут только дружеские отношения типа «чаю попить».

— Да? Ну тогда займи мне полторы тысячи долларов. Будь человеком!

Она резко повернулась и замахнулась на него мочалкой. Он даже не вздрогнул и спокойно пояснил:

— Я прогорел, мне не на что играть.

— Брось это дело, говорю тебе!

— Ты стала слишком правильная. Может быть, Женя влияет?

— Кто бы на меня ни влиял, но я больше в казино не пойду, игру бросила и ни копейки тебе не дам. Мне надо жить, пойми ты... И я не хочу, чтобы все началось сначала...

...А в конце лета они с Женей сидели в большой комнате во главе стола — того самого, за которым в мае поминали Игоря. Был жаркий день, и были открыты все окна и балконная дверь, так что по квартире гуляли сквозняки, и волосы у Анжелики развевались, попадая ей в глаза, и она смеялась, отводя их рукой, когда целовалась с Женей. Саша очень громко кричал «Горько!». Зинаида Сергеевна сидела будто каменная, изображая на лице одновременно радость за дочь и неодобрение ее столь поспешного брака. Но никто не обращал на нее внимания. Со стороны невесты гостей было мало — кроме Саши, только Юра, напившийся вдрызг и в конце концов уснувший в ее комнатке, да еще Ксения, старая знакомая из казино, которая случайно позвонила ей и получила приглашение на свадьбу как подружка невесты. Ксения сидела рядом с Сашей, и они бурно обсуждали свои игорные дела, привлекая всеобщее внимание. Анжелика старалась их не слушать. Со стороны жениха пришли его друзья в количестве пяти человек — парни как на подбор, плотные, не слишком разговорчивые и, как выразился Саша, «не нашего круга».

В гараже стояла «вольво», увитая белыми лентами, с куклой на ветровом стекле. Для Анжелики было самым трудным сесть в эту машину рядом с Женей, чтобы ехать в ЗАГС. Правда, сидели они сзади, потому что жениха не пустили за руль в день свадьбы, но Анжелике все равно казалось, что она ощущает запах духов «Экскламэйшн». Или запах крови... Но и это в конце концов прошло.

Наталья ей не звонила, не пыталась с ней встретиться. Анжелике начинало даже казаться, что и не было никакой Натальи. Но зато был Женя, который прекрасно запомнил «эту стерву» и часто о ней вспоминал. Свои воспоминания он заканчивал всегда одними и теми же словами:

— Ладно! Если ты не хочешь, чтобы я лез в эту грязь, я не буду! Пусть она подавится моими деньгами. Но если она попробует еще раз втянуть тебя во что-то, пусть поберsegment жется!

Анжелика испуганно кивала и говорила, что она уверена — Наталья больше не позвонит никогда, она же не дура, она все поняла, все пронюхала. Но ей не давал покоя один вопрос — откуда Наталья все узнала? Анжелика не допускала мысли, что Наталья имела какой-то доступ к следственным материалам или же получала информацию от самого следователя. Значит, кто-то ее проинформировал о ходе дела? Кто?! Юра? Его мать? Мать Анжелики? Саша? Женя? Она сама?! Но Наталья ей не звонила — это факт!

Прошло лето, прошла и осень. Наконец Анжелика решила, что ждать дольше нелепо, отнесла деньги в банк и открыла счет на свое имя. Женя продал свою машину и ездил теперь исключительно на «вольво», к которой успел привыкнуть как к родной. За ужином у него была одна тема — их «вольво» либо машины вообще. Он говорил о машинах, как бабники говорят о бабах. Анжелика слушала, смотрела в стену пустыми глазами и время от времени кивала, чтобы показать, что слушает его. Зачем сердить человека? Свою квартиру Женя сдал, и нужды в деньгах они не испытывали. Он не доверял банку и хранил деньги в тайнике, который оборудовал в их квартире. Тем более, что Анжелика всегда была дома — постоянный сторож.

Она не стала искать работу: не видела в этом смысла. Им хватало и на продукты, и на редкие развлечения (которые сводились к тому, что Женя приглашал в гости своих друзей с женами или они с Анжеликой отправлялись к ним). Ей хватило денег и на то, чтобы поменять весь свой гардероб. Она без всякого сожаления продала свои золотые украшения, потому что знала — у Натальи есть точно такие же. Изгнала из шкафов все вещи «периода Натальи». Так ей было спокойнее на душе — теперь у нее свои вещи, и даже если Наталья решит под нее подделаться без ее ведома, сделать это будет непросто.

«Без наводчика она вообще не сможет работать, — размышляла Анжелика. — Ну что ей толку в том, что мы похожи, если рядом со мной нет никого, кто, как Игорь, сказал бы: сегодня надень синий костюм, надень кольца, пойди и купи газету, посмотри, сколько стоят те розы... Она теперь не знает, в чем я выйду из дому, и выйду ли вообще, и куплю ли газету именно в то время, когда ей нужно алиби... Она пролетела, она проиграла! Она больше ничего не сможет сделать!» Но чувству удовлетворения мешала нарастающая скука. Да, ее жизнь была скучна, и Анжелика не могла не признаться себе в этом.

Выпал первый снег. В то утро она стояла у окна, на кухне, и смотрела, как на асфальт сыплет и сыплет снежная крупа и все вокруг постепенно становится белым. Давно уже никто не рисовал здесь классиков, давно не кричали во дворе девочки, поссорившиеся из-за неправильного броска битки. Анжелике казалось, что двор вымер. Она пощупала медленно наливающуюся теплом батарею, закрыла форточку, сняла с плиты вскипевший чайник. Женя только что уехал на работу. Она накормила его завтраком и сонно кивала в ответ на его наставления — что купить, что сделать на ужин. Ей нужно было сходить в магазин, убрать... Господи!.. Чем же заняться?

«Почему я снова так устроила свою жизнь? — подумала она. — Ведь то же самое было и с Игорем... В сущности, что изменилось? Да, я знаю, что Женя взял меня ради меня самой, а не из-за Натальи... Да, он не ворует, он честно пашет в своем автосервисе, а если и жульничает на работе, то ведь все вокруг жульничают, он не единственный... Он не умеет меня развлечь, но ведь он и не нанимался делать это? И разве вообще кто-то обязан меня развлекать? Чего я ждала? Чего я достигла? Когда я чего-то боялась, жизнь у меня была полнее и интереснее... Сейчас я ничего не боюсь, все кончилось, я живу как за каменной стеной... И что из этого? А как мне надо жить? Не знаю... Я не могу быть одна — вот основная причина всего. Я просто не могу быть одна! Я боюсь! Мне нужен кто-то, ну хоть кто-то... Но не все равно — кто!»

Она ждала Женю к восьми вечера, но в половине восьмого он позвонил ей и сказал, что появилась срочная работенка, можно неплохо подкалымить, и он остается на работе, приедет поздно. Спросил, не скучает ли она? «Нет, — ответила Анжелика, — что ты...» Когда она повесила трубку, ей показалось, что он был обижен ее словами. «Наверное, лучше было бы ответить, что я очень по нему скучаю? — подумала она. — Но это же будет неправда...»

Она поужинала в одиночестве, включила телевизор, но долго не могла сосредоточиться на том, что происходит перед ней на экране. Зазвонил телефон. Она спокойно взяла трубку — она теперь все делала спокойно. Это был Саша.

— Привет, сестренка, — весело сказал он. — Гниешь помаленьку?

— Загниваю. А в чем дело?

— Ни в чем. Мне тоже без тебя скучно. К тебе сейчас и в гости не придешь...

— Да уж, Женя будет не в восторге.

— За что он меня так невзлюбил?

— Может, ревнует, — вяло предположила Анжелика. — Он сегодня поздно вернется.

— Ну?! — воскликнул Саша. — Подарок судьбы! Сестренка, я, как уже было сказано, не при деньгах. Если ты будешь ко мне добрее, чем оба твоих мужа, и займешь хотя бы долларов двести, я верну их через неделю в виде трехсот. Согласна?

— Играть поедешь?

— Уголь в шахте рубить! Знаешь, я замечал — когда наступает зима, мне везет больше. Ей-богу! Нельзя упускать первый снег. Ну так что? Если согласна, я к тебе сейчас заеду.

Она разрешила ему приехать, сказав при этом, что ей и двухсот долларов не жалко. В ответ он закричал, что ее не зря назвали Анжеликой — она ангел в чистом виде, таких девушек немного! И обещал быть через час.

— Собираешься куда-то? — спросил он, когда Анжелика открыла ему дверь в полном облачении — джинсы, теплые ботинки, длинная дубленка с капюшоном. — Или только вернулась? Или хотела от меня сбежать? А где мои двести долларов?

Она сунула ему деньги и вытолкнула на лестницу. Вышла сама, тщательно заперла дверь. Саша удивленно спросил:

— Матушка, что за дела?

— Я еду с тобой.

— На «Александр Блок»?!

— Да!

— Ты серьезная девушка, ты милая девушка, — сказал он, беря ее под руку и помогая спускаться по лестнице. — И я в тебя всегда верил. Высший класс! А муж не будет против?

— Я ему оставила записку.

— Ну? Классика... И что ты написала?

— «Мама нездорова, ночую у нее».

Он слегка присвистнул и внимательно посмотрел на нее. Она засмеялась, отрывисто, немного деланно, надвинула на глаза капюшон и быстро пошла вниз, слегка придерживаясь за перила.

**Малышева А.**

М20 Зачем тебе алиби...: Роман. — М.: ЗАО Изд-во Центрполиграф, 1998. — 456 с.

ISBN 5-218-00687-4

В романе А. Малышевой «Зачем тебе алиби...» молодая девушка погружается в полный опасностей мир казино, где шарик рулетки ведет ее от преступления к преступлению.

**УДК 882**

**ББК 84(2Рос-Рус)6-4**

Литературно-художественное издание

**Анна Малышева**

# ЗАЧЕМ ТЕБЕ АЛИБИ...

*Роман*

Ответственный редактор *Р.Р. Оганян*
Редактор *Н.С. Высоцкая*
Художественный редактор *И.А. Озеров*
Технический редактор *Л.И. Витушкина*
Корректор *Т.В. Вышегородцева*

Изд. лиц. ЛР № 065372 от 22.08.97 г.
Подписано в печать с готовых диапозитивов 22.12.97.
Формат $84\times108^{1}/_{32}$. Бумага газетная. Гарнитура «Таймс».
Печать офсетная. Усл. печ. л. 24,36. Уч.-изд. л. 23,66.
Тираж 20 000 экз. Заказ № 2540

ЗАО «Издательство «Центрполиграф»
111024, Москва, 1-я ул. Энтузиастов, 15

ГИПП «Нижполиграф»
603006, Нижний Новгород, Варварская ул., 32